現実性の問題

Problem of Actu-Reality

入不二基義

Irifuji Motoyoshi

筑摩書房

はじめに　「現実性の問題」の始まり

1　離別と死別

一つのエピソードから始めよう。小学生の頃、同じクラスの男の子が（親の転勤に伴い）遠くの小学校に転校することになった。登校した最後の日に、彼は先生から促されて何かひとこと挨拶をした。何を言ったかまでは覚えていないけれども。彼と仲の良かった男の子や女の子たちは、「もう会えないのかな」「寂しい」「元気でね」……などと言いながら、別れを惜しんでいた。

その転校と同じ頃に、知り合いのお葬式に親といっしょに列席した。大人たちは、「ご愁傷様です」「会うことができなくなって残念です」「寂しくなりますね」……などと挨拶を交わしながら、故人との別れを惜しんでいた。死別に際しての大人たちの様子は、離別の日の子どもたちに比べると、どこか不自然で大げさな気もした。

同級生の転校と知り合いの葬式。二つの出来事を比べながら、小学生の私は次のように思っていた。「遠くへ引っ越して会えない」ことと「死んでしまって会えない」ことは、どこがそんなに違うんだろう？　「会えない」のは同じじゃん。なのに、大人たちはなんで特別なことのように悲しむのだろう。……そんな感じだったと思う。

小学生の私には、離別と死別（転校による別れと死亡による別れ）は、「もう会うことはない」という点で、どちらも同じようなものだと感じられていた。「転校による別れも死亡による別れも、その人にもう会うことはないという点では同じじゃないか」、「遠くへ行った人と亡くなった人では、寂しさはそんなに違うものだろうか？」と私は思っていた。そして、ひどく悲しむ大人たちの姿は、どこか滑稽な感じもあったし、居心地の悪い、腑に落ちない「しこり」のようなものを私に残した。「死ぬことはそんなに特別なことなのかなあ？」とも思っていた。

2　同じか？　違うか？

幼稚園の頃から「ひとこと多い」子どもだった私は、その葬式のときも「引っ越しと死ぬことは似ているね」みたいなことを言ったようである。こういうとき、多くの大人たちはちょっと腹を立てたような、あるいはちょっと困ったような顔で、「引っ越しと死ぬことは、ぜんぜん違うでしょ。失礼なことを言うんじゃないの」と私を窘《たしな》めた。でも中には、子どもにしては理屈っぽかった（？）私に向かって、なんとか説明しようとする大人もいた。「死んでしまった人には、もう二度と会えないけれど、遠くへ引っ越した友だちには、会おうと思えば電車や飛行機で会いに行けるでしょ。だからぜんぜん違うのよ」というような説明だった。

要するに、死んでしまった人にはもう会う可能性がないけれども、遠くへ引っ越した人ならば、会う可能性はあるというわけである。（会う）可能性が「ある」のと「ない」のとでは、決定的に違うのだと大人は説明したかったのだろう。こいつはまだ子どもだから、「会える（可能性）と会えない（不可能性）」の違いがよく分かっていないのだ。大人はそう考えたのかもしれない。

しかし、子どもだからと言って、馬鹿にしてはいけない。まだ幼くてその違いが分からないから、同じだ（似ている）と間違って思いこんでいたのではない。むしろ、そういう違いがあることは分かっていても、それでもなお、「実際には違いはないのではないか」と小学生の私は思っていたのである。つまり、生きていたとしても実際に会わないのであれば（引っ越した友だちとは実際にその後一度も会っていない）、その「会わない」という点では、死んでいて「会わない」場合と違わないではないか、そう思っていた。今どちらの人とも会っていないし、明日も明後日も、一年後も一〇年後も二〇年後も……とにかく会わない。そんな風に、「会わない」という点では何の違いもない。「会わない」ということが実際に起こっているだけであって、それぞれに違ったことが起こるわけじゃない……と私は思っていた。

さらに言えば、「実際に会わない」人など無数にいる。その中には、死んでいる人も生きている人もいるだろうが、その違い（生きているのか死んでいるのか、「会えなさ」の意味の違い）など、一切気にしていない。大人だって、そうである。そもそも、「会わない」こと自体も特に気にかけていない。ただ「会わない」ということが起こっているだけである。そう考えると、離別と死別は、その一番根っこのところは同じ「会わなさ」が生起しているだけであって、基本的には、離別も死別も同じことが起こっているだけだし、そうであり続ける。もちろん、子どもの私はそうはっきり考えていたわけではないが、それに近いことを感じていた。

ただし、基本は同じであったうえで、違いを付け加えることはできるし、やっている。たとえば、特に大切な人との別れで「もう二度と会わない」という場合には、動揺もするし特別に「色づけ」をして強調したくなる（悲しんだり重大視したりする）。

離別と死別の違いは、「会わなさ」そのものの違いではなくて、同じ「会わない」に付加される「気持ち」の側の問題であり、それは「程度」の問題でもあるだろう。「会わない」こと自体は、悲しいこともあればそうでないこともあるし、重大な意味を持つこともあればそうでないこともある。付加される悲しさや重大さには程度の差があって、all or nothing ではないし、その違いを決めるのは、離別なのか死別なのかではない。さらにもう少し大人になった頃に、そのように思ったこともあった。

当時はそこまで言語化できていたわけではない。しかし、おおよそこのようなことを感じながら、「離別も死別も同じようなものではないか」とずっと思っていた。だからこそ、「可能性がある／可能性がない」に基づいて、離別と死別の違いを説明しようとする大人の考え方が、受け入れられなかったのだと思う。

3　現実と可能

しかし、大人になった今の私ならば、「可能性がある／可能性がない」という違いを強調する大人のほうの気持ちも、当時よりはよく分かる。大人たちは、「生と死」の断絶を言いたかったのだろう。生きているということは、色々な可能性があるということに等しく、死んでしまえばその可能性はゼロになってしまう。この差は「程度の問題」などではなく、「all or nothing の問題」であり、「可能性のある／なし」の差は決定的なのだと。

生きていさえすれば、（実際には会わなくとも）会える可能性はあるが、死んでしまったらその可能性そのものが完全に失われてしまう。だから、遠くに引っ越した友だちとは「会えない」とはいっても、その「会えなさ」は完全な不可能性ではない。たとえ、会うことがきわめて難しくて、また実際には会わないのだとしても、その人に会う可能性はどこまでも無くならない。しかし、死亡して会えなくなった人の場合は、そうではない。その人に会う可能性は完全に無くなる。生きていることと死んでいることの違いは、残酷なくらいに決定的であって、「気持ちの持ちよう」ではどうにもならない差なのだ。大人になった私は、子どもだった私に向かって、そう言うかもしれない。

しかし、ほんとうにそうだろうか。大人になった私の中にも、まだあの頃の子どもの私が住んでいて、大人が強調する「決定的な差」に納得できなくて（私は「素直な」子どもではなかったので）、次のように考えるだろう。

「実際には会わない」という現実のところだけで比べていると、離別と死別には違いが付けられないから、大人たちの言うように、現実とは別の「可能性」というのを考えてみることは、悪くないと思う。転校していった同級生には、実際一度も会っていないというのが現実だけど、飛行機に乗れば会いに行くことはできるし、偶然に東京の街角で会う可能性だってある。それはそうだ（可能性ならば、いくらだって「ある」）。

しかし、「離別」の場合に、そうやって「可能性」というものを「いくらでも」持ち出してもいいのだとすると、「死別」の場合だって、同じことにならないだろうか。「死別」の場合だって、可能性を考えてもいいということになれば、いくらでも「死んだ人に会う可能性」は考えられるのではないか。たとえば、死後の世界があって、そこに住んでいる死んだ人に会いにいく（鬼太郎のように！）。

そういう「可能性」ならばある。あるいは、死んでしまった人がもう一度生き返って僕に会いに来る。そういう「可能性」ならばある。「会う可能性」は、「死別」の場合もいくらだって「ある」のではないか。

「実際には会わない」という現実のところだけで比べていると、離別と死別には違いが付けられないだけではなくて、(大人たちの言うように)可能性というのを持ち出して比べたとしても、やっぱり違いはなくなるのではないか? 「現に会わない」という点で同じであるだけでなく、「(会う)可能性はいくらでもある」という点でも同じになるのではないか?

これで、もう一度「離別と死別は同じようなもの」へ戻って来て、振り出しに戻ったことになる。そういう「子どもの私」の異議申し立てに対して、「大人の私」の側は、もう一度考え直すことになるだろう。そして、「大人の私」は「子どもの私」に向かって、次のように言いたくなる。「君は、こんどは可能性というのを広げすぎているのではないか?」と。

この先でさらに想定できる「大人の私」と「子どもの私」の問答を、もう少しだけ続けてみよう。

【大人の私】

君は、始めは「実際に会わない」という現実だけに狭く絞りすぎて考えていたから、離別と死別の違いが見えなくなっていた。だから、実際に会うかどうかだけではなく、会う可能性についても考えてみることを大人は勧めたわけだ。可能性を視野に入れて考えた方が、その違いがはっきりするのではないかというアドバイスをしたことになる。

そうしたら君は、その可能性を取り入れることはしたけれども、こんどは可能性を無制限に広げすぎてしまって、せっかくのアドバイスを台無しにしたことになる。君は、「あの世」とか「生き返り」とかの非現実的な可能性まで持ち出して、「飛行機で行けば会える」という現実的な可能性といっしょくたにしたので、何でもあり（どんな可能性だってある）になってしまったんだ。だから再び、離別と死別の違いが付けられなくなってしまった。

「可能性」を考える時には、狭めすぎて「可能性が消えてしまう」のもダメだけれど、逆に広すぎて「何でもあり」もダメだ。そのあいだの適度なところで「可能性」を考えないと、離別と死別の違いをうまく理解できないよ。

【子どもの私】

なんか変だなぁ。

「（可能性を）狭く絞りすぎたり広げすぎたりするから、離別と死別の違いがうまく付けられなくなる」って大人は言うけれども、僕はそもそも「離別と死別の違いはない」「違いがなくて何がまずいのか？」と思っている側なんだよ。「違いをうまく付けたい（付けよう）」と思っているのは、大人の側だよね。

だから、僕からすると、「可能性の範囲を適度に絞れば、離別と死別の違いが分かる」と言われても、逆じゃないの？　と思ってしまう。つまり、「離別と死別の違いが分かるように、可能性の範囲を適度に調整している」ように見えてしまう。それでは、「出来レース」じゃん。始めから「勝ち」（＝離別と死別が根本的に違うこと）が決まっていることになる。僕が疑問に思っていたのはその「勝ち」（＝離別と死別が根本的に違うこと）についてだったのに……。だから、「適度な可能性を考えよ！」と言われても、答えてもらっている気がしない。

それに、「可能性の範囲を、絞りすぎず広げすぎず、適度な範囲にする」と大人は言うけど、どうやってその「適度な範囲」を決めているのだろう。先ほど大人は、僕にこう言った。「非現実的な可能性まで持ち出して、現実的な可能性といっしょくたにしている」と。ということは、「あの世」や「生き返り」という可能性と「飛行機で行く」という可能性のあいだに線を引いて区別したいわけだ。「あの世」や「生き返り」という可能性は考えてはダメで、「飛行機で行く」という可能性ならばＯＫ。どうやってダメとＯＫを区別しているかといえば、「あの世」や「生き返り」は非現実的であるけれど、「飛行機で行く」は現実的であるというように、「現実的であるかどうか」によって区別している。

これも、また変だなぁ。

離別と死別を区別するためには、現実（実際に会わないこと）だけではなくて、可能性まで考えないといけないと大人は言う。しかし、その可能性をうまく使う（＝広げすぎて台無しにしない）ためには、現実（実際にできること）に絞って考えなくてはいけないとも大人は言う。なんだか、現実から可能性へ、可能性から現実へと「たらい回し」にされているような気がする。可能性を利用することで、現実に対して違いを付けようとしているのか、それとも、現実を利用することで、可能性に対して違いを付けようとしているのか……。よく分からなくなる。まるで、自分で自分の尾っぽに嚙みついて輪になっている蛇のようだ。

＊

もちろん、「子どもの私」と「大人の私」の想定問答は、これで「終局」にはならない。というよりも、この続きをもっと先のほうまで展開してみるとどうなるかを、本書は追究している。以下の本文は、そのような追究の軌跡である。たとえば、第5章の「必然と偶然」を論じる箇所では、私は次のように述べている。

このような必然と偶然の間の往復は、「はじめに」で述べた子どもと大人の間でのやり取り（視点の交代）の延長線上にある。「離別と死別」は「会わない」という現実が起こっているだけだという点で、同じようなものだと考える「子どもの視点」は、実際の現実が全てであり、その現実を必然の相の下で見ようとする側（現実の必然性）へと繫がっている。一方、離別と死別の決定的な差を「会う」可能性のある・なしに見ようとする「大人の視点」は、現実を可能性の一つとして位置づけて、現実を偶然の相の下で見ようとする側（現実の偶然性）へと繫がっている。そして、偶然⇅必然という転化は、大人の視点から子どもの視点に転化すること、子どもの視点から大人の視点に転化することに対応している。（一六二―一六三頁）

いずれにしても、このエピソードの中には、本書を通底するテーマとしての「現実性／可能性」「可能／不可能」「ある／ない」「絶対／相対」「肯定／否定」「同じ／違う」……などの問題群が、萌芽的な仕方ではあるけれども含まれている。以下に続く第1章から第9章までの考察はすべて、それらのテーマをめぐる哲学的探究である。

目次

現実性の問題　The Problem of Actu-Re-ality

第1章　円環モデルによる概観

「はじめに」の一節「3　現実と可能」で、私は「[…]可能性を利用することで、現実に対して違いを付けようとしているのか、それとも、現実を利用することで、可能性に対して違いを付けようとしているのか……。よく分からなくなる。まるで、自分で自分の尾っぽに嚙みついて輪になっている蛇のようだ」と記した。

もちろん、この「自分で自分の尾っぽに嚙みついて輪になっている蛇」でイメージしているのは「ウロボロスの環」であるが、その「環」のイメージは、通常の静的《スタティック》な円（輪）には留まってはいられないだろう。というのも……。一方では、嚙みついた自分の尾っぽを貪り食っていくと、自己消尽して死んでしまうのではないだろうか？　という疑問が湧いてくるし、他方では、そうならないためにも、尾っぽは逃げ去り続け、頭のほうはそれを追いかけ続け、その「環」は永久機関のように回り続けるのだろうか？　という疑問も湧いてくるからである。

「ウロボロスの環」は回り続けるのか、消え去って無くなるのか。

「現実と可能」という両者の関係もまた、静的《スタティック》な「ウロボロス」のような「閉じた円環」のイメージには留まれないのではないか。むしろ、「自己消尽的」であり「自己駆動的」でもあるような動的な円環になるのではないだろうか。

1　始発点

動的な「ウロボロスの環」の始発点をどのように考えるかは難しい問題であるが、「現実と可能」の関係をウロボロス的に考えるためには、とりあえず「（何であれ）何かが起こった（起こっている）」という始発点――実現・生起――から出発してみるのがいいだろう。その始発点は、「とにかく今こうである」という端的な事実性（出来事性）と言い換えてもよい。

拙著『あるようにあり、なるようになる　運命論の運命』において考察した「論理的運命論」の始発点（端緒）は、まさにこの事実性（出来事性）だったと言うことができる。というのも、「論理的運命論」は、「起こったことの変えがたさ」（変更不可能性）に依拠して議論を始めていたからである。通常それは、「過去の出来事の変更不可能性」として言及されることが多い。しかし「過去」といっても、必ずしも「遠い昔のこと」のみを意味するわけではない。むしろ、いわゆる「過去」だけではなくて、「現在完了（の出来事）」も「現在進行中（の出来事）」も、そこには含まれている。「起こったこと」「起こっていること」は、もはや「起こらなかった」「起きていない」へと変えることは不可能である（この「起こった」は現在完了形であり、「起こっている」は現在進行形である）[1]。そこを始発点にしながら、「論理的運命論」は、次のようにして「運命」（出来事の必然性）を証明しようとするのであった。

ある出来事は、起こるか起こらないかのどちらかである。もし起こったとすると、その出来事が起こったことは、もう変えられない。もし起こらなかったとすると、その出来事が起こらなかったことは、もう変えられない。どちらにしても変更不可能である。たとえ、そのどちらになるかは分からなくとも、どちらの場合であっても変更不可能なことに変わりはない。したがって、起こっても起こらなくてもいずれにしても、それぞれが必然的にそうなのである。ゆえに、どんな出来事であっても必然的にそうなのである。(2)

2 始発点と第一歩

始発点は、とりあえず「(何であれ)何かが起こった(起こっている)」にとった。しかし、そのとりあえずの始発点は、実はすでに踏み出した後の第一歩目なのであって、真の始発点はさらに遡ることができるのではないか? という疑問が生じるかもしれない。「(何であれ)何かが起こった(起こっている)」よりも、「(そもそもまだ)何も起こっていない」のほうが、一歩踏み出すよりも前の、真の始発点(第0歩)なのではないか? 「何も起こっていない」(始発点)から一歩踏み出してしま

(1) 過去・現在完了・現在進行に対しては、変更不可能性が言えるとしても、「未来」には、この点(変更不可能性)は当てはまらないのではないか? この問いは、運命論批判の典型的な一パターンである。この「未来」に関わる議論については、拙著『あるようにあり、なるようになる 運命論の運命』(講談社、二〇一五年)の第Ⅲ部、および本書の第5章・第6章を参照。

(2) 前掲拙著『あるようにあり、なるようになる 運命論の運命』四三頁。

ったのが、「何かが起こった（起こっている）」（第一歩目）ではないか？

「始発点と第一歩」のこの関係は、「0と1」の関係、あるいは「考えていることが何も無いこと（空集合）と、空集合というものを考えていること（空集合のみを要素とする集合）」の関係と類比的である。(3)

「1」を始発点だと思ってみても、その「1」よりも「0」のほうが真の始発点なのではないか、という疑問が生じる。同様のことが、「空集合」と「空集合について考えること」のあいだでも言える。「空集合φ」というものを考えてしまうと、当の空集合を一要素（一対象）として思考してしまうこと（={φ}）になって、それは（0ではなくて）1に対応してしまう。そこで、「空集合φ」が真の始発点（=0）になるためには、空集合自身（φ）さえ要素として含まない集合（={ }）でなくてはならない。いわば、空集合は一要素（一対象）としてはまだ思考されないときにのみ、真の始発点になりうる。そのようにして、真の始発点（0）は、とりあえずの始発点（1）から遡行的に取り出される。それは、{φ}からφへの（={{ }}から{ }への）遡行である。

「1」や「空集合を対象にする思考」と同様に、「（何であれ）何かが起こった（起こっている）」は真の始発点ではなくて、「一歩踏み出した後」なのではないだろうか？「（そもそもまだ）何も起こっていない」のほうが、真の始発点に相応しいのではないだろうか？ 0やφと同様に。そのような疑問が生じる。

　しかしながら、1から0へ、{φ}からφへと、真の始発点（第0歩）を目指して遡るためには、どうしても「否定」を経由せざるを得ない。この点に注意しよう。数え始める前としての「0」には、「（1・2・3……と）まだ数えることが始まっていない」というように、否定形を経由しないと迫れない。そして、そのように否定を経由するということは、「すでに数えることが成立している」こと、すなわち「（否定される前の）肯定」を前提にせざるを得ない。「否定」は「肯定」に遅れてやって来ることしかできない。

同じく、空集合は、一要素（一対象）としてはまだ思考されていないときにのみ、真の始発点になりうるが、そうであるためには必ず、「一要素（一対象）としてはまだ思考されていない」「それ自身がまだ要素になっていない」というように否定形を経由してしまう。そして、そのように否定を経由するということは、空集合はまず思考の対象になっていなければならない、ということである。思考を否定するためにも、「（否定される前の）肯定形の思考」が前提にされざるを得ない。「否定」は「肯定」に遅れてやって来ることしかできない。

こうして、とりあえずの始発点（1や{φ}）から始めて、真の始発点（0や{ }）へと遡行しようと試みても、元々の始発点が、もう一度「（真の始発点に先行する）いっそう真なる始発点」として回帰してくる。「始発点」は、「1と0」「空集合の思考と空集合それ自体」のあいだを、そのような仕方で循環するようになっている。

「実現（生起）」と「それ以前」についても、同じである。真の始発点のように思われた「（そもそもまだ）何も起こっていない」は、否定形を経由せざるを得ない。否定経由ということは、「（何であれ）何かが起こった（起こっている）」という肯定に依存することである。それを打ち消すという形

（3）　拙著『相対主義の極北』（ちくま学芸文庫、二〇〇九年）の第7章「「ない」よりもっと「ない」こと」を参照。

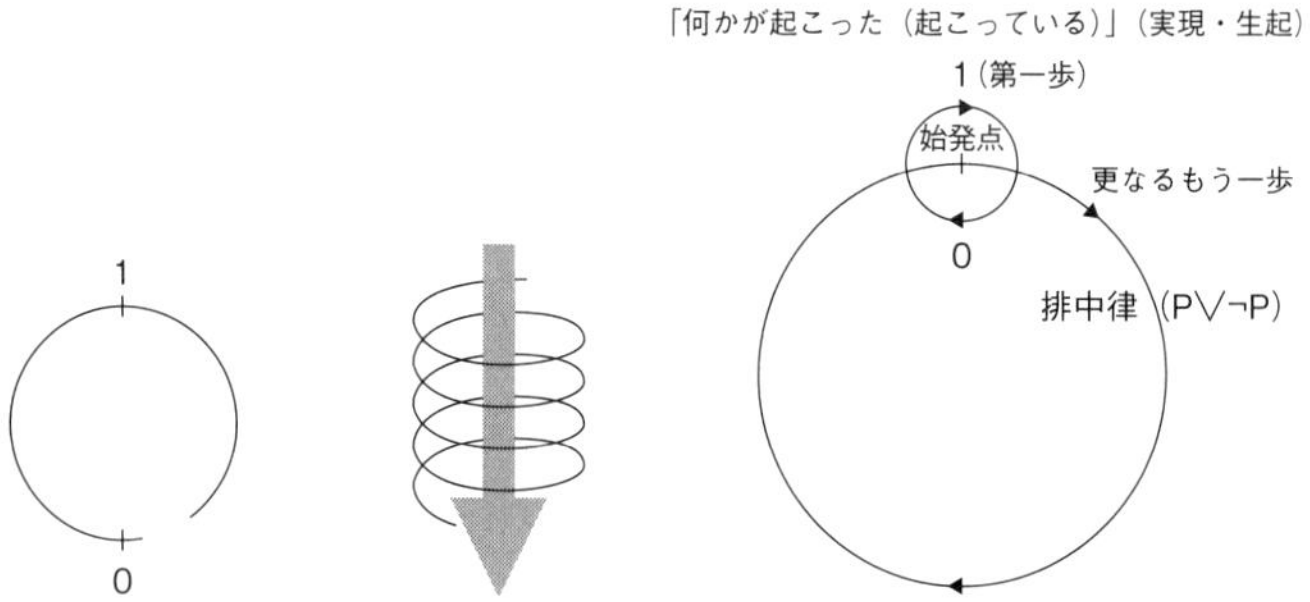

でしか、「真の始発点」にはなり得ない。その意味では、「（何であれ）何かが起こった（起こっている）」から「（そもそもまだ）何も起こっていない」への遡行は、もう一度「（何であれ）何かが起こった（起こっている）」という始発点へと差し戻される。「（何であれ）何かが起こった（起こっている）」という肯定のほうが、「（そもそもまだ）何も起こっていない」という否定よりも、先行的（根源的）なのである。「いっそう真なる始発点」は、ぐるっと回って元に戻って、「（何であれ）何かが起こった（起こっている）」であるということになる。「第一歩」だと思われたほうこそが「始発点（第0歩）」であり、「始発点（第0歩）」だと思われたほうが、むしろ「第一歩」であるという「循環」が生じている。「（何であれ）何かが起こった（起こっている）」を始発点として考えるということは、そのような「循環」を含んだ「とりあえず」なのである。

「循環」については、ひとこと付け加えておかなくてはならない。簡略化したために、始発点に位置する「1と0の循環」を、閉じた小円（周転円）のように描いている。しかし、正確に言えば、それは「閉じた小円」にはならない。むしろ、「切れ目」の入った完全には繋がっていない円でなければならない。あるいは、完全には繋がらないまま（切れたまま）で、なおも循環を繰り返すということは、螺旋的な上昇（下降）を含む循環になるということである。この点（切れ目のある円環あるいは螺旋を描くという点）は、実は円環モデル全体が描く円（大円）についても同様であり、（正確には図とは異なって）円として完璧に閉じるわけではない。むしろ、そのズレを含んだ循環――螺旋形――の「垂直性（三次元性）」こそが、本書の主題である「現実性という力」をもっともよく表すことになる。(4)

3 更にもう一歩

論理的運命論の始発点（端緒）は、すでにこの事態（0と1のあいだでの循環）に巻き込まれている。その循環に関連することとして、次の点に注目しておこう。「起こった（起こっている）こと」は、もはや「起こらなかった（起こっていない）こと」へと変えることは不可能であるという運命論の初発の直観（過去の出来事の変更不可能性）には、二重否定と肯定とのあいだの「一致とズレ」が含まれている。「起こった」「起こっている」という肯定が持つ強さを、否定することの不可能性という「二重否定」によって示そうとしている。しかし、「二度も」否定を経由しないと、そもそもの（初発の）肯定の強さに辿り着けないのだろうか。「二度も」否定を経由するどころか、「一度も」否定が生じないこととの内にこそ、（初発の）肯定の強さを見るべきではないのか。「二重否定による肯定」と「否定が存在しない肯定」とのあいだの「一致とズレ」は、「始発点」問題と同じように「循

（4）この垂直性（三次元性）あるいは高次性を、「空集合の思考と空集合それ自体」において考察すると、「空集合以前」が浮上する。前掲拙著『相対主義の極北』第7章「「ない」よりもっと「ない」こと」を参照。

環」する。「二重否定による肯定」は「否定が存在しない肯定」へと（否定を経由して）接近しつつも、けっして行き着かない。

　一致：二重否定は肯定に戻る（肯定を強調する）。
　ズレ：二重否定は肯定に届かない。

論理的運命論が、排中律（ある出来事は、起こるか起こらないかのどちらかである）という論理の中に運命論の問題を見出すことと、この「一致とズレ」に「（何であれ）何かが起こった（起こっている）」の「始発点」循環問題を見出すことは、同型である。

ただ「一つ」であるはずの「現実」が、（論理的には）肯定側（P）と否定側（¬P）に分けられ「二つ」想定された上で、（更に現実の働きかけによって）どちらか「一つ」に絞り込まれる。しかし、その絞り込まれた「一つの現実」は、論理的に飼い慣らされた「現実」ではあっても、元々の「（何であれ）何かが起こった（起こっている）」という現実の野生の強さ（始発点としての「一つ」）には届かない。言い換えれば、排中律の中に書き込まれた「ただ一つの現実P」は、初発の現実の「一」と論理内の「二」のあいだで引き裂かれつつ、論理内の「一」として、両者のあいだを取り持とうとする。「二重否定による肯定」と「否定が存在しない肯定」との「一致とズレ」の問題は、論理内の「一」と現実の「一」とのあいだの緊張関係として現れている。

排中律という論理（P∨¬P）を通して現実を透かし見るならば（＝論理的運命論によるならば／＝否定性を経由して現実に迫ろうとするならば）、「（何であれ）何かが起こった（起こっている）」という始発点（実現・生起）は、以上のような「循環」（始発点⇅第一歩）に巻き込まれる。
話は、更に先へと進む[5]。（「循環」を棚上げにして）とりあえず「始発点」から出発して、歩を更に先へと進めてみる。更にもう一歩、更にもう一歩と先へ進んでいくと、反実仮想や可能性の領域を経由して、潜在性の場を潜り抜けることになる。その過程では、（始発点での）「循環」にも似た「転回」が、大回りで繰り返される。初発の「0⇅1」は、全域（実現・生起↓反実仮想↓可能性↓潜在性↓……）を貫いて、形を変えて反復される。その全域の「循環」の中では、可能・不可能・必然・偶然などの「様相」、（排中律のみならず）同一律や矛盾律などの「論理」、過去性・未来性などの「時制」[6]、これらもまた、そのプロセスの中で浮上したり沈潜したりする。

　そして最も重要なことは、この経巡り（循環・転回）の水準と、「現実の現実性」（「現に」という力）の水準を、分けておくことである。言い換えれば、「現実」の二つの水準を区別しておくことである。一つは、回る現実——(1)始発点的な「現実」、(2)可能的な「現実」、(3)潜在的な「現実」——であり、もう一つは、回す力としての現実である。

（5）　この箇所は、「円環モデルによる概観」の中での「概観の概観」である。

（6）　先ほどすでに「過去（の出来事）」という領域が登場していたではないか、と思われるかもしれない。しかし、先ほどの「過去（の出来事）性」は、時制区分の一領域としての「過去」ではなくて、むしろ「完了＋進行」（起こった＋起こっている）というアスペクトに等しいものであった。時制区分としての「過去」は、「現在」や「未来」とセットになってこそ成立する。

4　反実仮想と可能性

「反実仮想」は、そのあり方（現実に反することを仮に想定する）からして、現実（実際）がどのようであるかに依存するし、「何かが起こった（起こっている）」という実現・生起の後でしか（すなわち実現・生起に遅れてしか）登場できない。「Pが起こった（起こっている）」からこそ、そのことに基づいて、「仮にそのPが起こらなかった（起こっていない）としたならば」という反実仮想も初めて可能になる。「Pが起こった（起こっている）」という実現・生起がそもそもなければ、そこには（そのPについての）反実仮想は立ち上がりようがない。

この「反実仮想」の（現実に対しての）「遅れ」は、「（そもそもまだ）何も起こっていない」という否定が、「（何であれ）何かが起こった（起こっている）」という肯定に対して、遅れる（先行できない）事態と、基本的には同型である。

ただし、「反実仮想」に含まれる「遅れ」のほうが、「（そもそもまだ）何も起こっていない」に含まれる「遅れ」よりも、「遅れ」の度合いが大きい。というのも、後者の場合には、「1に対する0の遅れ（1→0）」と同様に、容易に反転（0→1）して循環する（0⇄1）のに対して、前者（反実仮想）の場合はそうではないからである。

「何かが起こった（起こっている）」という肯定も、「（そもそもまだ）何も起こっていない」という否定も、どちらも始発点になりうるし、むしろ始発点の争奪戦（＝循環）こそが始発点であるとさえ言うことができる。つまり、「遅れ」自体が反転する。

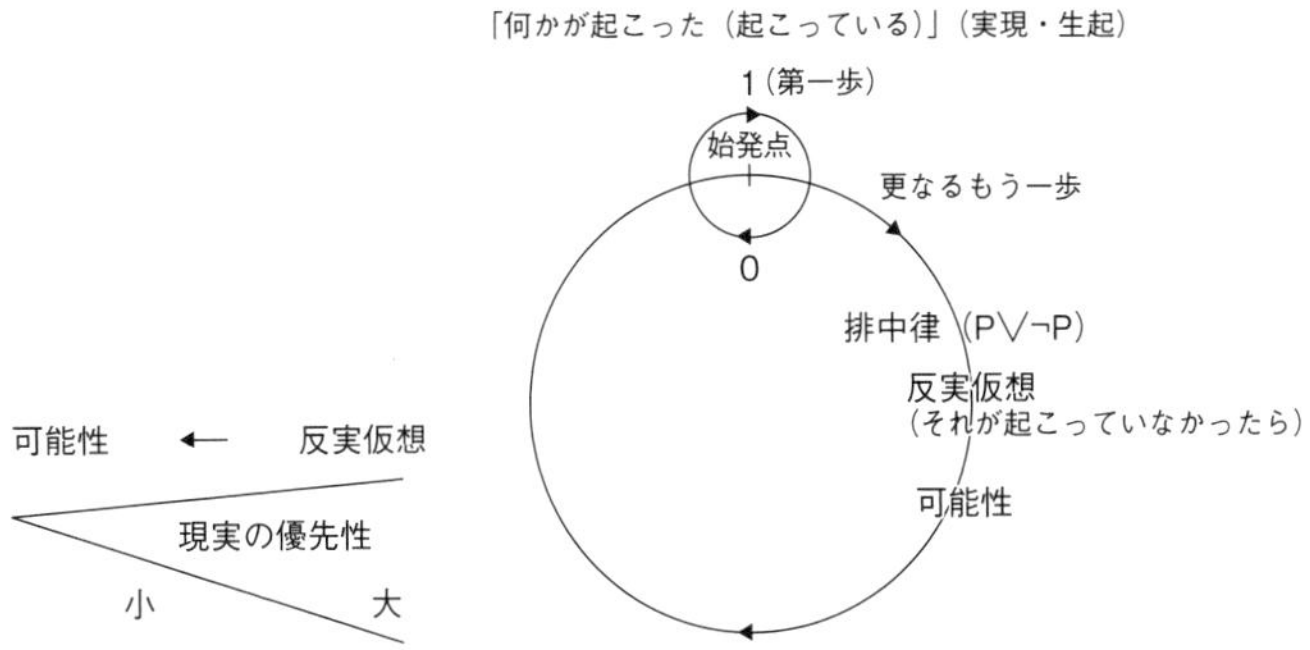

それに対して、反実仮想の場合には、そのような反転・循環は発生しない。反実仮想は、現実（実際）に対して絶対的に遅れてやって来るしかなく、「現実→反実仮想」という一方向性しか成り立たない。「反実仮想→現実」へと反転することはない。一方向的にならざるを得ないのは、「Pが起こった（起こっている）」という実現・生起に対して、「そのPが、仮に起こっていなかったら」という反実仮想は、否定を経由するのみならず、その特定の現実（実際のあり方）への指示（そのP）を経由せざるを得ないからである。

ところで、その「反実仮想」をさらに一歩先へ進めたところで、「可能性」の領域が立ち上がる（その逆の「可能性→反実仮想」ではない、という点に注意）。どういうことか。「反実仮想」の場合には残る「現実の優位性（現実への依存）」が、「可能性」の領域へと進むことで縮小して、むしろ「可能性の優位性（可能への依存）」のほうが高まる、ということである。すなわち、「現実→反実仮想」という一方向性は、こんどは「可能性→現実」という逆向きの一方向性へと転換することになる。「現実（実現・生起）」のプライオリティの度合いは低減する。「現実（実現・生起）⇅実現前・生起前」（両方向性・相即・循環）から出発した歩みは、「現実（実現・生起）→反実仮想」（一方向性）を経て、「可能性→現実（実現・生起)」（一方向性）へと至る。前頁の円環図の右半円部がそれに相当する。

　排中律（P∨¬P）は、現実と可能性の接触点のように働いている。現実のほうに重心をおくならば、（Pか¬Pの）どちらか一方であるという「唯一性」が浮かび上がるし、可能性のほうに重心をおくならば、（Pか¬Pの）どちらでもありうるという「二つ性（複数性）」が浮かび上がる。（反実仮想から）さらに可能性の方へと歩を進めるということは、後者の「二つ性（複数性）」を「無数（無限）の諸可能性」へと向けて開いていくことである。そして同時に、その無数の諸可能性の一つとして、現実がプライオリティを失って「転落」していくことである。

　では、どのようにして、排中律（P∨¬P）から「無数（無限）の諸可能性」を引き出すことができるだろうか。一つのやり方は、否定（¬P）の内に含まれる肯定（Q・R・S……）に注目することによってであり、もう一つのやり方は、排中律のメタ適用によってである。

　排中律（P∨¬P）は、「肯定／否定の分割」によって「二つ性」を導入し、「または（∨）」で統合することによって「一つ性（全体性）」を生み出している（「一つ性」には二種類あって、どちらか一方に絞り込む「唯一性」と、統合して全体になる「全体性」の二種類である[7]）。その「二つ性」と「一つ性（全体性）」に留まっている段階では、排中律（P∨¬P）は、「無数（無限）の諸可能性」を（開くのではなく）むしろ閉じて隠すように働き、「分割と統合」の内にすべてを囲い込もうとする。逆に言えば、その「囲い込み」によって、排中律（P∨¬P）は、一定の閉じた全体を構成することに成功している。

　しかし、その段階の「囲い込み」から解放されると、排中律（P∨¬P）からは、「P∨（Q∨R∨S∨…）」が、すなわち無数（無限）の選言肢が、否定による括りの背後から溢れ出てくる。「肯定は否定に先行する(優先する)」という、始発点において働いていた原理が、形を変えてここに、もう一度戻って来る。すなわち、否定(¬P)は、あくまでも表現の水準における括りであって、その実体は肯定項の無限連鎖(Q∨R∨S∨…)である。「¬P」の実体は、その背後に退いていた無限個の肯定「Q∨R∨S∨…」である。こうして、排中律(P∨¬P)は、「二つ性+一つ性(全体性)」の囲い込みから解放されて、そこから「無数(無限)の諸可能性」が引き出される。

そうすると、「Pが起こった(起こっている)」という現実は、「P∨Q∨R∨S∨…」という無限連鎖(選言肢)の中の、ほんの一つ(一部分)を占めるにすぎないことにもなる。つまり、現実優先の反実仮想という段階を離れて、無数(無限)の諸可能性(P∨Q∨R∨S∨…)が優先的にまず在って、その中のただ一つにすぎない現実P、という段階になる。現実のプライオリティは低減し、可能性のそれは上昇する。これが、「現実→反実仮想」から「可能性→現実」へという方向性の転換に当たる。この「方向性の転換」の延長線上には、現実世界から出発して諸可能世界を想定するか、(逆に)諸可能世界から出発して現実世界をその内に位置づけるか、という「現実主義vs可能主義」の議論も生まれるだろう。(8)

このように、否定の裏側に退いていた肯定を表に出すことは、排中律(P∨¬P)から「無数(無限)の諸可能性」を引き出す一つのやり方である。そして、もう一つのやり方が、排中律を、自らの

(7) 唯一性と全体性という二種類とは別に、「(現実の)全一性」もあるが、その点は註16を参照。「全一性」については、前掲拙著『あるようにあり、なるようになる 運命論の運命』の第3章も参照。
(8) 可能世界論にかかわる問題であるが、本書の第2章「現実性と潜在性」の冒頭部分、第6章「無関係・力・これ性」の第4節の「このもの主義」についての議論も参照。

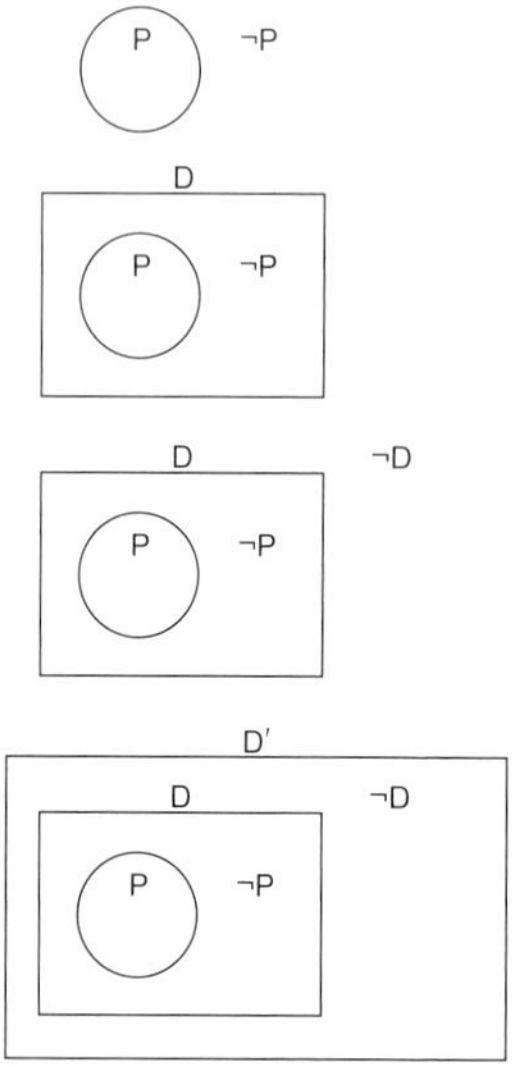

議論領域に対してメタ的に適用すること（メタ適用）である。

　排中律（P∨¬P）は、一定の議論領域D（Domain of Discourse）を持っている。「P∨¬P」（肯定か否定か）の背景には、「P∨（Q∨R∨S∨…）」（肯定の連鎖）が控えているだけではなく、さらにその肯定の連鎖を外側から一括りにするような「枠」もまた控えている。

　P＝「私は直立している」という例で言うならば、「P∨¬P」＝「私は直立しているか、直立していないかのどちらかである」、「P∨Q∨R∨S∨…」＝「私は直立しているか、安座しているか、四足歩行しているか、疾走しているか……」となる。その場合には、それらを一括りにしている「枠」（議論領域D）とは、「私の行為（やっていること）」である。逆に言えば、「私の行為（やっていること）」というテーマ（全体）のもとで、直立と非直立という二分割がなされたり、直立／安座／四足歩行／疾走／……という無数の行為の分割がなされたりする。特に表立っていない場合であっても、排中律（P∨¬P）は、何らかの全体（テーマ）＝議論領域Dを立ち上げるし、その下で分割が行われる。「黒または非黒」の場合にはDは「色領域」であるし、「関東または非関東」の場合にはDは「日本（の地域）」である。

　排中律のメタ適用とは、「P∨¬P」の議論領域Dに対してもまた、「D∨¬D」（当該議論領域かまたはその外）を考えることである。先ほどの例で言えば、「行為または非行為」であり「色領域または非色領域」であり、「日本または非日本」である。そして、「P＜」P」が議論領域Dを持つように、「D＜」D」もメタ議論領域D′を持つだろう。さらに、メタ議論領域D′にも排中律が適用できて、「D′＜」D′」となるし、こんどはメタメタ議論領域D″を持つことになる。実際に例を挙げることは難しいとしても、原理的には、この排中律のメタ適用はどこまでも続きうるし、議論領域はD、D′、D″……と無限に大きくなりうる。

否定の背後から無数の肯定項が湧き出すだけでなく、排中律の背景＝全体（議論領域）自体が無限に成長しうる。そういう仕方で、排中律は「無数の諸可能性」を内包している。その諸可能性の数が多ければ多いほど、現実P（実際にPであること）は、その諸可能性の中に落とし込まれて、部分的で局所的な一領域（一区画）という相貌を強く持つようになる。元々の現実（実現・生起）は、「（何であれ）何かが起こった（起こっている）」という始発点であり、それ以降の話の展開をすべて下支えしている「アルキメデスの支点」であった。それにもかかわらず、排中律と深く関係を持ち可能性を豊穣化していくことによって、現実Pは可能性の領域の内に埋没しかけている（「ただの一点」になりかけている）。

5　転回――可能性から潜在性へ

始発点からここまでが「円環」の右半円部であるとすれば、これから「円環」の左半円部に入るところで、大きく転回することになる。この「転回」は、始発点の「0⇅1」の循環（反転）――小円――が、こんどは大円レベル（の右半分と左半分）で形を変えて出現するのであり、別の水準で同様の反転が繰り返される。
円環の右半円部の上↓下では、現実が「全面性」（始発点としての圧倒性）を後退させていって、逆に諸可能性のほうが「全面化」していった（＝現実が局所化した）。しかし左半円部の下↓上では、こんどは現実が「全面性」を回復していくことになり、逆に諸可能性（の複数性）のほうが、後退していく。この転回のエンジンとして働いているのは、（ここでも再び）「否定に対する肯定性の優位」の原理である。

「無数（無限）の諸可能性」が全面化するということは、「P, Q, R, S, …」や「D′, D″, D‴, …」がどこまでも無限に続く（拡大する）ということに基づいている。これら（Q, R, S, … やD′, D″, D‴, …）は、排中律が含む否定性（¬P）を退かせて、肯定項や肯定枠を前面に浮上させている。ここには、「否定に対する肯定性の優位」の原理が働いている。

しかし、この肯定性の優位は、「肯定項（肯定枠）が、どこまで続いても終わりがない、完結しない」こととして捉え返すこともできるので、その場合にはむしろ、肯定性よりも否定性が上まわる事態へと反転する。肯定項（肯定枠）は、終わりのなさ（未完結）という否定性（消極性《ネガティヴィティ》）のうちに取り込まれてしまい、逆の原理「肯定に対する否定性の優位」が働く。あるいは、「否定に対する肯定性の優位」の原理が、ここでは十分に貫徹されていない、と言ってもよい。

そこで、ここから先の「転回」では、「否定に対する肯定性の優位」の原理をいっそう貫徹する方向へと進んでみよう。あるいは、逆の原理「肯定に対する否定性の優位」を、いっそう退ける方向へと進んでみよう。その「貫徹」「徹底」が、「転回」を生む。

もう一つ、「無数（無限）の諸可能性」を「否定性の優位」あるいは「肯定性の優位の不徹底」と捉えることができる別の観点を加えておこう。「否定（¬P）」と比べると、たしかに「Q, R, S, …や D', D'', D''', …」は肯定項や肯定枠ではある。しかし、その無数（無限）の肯定（の一つ一つ）を可能にしているのは、「分割（区別）」である。各項（議論領域）は、互いに区別され、互いの間に分割線が引かれることによって、その複数性や無数性を獲得している。そして、その「分割（区別）」こそが、否定性の現れである。「P, Q, R, S, …」の各肯定項は、互いに他ではないこと（否定性）によって、それぞれの肯定であり得ているし、その系列全体もまた、「あ、い、う、え、……」でもないし、「α, β, γ, δ, …」でもないこと（否定性）によって、当の系列になり得ている。複数の肯定項（の系列）を可能にしているのは「分割（区別）」であり、その「分割（区別）」の内には必ず「否定性」が働いている。

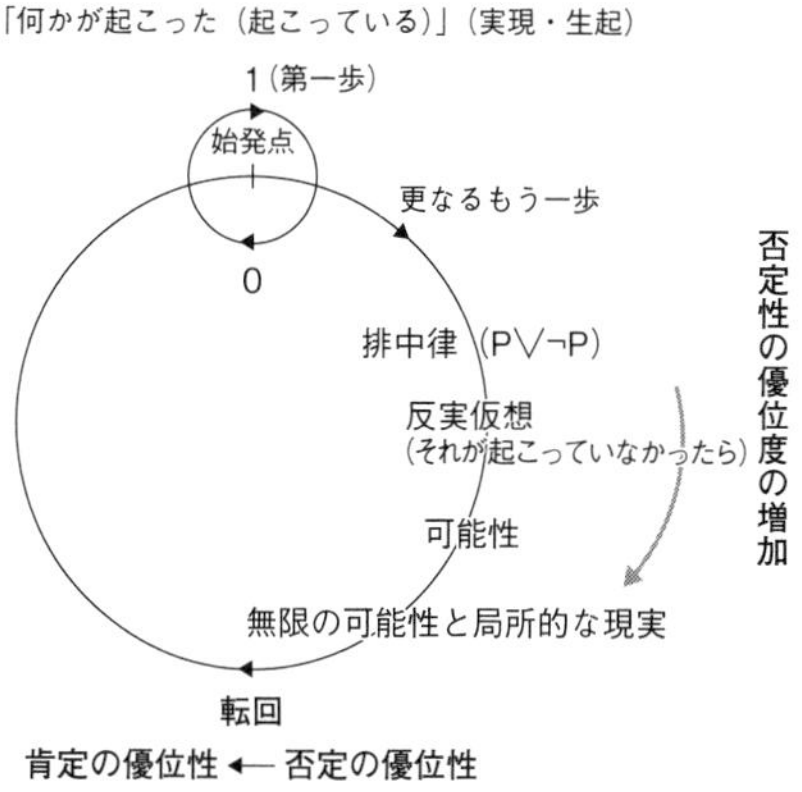

こうして、可算無限的に「未完結」であることと、「分割（区別）」による肯定（の系列）の成立は、どちらも「否定性の優位」あるいは「肯定性の優位の不徹底」として捉えることができる。その意味において、「円環」の右半円下部（無限の可能性と局所的な現実）では、「肯定」よりも「否定」の働きが上まわっている（と捉えることができる）。

さて「転回」である。基本的な方向性は、明らかであろう。可算無限的な「未完結」は、実無限的な「完結」の方へと転回するし、「分割（区別）」による肯定は、「分割（区別）」なき肯定の方へと転回する。それが、「否定に対する肯定性の優位」の原理をいっそう貫徹・徹底する方向である。

可算無限的に「未完結」であるものを、実無限的に「完結」したものとして捉える転回とは、どのようなものだろうか？　類比的に言えば、それは、「1, 2, 3, 4, …」という終わらない数え上げを、自然数というすでに完結している無限領域が在って、そこからの事例的な抽出として捉えることに相当する。この場合、「P, Q, R, S, …」が終わらない数え上げに対応し、「P＜」P」が示す全体（ドメインDなど）がすでに完結して在る無限領域（自然数）に対応する。

たとえば、「直立または非直立」や「直立または安座または四足歩行または疾走……」という分割（区別）とは独立に（先だって）、「行為」という無限領域があらかじめ在って、後から必要に応じて種々の分割（区別）を見出して書き込んでいく。そう考えることが、「分割（区別）」なき肯定を考えることに相当する。「色領域」もまた完結した無限領域としてあらかじめ在って、そこに「黒あるいは非黒」という分割を書き込んだり、「黒または白または赤または橙または……」という区分を書き込んだりする（と捉える）。その分割（区別）は、こちら側（書き込む側）の都合によって生み出されるのであって、あらかじめ在る無限領域の側にとっては、二次的な分類にすぎない。この場合には、「分割（区別）」なき肯定とは、「色領域」という無限領域である。

この例で言えば、「肯定性の優位」とは、分割（区別）に対しての、「行為」や「色領域」という無限領域の独立性（先行性）ということになる。しかし、この程度の「肯定性の優位」では、まだまだ不十分である。なぜならば、「行為」にしろ「色領域」にしろ、それ自身が特定の「枠」――ドメイン――だからである。「枠」（ドメイン）であることによって、他の「枠」――他のドメイン――（非行為や音領域）との分割（区別）への依存はまだ残ってしまう。つまり、この程度の肯定性では、

（ドメイン内の）肯定項どうしの分割（区別）という否定性からは解放されたとしても、ドメインどうしの分割（区別）という否定性からは、まだ解放されてはいない。

「枠（ドメイン）」自体も、同様のやり方で否定性から解放しよう。項の分割（区別）から、無限領域（e.g.行為や色領域など）を独立させ先行させたのと同様に、こんどはその無限領域（e.g.行為や色領域やD'、D''、D'''、…）を、それ自身の分割（区別）から解き放とう。「無限領域」から、それ自身の分割（区別）を奪い去るとどうなるか？　分割（区別）なき「無限の場」が、分割（区別）のある「無限領域」の背後から、より先立つ「肯定」として浮上する。

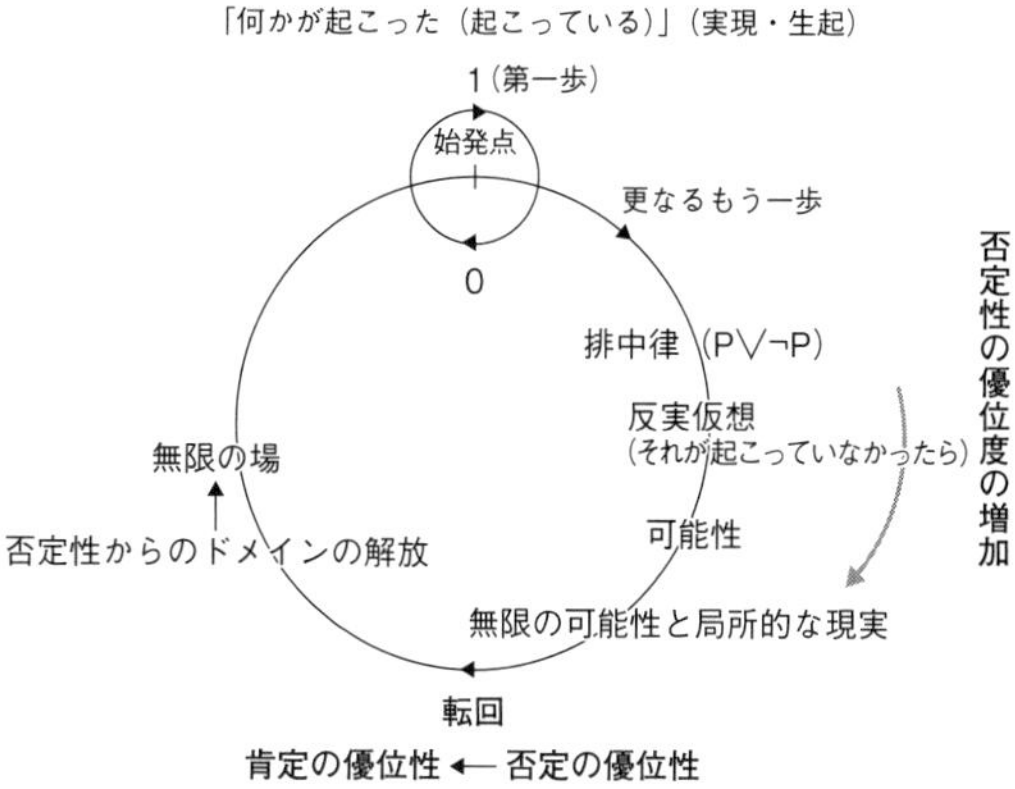

　項の分割（区別）は、（行為や色領域などの）特定の無限領域から／に対して、必要に応じて後から生まれる／書き込まれると捉えた。それと同様に、特定の無限領域（e.g.行為や色領域やD'、D''、D'''、…）というその分割（区別）自体が、特定されていない無限の場から／に対して、後から生まれる／書き込まれると捉え直せばよい。

　このように、「枠（ドメイン）」自体もまた、分割（区別）なき無限の場（源泉）から生まれ出ると捉え直すならば、その場（源泉）の無限性は、系列的にどこまでも続きうるという無限性ではなくて、その無限性自体を生み出す無限となって、特定の無限領域（ドメイン）そのものを生み出す高次の無限となる。言い換えれば、無限領域の無限性は、分割（区別）の終わりのなさであるのに対して、無限の場の無限性は、分割（区別）を持っていないこと（終わりのなさ自体がないこと）である。前者は「図」の無限性であるが、後者は「地」の無限性であり、前者は後者の上で成立する。

　無数の肯定項やその無限の系列やその系列を枠づける無限の議論領域……、それら全ての無限が、そこから生まれ（そこに書き込まれ）るような「無限の場」。それは、もう「可能性の領域」ではなくて、「潜在性の場」と呼ぶのが相応しい。すなわち、「無限の可能性」から、「無限の潜在性」への「転回」である。「可能性の領域」が、すでに「分割（区別）」によって成立している領域であるのに対して、「潜在性の場」のほうは、その「分割（区別）」以前の「地」として位置づけられる場である。否定性の優位から肯定性の優位への「転回」（右半円部→左半円部）とは、この「可能」から「潜在」への「転回」である。

　では、「可能性の領域」から「潜在性の場」への「転回」が、なぜ「こんどは現実が「全面性」を回復していくこと」になるのだろうか？　それは、次のような理由によってである。「可能性の領域」の場合には、現実はその領域内の一点（無数の可能性の一つ）へと局所化して収縮していくのに対して、「潜在性の場」の場合には、現実は（ＰやＤなどの特定の「輪郭・形姿」を失うことによって）むしろ無限の場の全域に浸透して、現実性は潜在性の場と一体化して働くからである。すなわち、潜在する全てが現実である。「現に潜在している」のだから、潜在しているものには隈無く現実性が及んでいる。

　ここで重要なことは、潜在性における「現実」（＝潜在性の場とぴったり重なって働いている現実）と、始発点としての「現実」（＝何かの実現・生起）との違いに注目しておくことである。

前者の場合には、「現に潜在している」という現実性＝潜在性がクローズアップされていて、分割（区別）なき無限の場が、そっくりそのまま現実である。他方、後者（始発点としての「現実」）の場合には、（潜在しているのではなくて）むしろ分割（区別）によって顕在化した現実（何かの実現・生起）こそが、クローズアップされている。円環上部（始発点）に置かれる「現実」――実現・生起――は、（左半円部に相当する）「潜在する現実」とは、対極的とさえ言える。円環下部の「転回（右↓左）」が、「可能性から潜在性へ」の転回であったのに対して、円環上部の「転回」（左↓右）は、「潜在的現実から顕在的現実へ」の転回である。始発点としての現実（何かが起こった・起こっているという実現・生起）は、分割（区別）なき無限の場と、「P」という特定の分割（区別）の出現とのあいだの接点である。

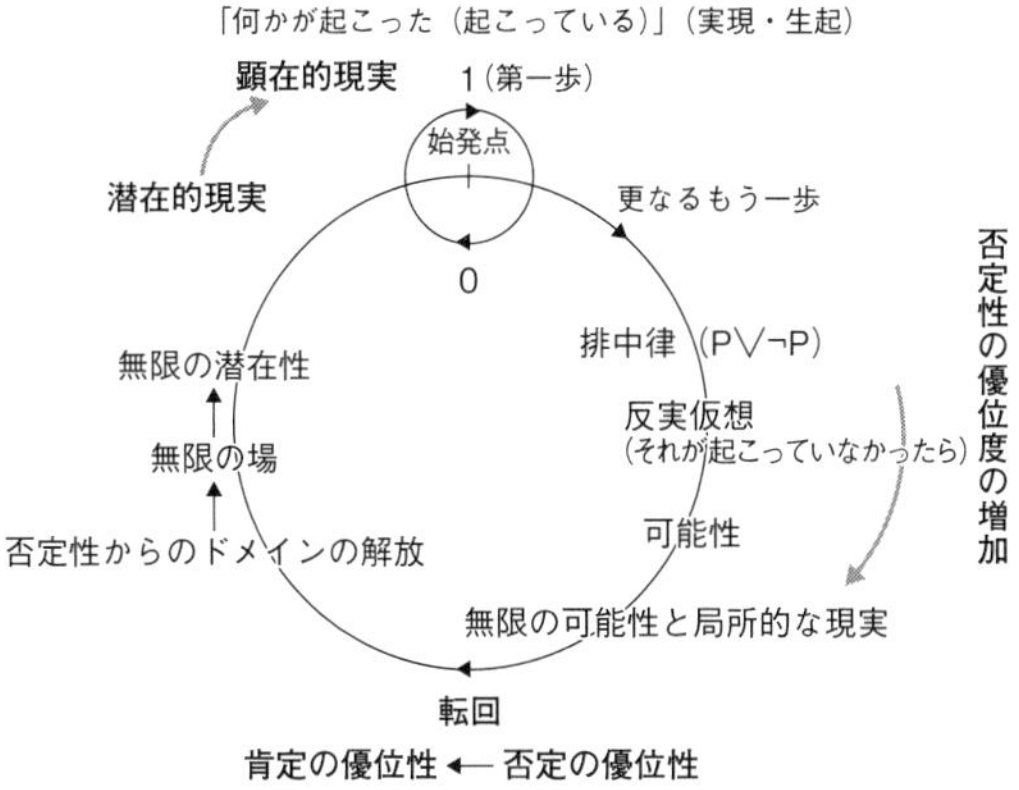

潜在から顕在へと向けた「転回」は、分割（区別）なき無限の場が持つ「産出力」として捉えることもできる。潜在的な現実は、分割（区別）を持たないからといって、「単なるのっぺらぼう」でもないし、「受動のみのタブラ・ラサ」でもない。むしろ、無限に新たな項や枠組みを産み出しうる（そこから取り出しうる）能力に充ち満ちた「ソラリスの海的な実体」[9]である。第一歩目としての「P」という出来事もまた、潜在性の場を抜け出た（実現・生起した）後の観点か

ら言えば、そこから差し出された一つの顕在的な「形姿」である。ただし、円環一巡の「最後の一歩」には、容易に跨ぎ超すことのできないギャップが残り続けるけれども。[10]

6 現実性という力

この円環全体を、「現実」という観点から三区分的に眺めると、次のようになる。

(1) 始発点的な「現実」——(何であれ) 何かの実現・生起
(2) 可能性の領域内に埋め込まれた「現実」——分割(区別)された局所
(3) 潜在性の場としての「現実」——分割(区別)自体を産み出す産出能力

しかしながら、本書の主題である「現実性」は、この三つのどれでもあると同時に、どれでもない。この点を強調しておきたい。むしろ、この円環全体を還流し続けて、(1)(2)(3)の異なる水準の「現実」を、(水準は異なれども) まさに「現実」にしている力(エネルギー) こそが、「現実の現実性(「現に」という力)」である。

したがって、「現実の現実性」は、実現・生起する「何か」という顕在的な形姿のことではない。もちろん、「現実の現実性」は、特定の分割(区別)による特定の領域のことでもない。そうではなくて、その実現・生起や局所化もまた、力の流れの一つの局面であるような、そういう全域的な「力の流れ」自体が、現実の現実性である。「現実」が、可能性の領域内の一点として極小化されるとしても、その一点は、現実性という力が通り抜ける貫通孔なのである。現実性という力自体は、その極小の穴を通り抜けて、可能性の領域を超え出て、円環全体を還流する。

力としての現実性は、(1)(2)のような顕在的な局面よりも、(3)のような潜在的な局面においてのほうが、その働き方を適切に捉えやすい。というのも、(3)の局面のほうが、「何か」や「特定の領域」ではないという現実性の働き方が分かりやすいからである。また、(3)の潜在的な産出能力という面も、現実性の「力」としてのあり方を捉えやすくする。力としての現実性と(3)の局面（潜在性）との近しさ（(1)(2)とは違う関係性）については、次の第2章「現実性と潜在性」で、主題的に扱う。

「現実性という力」を、円環モデルに図式的に書き込もうとするならば、次頁の図のように垂直に介入する矢印で表しておくのが適切である。というのも、現実の現実性（現実性という力）は、(1)(2)(3)の現実のどれでもあるし、どれでもないが、それは、現実性という力が(1)(2)(3)とは異なる次元に位置づけられるということだからである。その次元の異なりを図式化するために、（二次元的な）円環の外側から、（三次元的に）垂直の矢印を書き込んでおくのがよい。

(9)　スタニスワフ・レム『ソラリス』（一九六一年、沼野充義訳・ハヤカワ文庫SF・二〇一五年）を参照。惑星ソラリスの海は、それ自体が高度な知的生命体であり、人間の深層に潜む無意識や非知の次元を実体化させて差し出す能力を持っている。

(10)　始発点での小円（周転円）について述べた切れ目（ズレ・ギャップ）のある循環——第2節「始発点と第一歩」の最後部を参照——が、大円一巡の「最後の一歩」で繰り返される。大円にも、ほんとうは「切れ目」が入っている。このズレ・ギャップについては、第7節7-3「時制（未来性と過去性）」の箇所でも扱う。

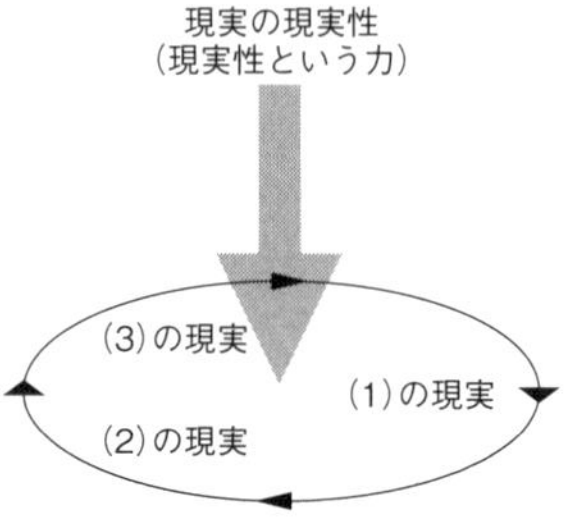

7 論理・様相・時制

「(何であれ)何かが起こった(起こっている)」を「P」で代表することから、とりあえず出発した。そこから、「P＜¬P」(肯定か否定か)と反実仮想と可能性の豊穣化を経て、潜在性の場のほうへと転回し、一回りして始発点Pへと戻る寸前までを辿った。

7-1 論理(同一律・排中律・矛盾律)

「論理」という観点から眺めるならば、この円環プロセスの展開には、「同一律(同一性)・排中律・矛盾律(矛盾)」を対応させることができる。

始発点の「(何であれ)何かが起こった(起こっている)」「Pの実現・生起」は、その同一の「何か(P)」の浮上であり、それは「P＝P」や「PならばP」という同一律に対応する。より正確に言えば、記号「P」それ自体の同一性のほうが始発点としては相応しく、「P＝P」や「PならばP」という同一律では、(左辺と右辺での)「P」の反復(左のPと右のPが違いつつ同じであること)が含まれてしまうので、始発点そのものからはすでに一歩離れてしまう。

その「P＝P」や「PならばP」というPの反復の内に、「P」それ自体からのズレ(それ自身でなさ)——最小の否定性——を読み取ることができる。その否定性を表記の水準にまで浮上させると、Pの否定(¬P)が、さらには排中律(P＜¬P)が出来《しゅったい》する。「P」それ自体から「P＝P」「PならばP」を経て、「P∨¬P」へと至るこの過程には、「現実」からのズレ——最小可能性——の発生を読み取ることができる。

あるいは、排中律（P∨¬P）を、その手前の「P＝P」が内蔵する「違いつつ同じである」という原‐矛盾（矛盾の種子）を回避する試みとして、捉えることもできる。矛盾（＝一挙に肯定であり否定であること、一挙に同じであり違うこと）に陥らないために、肯定と否定のあいだに、また同じと違うのあいだに、分離（∨・または）を挿入して、「矛盾の種子」を割って解消しようとするのが排中律（P∨¬P）である。

排中律を矛盾回避の試み（矛盾忌避）として捉えるならば、（排中律から引き出される）可能性の無限化という方向性もまた、同じ傾向性——矛盾回避——として捉えることができる。可能性が無数にあるならば（さらに、無限個の可能世界を想定できるならば）、一つの世界の中では矛盾に陥ってしまう二つの要素——Pと¬P、Qと¬Q等々——を、（「∨・または」で分離するのではなくて）可能性や可能世界を分けることによって分離して、矛盾を避けられる。可能性1（可能世界1）においてはPであり、かつ可能性2（可能世界2）においては¬Pであると考えれば、矛盾には陥らなくて済む。つまり、「(P∨¬P)@一つの世界」も「(P@可能世界1)∧(¬P@可能世界2)」も、どちらも矛盾を回避する方策である。可能性が無限化することは、この矛盾回避をどこまでも続けていけることを意味する。

そうすると、無限の可能性から無限の潜在性へのあの「転回」は、矛盾回避から矛盾吸収への方向転換であると考えることができる。無限の潜在性は、可能性（可能世界）のような分割（区別）のある無限ではない。それは、可能な分割（区別）のすべてが一つに潰れてしまっている（しかしそこか

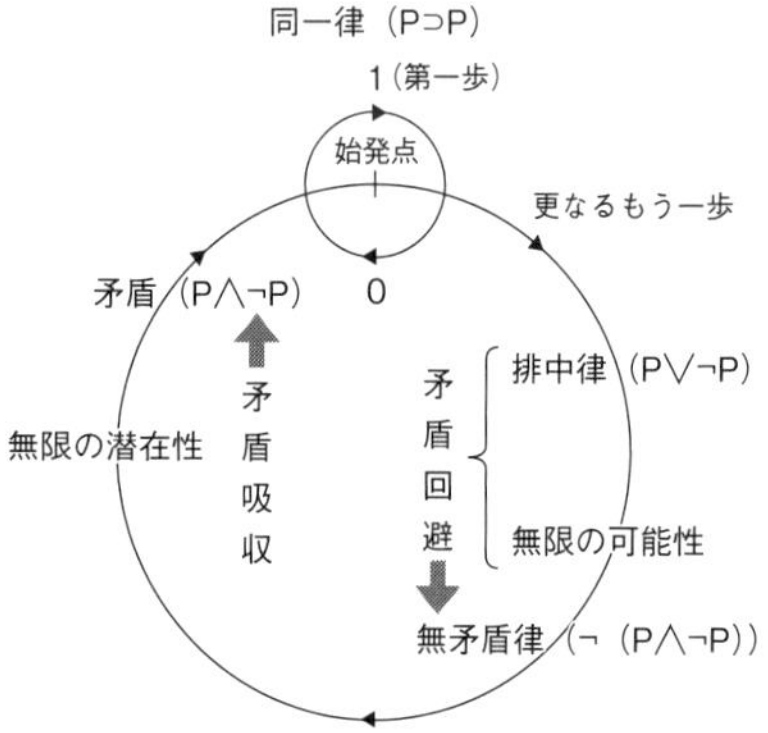

ら、無限の諸可能性が生まれうる）潜在能力の場である。潜在性の場は、そこからは任意の命題が爆発的に出てくるという点を考慮すると、「矛盾（P∧¬P）」に対応する。可能性の領域では、忌避され回避されてきた矛盾は、潜在性の場においては、むしろ取り込まれ吸収されて、産出力の源となる。矛盾からは何でも出てくること（爆発）と、「（何であれ）何かが起こった（起こっている）」の「任意性（何であれ）」が対応する。

7-2　様相（可能性と潜在性）

「様相」という観点から眺めるならば、この円環プロセスの展開には、「様相の開け（最小様相）・様相の豊穣化・様相の潰れ」を対応させることができる。

始発点には、否定が（肯定に遅れながらも）纏わり付いてくる。その始まり方こそが、「様相の開け（最小様相）」に対応する。「（何であれ）何かが起こった（起こっている）」という始発点には「（そもそもまだ）何も起こっていない」が纏わり付いてくる。さらに「Pが起こった（起こっている）」には、「そのPが起こっていなかったならば」という反実仮想が纏わり付いてくる。否定や反実仮想が纏わり付くことは、まだ十分な可能性の開設（すなわち様相）には至っていないとしても、可能性（様相）の萌芽ではある。肯定が否定に優先しながらも、その否定を完全には払拭できないことは、肯定がそれ自身からのわずかなズレを、始発点の段階ですでに含んでいるということであり、そのズレの余地が「様相の開け（最小様相）」を呼び込む[11]。

付け加えておくならば、この「可能性の萌芽」は、同時に「不可能性の萌芽」でもある。否定が纏わり付くことが可能性の萌芽であるならば、その可能性自体にも否定は纏わり付く。論理的運命論の始まり（初発の直観）が、「起こった（起こっている）」ことは、もはや「起こらなかった（起こっていない）」ことにはできない、という不可能性に基づいていたことをもう一度思い出そう。この始まり（直観）は、可能性とその否定（不可能性）が「込み」で生い立つことを示している。可能性を一瞬開いて、すぐに閉じてみせることで、その可能性がほんとうは「ない」こと（不可能性）を伝えようとする。否定が可能だからこそ、可能性が否定されて、不可能性にも反転しうる[12]。

(11) 先述したように、「P＝P」や「PならばP」が、すでに「肯定がそれ自身からのわずかなズレ――左と右（上と下）のあいだのズレ――を含んでいる」。

(12) 「P＝P」の左右（上下）のズレは最小可能性の「開け」でもあるが、他方でそのズレは、Pそのものの同一性には、どこまでも到達できないという不可能性の「開け」でもある。たとえ「P＝P」から「P」という単独表記に遡ったとしても、見かけ上「ズレ」が見えなくなるだけで、同一性に到達できないという不可能性からは逃れられない。左右（上下）の空間的なズレは無くとも、単独表記の「P」にも、時間的なズレ（を跨ぐこと）はついて回る。
「不可能性」について、さらにもう一言付け加えておこう。可能性と「込み」にはなりえない「別種の不可能性」もある。「別種の不可能性」を認めるということは、否定の可能性を否定すること（二重否定）では、とうてい到達できない「肯定の強力さ」（＝否定が存在しない肯定）を認めることである。それは、様相（可能性）の外で働く「肯定」と言ってもいい。

「否定が存在しない肯定」「様相の外で働く不可能性」とは、一番外側で透明に働く「現に」という現実性――垂直に働く現実性という力――の働きのことである。したがって、「別種の不可能性」とは、「現実性とい

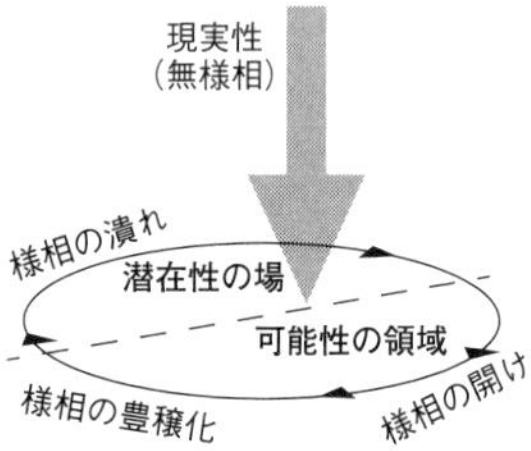

後述するように、「（何であれ）何かが起こった（起こっている）」という始発点は、（可能性と不可能性が同時発生的であるだけでなく）必然でも偶然でもあるし、あるいは偶然が必然でもある（必然が偶然でもある）。要するに、始発点はすべての様相（可能・不可能・必然・偶然）の湧出点にもなっている。そして、これもまた後述することになるが、（潜在性の場における）「様相の潰れ」は、この「様相の一点湧出」と対《ペア》をなしている。すなわち、「様相の一点湧出」と「様相の潰れ」は、円環を描くように、反対側で手を結ぼうとする（がギャップも残り続ける）。

さて、様相の豊穣化は、排中律「以降」に浮上する。排中律の「閉じようとする」傾向——排中律による「全体性」の立ち上げ——を解除して、肯定項の無限連鎖や肯定枠の無限成長へと「開き続ける」ことが、様相（可能性）を無限に豊穣にすることに繋がっている。様相（可能性）を豊穣にすることのずっと先には、可能世界論や確率論などによって可能性を外延的に・数量的に処理できるようになること、またその論の精緻化・体系化なども控えている。

様相の豊穣化（可能性の無限化）は、どこか途中でストップするという仕方で終わるものではない。いや、豊穣化・無限化には原理的に終わりがなく、可能性の数え上げはどこまでも続きうる。しかし、自然数1, 2, 3, … に終わりはなくとも、自然数という領域全体{1, 2, 3, …}は実数によって超え出られてしまうのと同様に、どこまでも増え続ける可能性の領域全体が、（その領域とは水準を異にする）潜在性の場によって、一挙に乗り越えられるということは起こる。これが、（円環下部の）「転回」に相当する。

再度「数」をアナロジーとして使うならば、自然数のような離散的なあり方（トビトビ）は、実数のような連続的なあり方（ベタ）によって、塗り潰されるようにして超え出られてしまう。それと同様に、分割（区別）によって成り立っている諸可能性や、（その諸可能性の量化や否定に基づく）必然性や偶然性という様相間の区別・分類は、潜在性の場においては、ベタに塗り潰されて一つになり、隠伏する。

この「様相の潰れ」は、こんどは「色」のアナロジーを利用して、次のように表現しておくこともできる。分割（区別）によって成り立つ諸可能性が、色の諸区別（たとえば、赤・青・黄・緑……）に相当するとすれば、「様相の潰れ」は、それらの色をすべて混ぜ合わせた「黒」に相当する。この場合の「黒」は、他の色と並ぶ一区分としての「黒」ではなくて、無数の色の可能性を一つに潰した色であり、逆に言えば、その潰れた色としての「黒」からは、無数の色の可能性を引き出すことができる。この「黒」は、「特定一有限色」ではなくて、「潜在無限色」である(13)。

この場合、「潜在無限色」としての「黒」は、（赤・青・黄・緑……等の）どれか特定の色であると

う力」の別名であり、様相の働きの内には収めることができないという「不可能性」である。

(13)「黒」という色が（光の場合には「白」が）、（赤・青・黄・緑……等と対比される）「特定一有限色」のように扱いうると同時に、「潜在無限色」でもあるという二重性は、「現実」が可能性の領域の一局所においても、また潜在性の場の全域においても働くという二重性に対するアナロジーになっている。光の場合の「白」には、この二重性に加えて、「非特定背景無色」という働きも見出せる。「黒」の場合には二重性であるが、光の場合の「白」には三重性がある。その点では、「白」はいっそう「現実」のアナロジーとして相応しいだろう。そのアナロジーを引き継いでさらに付け加えるならば、前頁の図の垂直の矢印（現実性という力）は、（光の色ではなく）「射し込む光自体」を表していることになる。

は言えないが、どの特定の色にもなりうる（どの色も引き出しうる）とは言える。同様に、「様相の潰れた」潜在性の場は、特定の様相（可能性や必然性や偶然性）を呈しているとは言えないが、しかしどの特定の様相にもなりうる（どの様相も引き出しうる）とは言える。潜在性の場とは、そこからいかなる分割（区別）も創発しうるような無限の場であり、潜在性の深まりとは、可能性の単純増加ではなく、その累乗化（或る可能性自体の出現可能性の可能性……）に等しい。

先ほど「円環一巡の「最後の一歩」には、容易に跨ぎ超すことのできないギャップが残り続ける」と書いた（三八頁参照）。つまり、潜在性の場の中に深く潜り込んだ状態からの浮上――何かが起こった（起こっている）という始発点への移行――は、可能性の「開け」→「豊穣化」→「潰れ」と同じようには滑らかに辿れるものではない。その「潜在からの実現・生起への一歩」は、まさに円環の切れ目（ギャップ）に相当する。わずかな割れ目のようにも見えるが、巨大な裂け目である。それは、様相の区分が潰れて一つになった場（潜在性）から、様相の区分がいっぺんに湧き出てくるような特異点（何かの実現・生起）へと向けて開けている裂け目である。

この点（ギャップ・裂け目）を重視するならば、「（何であれ）何かが起こった（起こっている）」「Pの実現・生起」から話を始めたことは、「とりあえず」とは述べたけれども、それは「必然でも偶然でもある[14]」。

そこから始めるのが「必然である」というのは、そこからしか始められないという意味である。始発点により相応しいようにも思える二つの候補――(1)何も起こっていないこと、(2)（実現・生起前の）潜在状態――から仮に始めるとするなら、なぜその(1)や(2)のままではなくて、何かの（たとえばPの）実現・生起へと「次の一歩」を進まなければならないのか？　という謎《ギャップ》を解く（埋める）ことができない。始発点に立つ前の段階で、無限の足踏みをすることになる。

　他方、仮に(1)(2)から、さらに一歩先へ進むことができて、始発点（実現・生起）に至れたとしてみよう。その場合には、その謎《ギャップ》は解かれた（埋まった）のではなくて、ただ無根拠に飛び越えられた（ジャンプされた）のである。その無根拠さが、実現・生起が「偶然である」ということの意味である。謎《ギャップ》は解けない（埋まらない）まま閉じられて、無かったことになる。

「何かの実現・生起」から始めることが必然でも偶然でもあるという、このような事態は、「すでに始まっていないと、始まらない」「円環は回り続けたまま在るか、すでに消え去っていて無いかのどちらかである」と表現することもできる。そして、「必然」「偶然」という表現自体は「様相」表現である。その「様相」は円環内の現象なのだから、円環の始まりに関わる（埋まらない）「謎《ギャップ》」が、「必然かつ偶然」という表現を借りながら、（解かれないままに）その円環の内部を経巡っている、と捉えることもできる。

　こうして、(1)始発点的な現実（実現・生起）は、偶然であることが必然である（あるいは根源的偶然性を持つ）。そして、(2)可能性の領域内に位置づけられる「現実」は、状況・文脈に応じて、異なる種類の必然性や偶然性をそのつど持つ。さらに、(3)潜在性の場の「現実」においては、もう様相は潰れている。これら三つの局面――(1)開け、(2)豊穣化、(3)潰れ――を通じて、「様相」は円環全体を経巡っている。[15]

(14)　より正確には、「偶然であることが必然である」。この点（偶然の必然化）については、本書の第5章「時間・様相・視点」を参照。そこでは、偶然と必然が組み合わされる五つの場合を区別して、考察している。

(15)　各種様相の中で、特に「論理的必然性」「論理的不可能性」は特殊なポジションを占めている。「同一性しかし、現実の現実性（「現に」という力）だけは、この「経巡り」と同水準には位置しない。「現に」という副詞的な力は、(1)「現に何かが起こった（起こっている）」でも、(2)「物理法則に基づいて石の落下が、現に起こっている」（特定の物理的必然性の現実化）でも、(3)「現に潜在している」でも、（局面は異なりながらも）その力の働きは同一である。「同一」であるのは、「同じ」内容を持っているからではなく、むしろ一切内容を持たない純粋な「力の働き」だからである。「同一」というよりも、その力の働きは「汎通的」「全汎的」であると言った方がより適切である。

したがって、「現実の現実性（という力）は無様相である」。それは、現実の現実性が、どの様相も持ちうると同時にどの様相でもない「汎通的な力」だからである。この力の水準の働き方にイメージを与えるために、図（四四頁）では上から垂直に入り込んで来る「矢印」を描き加えた。一次元上の「力」が、一次元下の様相（円環）内に光のように射し込んで来て、その中を巡るというイメージである。(16)

7-3 時制（未来性と過去性）

「時制」という観点から眺めるならば、この円環プロセスの展開の中には、「未来性と過去性」も含まれている。

「未来の未来性」については、この円環プロセスから、以下の三つの要因を読み取ることができる。最初の二要因は、次のようになる。

先ほど、相容れない二点として、「何かが起こる（起こった）」とそれ以前（無あるいは潜在性の場）の間の「謎《ギャップ》」は解けない（埋まらない）ままである点(1)、にもかかわらず「謎《ギャップ》」は飛び越えられて無かったことになる点(2)、という二つを採り上げた。この二点が矛盾的に同居していることが、未来の未来性を構成する二要因である。

「無あるいは潜在性の場」の側からは（次頁の図の①）、次なる一歩が「何である」のか、次がそもそも「在る」のかさえ、まったく導き出すことができない。これが「謎《ギャップ》」であった。円環の最後尾のギャップは空いたまま繋がることはない。欠けた円環はそのまま回り続ける。しかし、すでに回り終えた円環上の側から見るならば（次頁の図の②）、その「空いたギャップ」「断絶」はいっさい無かったことになる。

未来は、志向対象としては決定的に「ない」（無でさえない[17]）にもかかわらず、その「なさ」を特に問題視しない限りは（到来するものとして）「在り」、巡ってくる。いわば、図の①と図の②が重ね描きされたようなあり方を、未来はしている。逆に言えば、未来の未来性である「けっして届かない」という第一要因と「必ず到来する」という第二要因の矛盾的な重なりが、円環モデルの中を巡り続ける。まるで、切れ目の入ったリングが高速回転しているために、完全なリングに見えているかのの

（同一律）」が始発点（開け）に対応し、排中律が可能性の領域（豊穣化）に対応し、矛盾が潜在性の場（潰れ）に対応している。論理的必然性（同一律・排中律）と論理的不可能性（矛盾）は、いわば「経巡り」の「定点」のような役割を果たしている。それは、経巡りにおける「現実」の形姿の変容には影響されない。

(16) 無様相の現実は「一性」を持つけれども、その「一性」は、前述した「唯一性」でもなければ、「（閉じた）全体性」でもない。現実の現実性（垂直方向の力）は、複数性を前提にしない「一」であり、また領域として「閉じる」ということもない「一」である。その点を考えて、現実のこの「一性」を「全一性」と呼んだ。註7も参照。前掲拙著『あるようにあり、なるようになる　運命論の運命』の第3章も参照。

(17) 「無でさえない未来」については、第5章と第6章で詳しく考察する。

ようである。

未来性の第三の要因とは、矛盾の「棚上げ」「繰り越し」「先延ばし」という要因である。排中律やそれ以降の可能性の無限化は、「矛盾の回避（矛盾忌避）」であったし、潜在性の場は「矛盾の吸収」であった。いずれにしても（可能性においても潜在性においても）、矛盾が端的な矛盾としては顕わにならずに済む動きになっている。いわば、円環の巡り（排中律→可能性→潜在性）そのものが、矛盾を「棚上げする」「繰り越しする」「先延ばしする」動きになっていること、これが未来性の第三の要因（図の③）である。未来の未来性とは、三要因を合わせて表現すれば、「けっして届かないものが、必ず到来するという矛盾が、棚上げされ続けること」である。

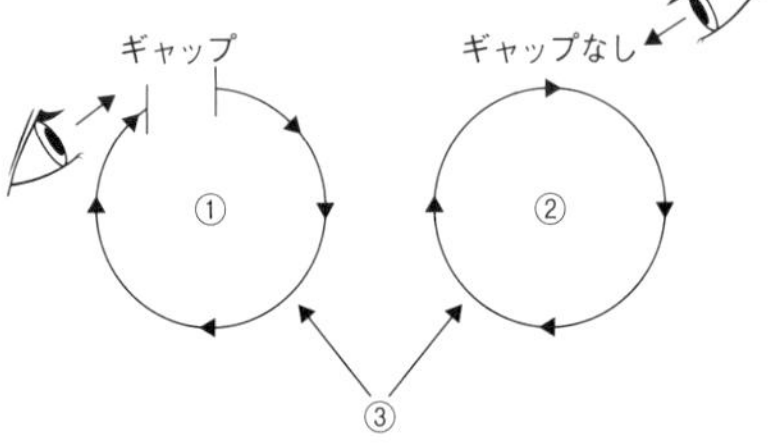

それでは、過去性の要因については、どうだろうか。
始発点を論じる中で採り上げた、論理的運命論の初発の直観（起こったことの変えがたさ）を、まず思い出そう。それが、過去の過去性の第一の要因だからである。解釈や意味づけ等で変わることのない（変更不可能な）堅さ（＝どうしようもなさ）。この点に過去の過去らしさを見ようとするのが、第一要因である。
次に、その「起こったことの変更不可能性」には、肯定に対する否定の「遅れ」が含まれていた点に注目しよう。決定的な「肯定」（起こったこと）の強力さを表すために、二度の「否定」（起こらなかった＋にできない、いない）を経由する点に、「肯定」に対する「否定」の「遅れ」（追いつかなさ）が表れていた。どんなに「否定」を重ねても届くことのない「（肯定の）古さ」こそが、第二要因である。

ただし、この「遅れ」「古さ」という過去性は、一枚岩ではなく、度合・程度の違いがある。「大きな」遅れや古さと「小さな」遅れや古さの区別を、つけることができる。

たとえば、「反実仮想」の場合には、そこに含まれる「遅れ」は、「現実（肯定）」に対する絶対的に大きな「遅れ」である。というのも、「反実仮想（＝否定の経由）」が「現実（肯定）」に先だって成されることはありえないからである。「何かが起こった（起こっている）」という現実が必ず先立っていて、「それが起こっていなかったら」という反実仮想は、後立つしかない。

しかし、その「肯定としての現実」（否定に対して絶対的に先立っていたはずの肯定）が、複数の可能な諸現実の中に埋め込まれて局所化されると、「遅れ」は小さくなり、やがて消える。反実仮想「Pが起こっていなかったならば」は、「Pが起こった」という現実に「遅れる」しかない。しかし、「Pが起こった」可能性（可能世界）、「Qが起こった」可能性（可能世界）、「Rが起こった」可能性（可能世界）……という諸可能性（諸可能世界）が設定されると、事情が変わる。それらの諸可能性（諸可能世界）がまったく対等ならば（＝無時間的に平等ならば）、そこに「遅れ」は存在できなくなる。あるいは、「Pが起こった」可能性（可能世界）だけは、まずは現実（現実世界）であることによって、他と対等ではない、と言われるかもしれない。けれども、その「まずは」という先行性自体が、諸可能性（諸可能世界）の中へと埋め込まれて相対化されるので、「先行性―遅れ」も絶対的なものではなくなる。つまり、「遅れ」は小さなものにならざるを得ない。

過去性の要因としての「遅れ」は、「反実仮想→可能性の豊穣化→可能世界論」というプロセスの中では、小さくなり、やがて消える。ということは、「先行性―遅れ」という時制性（過去性）の要因は、円環の右半分の進行と共に、小さくなり、やがて消えるということである。その領域は「無時制性」「対等性」へと向かっている。もちろん、未来性の要因であった「矛盾の先延ばしの繰り返し」もまた、対等並列する諸可能性（諸可能世界）の中では、その意義を失う。矛盾は、先延ばししなくとも、諸可能性（諸可能世界）ごとにバラしてしまえば、回避されるからである。こうして、可能性の領域が豊穣化すると、根源的な時制性（過去性・未来性）は退くことになる。

過去性の第三要因は、潜在性の場に見出すことができる。どういうことか。過去性は「変更不可能性」や「先行性（古さ）―遅れ」からなるというのが、第一要因と第二要因であった。しかし、潜在性の場には、それ以上に強力な「変更不可能性」と、それ以上に古い「古さ」が見出される。いわば、「過去」よりも古い「過去」――大過去性――が第三の要因である。

「何かが起こった（起こっている）」という始発点の場合には、それが変更不可能であるとは、その何か（たとえばP）を否定することができないということ（二重否定的な肯定性）であった。しかし、潜在性の場においては、その「何か（たとえばP）」という輪郭がそもそも顕在化していないので、そのように「否定することができない」とさえ言うこともできない。すなわち、「変更不可能」というよりも、そもそも「変更」ということが問題にさえなり得ない。「変更」を問題として採り上げた上で「できない」と結論するよりも、そもそも「変更」が問題としてさえ浮上しない方が、不可能性という点で、いっそう強力である。

否定を経由して肯定（の強さ）へと接近しようとすることが「遅れ」であり、その接近にもかかわらず肯定（の強さ）には届かないというのが、肯定の「先行性（古さ）」であった。しかし、潜在性の場においては、肯定と否定の分割（区別）そのものが潰れていて、論理的には矛盾（$P \land \lnot P$）に対応した。そこで、潜在性の場からは、任意のものが産出され、新しい可能性自体も創出される。ということは、ありとあらゆるもの・ことの出現が、その潜在性の場に対して原理的に「遅れる」ことになる。その点で、潜在性の場は「もっとも古い」ポジションを占めている。この強力な「古さ—遅れ」は、肯定と否定が紡ぎ出すそれ（過去性）よりも大きい「大過去性」である。

潜在性の場は、論理的な観点から言えば矛盾を吸収していて、様相的な観点から言えば様相が潰れている。それと同様に、時制的な観点から言えば、潜在性の場においては、大過去性と未来性が（以下で述べるように）接触する。大いなる過去と大いなる未来が一致することになるのが、潜在性の場である。

大過去性（絶対的な過去性）は、相対的な過去性とは違って、現在（実現・生起）との相対的な関係性から切り離されている。大過去性は、相対的な過去性の延長ではない。相対的な過去性は、現在（実現・生起）との「先行—遅れ」の関係性であるから、過去と現在は「込み」で成立している。現在（実現・生起）がまず先行的に在る。それに「遅れ」るものとして過去が成立する。

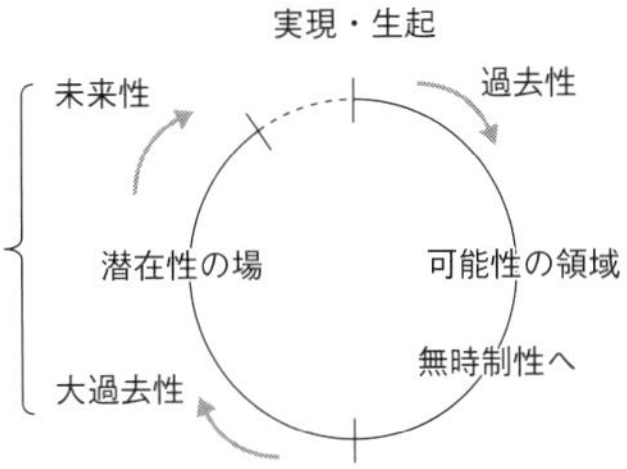

しかも、その「遅れ」は相対的で関係的なものなので、「遅れ」としての過去もまた、（その過去の時点では）現在（実現・生起）として、まず先行的に在ることになる。そのうえで、さらに「遅れ」て、より前の過去が成立する。要するに、現在と過去は推移的な「先行—遅れ」関係の中に置かれているので、どんなに古い過去であっても、その時点では、とにかくまず現在として在った（実現・生起した）ことになる。

しかし、潜在性の場における大過去性（絶対的な過去性）は、全く異なっている。現在（実現・生起）との相対的な関係によって成立する過去なのではなくて、その関係（＝顕在化）自体から切り離された過去である。現在（実現・生起）とは無関係であるのが、大過去（絶対的な過去）の大過去性である。現在として顕在化したことも、顕在化することもなくてよいというあり方を、潜在性の場は保持している。

「何かが起こった（起こっている）」を始発点として、可能性の領域を経由して、潜在性の場へと達するというここまでのプロセスでは、現在（実現・生起）との無関係性は「大過去性」（相対的に古いことを超えた古さ）として表れた。しかし次に、この潜在性の場のほうから、「何かが起こった（起こっている）」という始発点へと達しよう（戻ろう）とするプロセスでは、同じ無関係性（切り離し）が、こんどはあの「謎」——未来の未来性の一要因——として表れる。つまり、現在（実現・生起）との無関係性は、未来が決定的に「ない」（無でさえない）こととして出現する。潜在性の場からは、いかなる顕在も未実現・未生起のままに留まるのか、それとも、そこから「何かが起こった（起こっている）」へと進むことになるのか。そのいずれであるのかが、根源的に偶然的であることが、未来の未来性（の一要因）であった。「円環一巡の「最後の一歩」には、容易に跨ぎ超すことのできないギャップが残り続ける」ことが、根源的な偶然性を生んでいる。こうして、潜在性の場の「大過去性（絶対的な過去性）」であったものは、未来の未来性（埋まらないギャップ・無でさえないこと）へと反転する。大いなる過去と大いなる未来は、紙一重である。

以下の章で考察していく諸テーマ・諸概念について、円環モデルの上に配置してみることによって、その諸テーマ・諸概念間の連関と移行を概観した。この概観は、以下で展開される考察に、一定の見通しと地図を与えてくれるだろう。以下の章を読み進めていく中で、適宜この円環モデルを参照してもらうと、理解が深まると思う。あるいは、本書をいったん最後まで読み終えてから、もう一度この円環モデルに戻って、この第1章を再読してもらえると、（まさに円環を描くように）私の議論を深く摑みとってもらえるのではないかと思う。

第2章 現実性と潜在性

現実性はどこまでも潜在的であり、潜在性はどこまでも現実的である

1 現実性について

現実の現実性（「現に」というあり方）には三つの水準があって、その三水準は三位一体的に働いている。三つの水準は、様相との関係性を基準にすると、次の（1）〜（3）のようになる[1]。

（1）第1章との関連で言えば、（1）様相とは無関係に働く水準とは、「垂直に射し込む力として働く現実性」に対応する。また、（2）と（3）の区別――様相に外的か内的か――は、円環モデルの右半円の前半部と後半部の区別に対応する。すなわち、「外的に関係する」ことが、現実性の可能性に対する優位性を、「内的に関係する」ことが、可能性の現実性に対する優位性を、それぞれ表している。なお、（1）（2）（3）の分類は、現実性と様相（可能性）との関係性を基準とした分類であって、ここにはまだ、潜在性の観点（円環モデルの左半円）は入っていない。現実性と潜在性の関係に関しては、第1章および本章第2節を参照。

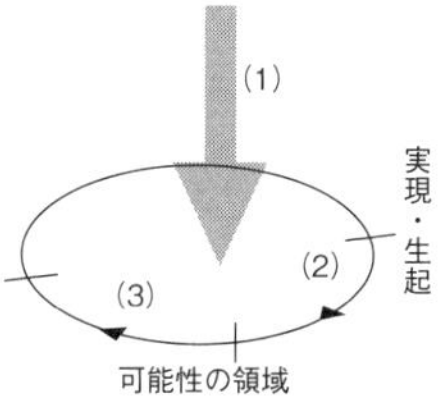

（1）様相とは無関係に働く水準
（2）様相に外的に関係する水準
（3）様相に内的に関係する水準

様相とは、可能性をベースにした必然・偶然・不可能の区分と相互連関のことである。[2] 現実性は、その様相のネットワークに内的に含まれるか・外的に付与されるか・無関係であるかによって、三つの水準に分けられる。

様相を論じるのに「可能世界」という道具立てを利用するならば、現実（性）は「現実世界」として導入される。現実世界の現実性を、D・ルイスのように指標詞的に捉えるならば、「どんな可能世界wにとっても、その世界wは、それ自身にとっての現実世界である」ことになる。[3] その場合には、現実性は諸可能世界に相対化されていて、諸可能世界の内に再帰的な仕方で埋め込まれている。この指標詞的に捉えられた現実性は、（3）の水準で働く現実性の一例である。[4]

しかし、「どの可能世界であれ、その世界が、それ自身にとっての現実世界である」と言うだけでは、まだ不十分なのではないか。その各々にとっての現実世界のうちで、現に現実世界であるのは、この現実だけではないだろうか。つまり、この傍点をつけた部分（現に・この）の「現実性」は、それぞれの世界に相対化することのできない絶対的な現実性であって、指標詞的な分析では掬い取れないのではないか。そのような疑問が、（（3）ではない）（2）の水準の現実性を示唆している。[5]

しかしさらに、ルイス的な分析は、その「現に」「この」の現実性もまた、（3）の水準へと引き戻して捉えることができる。というのも、「どの可能世界wにとっても、その世界wだけが、それ自身にとっての「この現実（現に現実である世界）」であるというように、「この」「現に」「だけ」を、再び相対化することができるからである。突出した「絶対的な現実性」自体を、（各可能世界へと割り振って）相対化することによって、「相対的に絶対的な現実性」として回収することができる。こうして再び、（(2)ではない）(3)の水準が戻ってくる。

だからといって、(2)の水準は、(3)の水準に回収し尽くされて消えてしまうわけでもない。むしろ(2)の水準は、その回収自体からの更なる逸脱として、突出を繰り返す。「その世界自身にとっての」という意味での「この現実」ではなくて、端的なまさにこの現実のことである……というように。回収も繰り返されるが、それに応じて突出も繰り返され、この反復（(2)⇅(3)）に原理的に終わりはない。

そのように(2)と(3)は、突出（絶対化）と回収（相対化）の反復において、本質的に協働している。一方が他方を抑え込もうとすることが、そのまま抑え込めないことの発露にもなっていて、両水準は表裏一体である。言い換えれば、絶対化と相対化の対立は、同じ土俵での「一つの」運動の

(2)　拙著『あるようにあり、なるようになる　運命論の運命』（講談社、二〇一五年）の第10章を参照。

(3)　David Lewis, *On the Plurality of Worlds*, Basil Blackwell, 1986.／デイヴィド・ルイス『世界の複数性について』（出口康夫監訳、名古屋大学出版会、二〇一六年）。

(4)　ルイス的な「指標詞的な現実性」を第三水準の「例」として利用するだけで、註6でも述べるように、私自身はルイス的な枠組みの中で議論するわけではない。

(5)　絶対的な現実性を表そうとする「この」の用法については、本書第4章「現実の現実性と時間の動性」の議論（特に「中心指向性（収斂性）」と「全域指向性（発散性）」の区別）も参照。「この（これ）」についての私自身の中心的な考察は、本書第6章第4節「「このもの主義」を別様に考える」で展開する。

両側面であって、その土俵（共有されたルール）が、「様相」（ここでは諸可能世界）に当たる。「様相」という同じ基準を共有しているからこそ、（2）の外的（様相の外から）／（3）の内的（様相の内で）という対立も生じる。（2）や（3）の水準にある現実性は、（様相に対して）単に相対的であるのでもなく、単に絶対的であるのでもなく、相対化と絶対化のカップリングの反復になっている。二つの水準が協働することで現実性が作動するというのは、そのような事態である。

それに対して（1）は、その土俵（ルール）の共有以前、すなわち相対化・絶対化の反復が始まりようのない水準の現実性である。（1）の水準で働く「現に」は、そもそも様相（可能性）とは無関係に働くので、突出と回収の反復は立ち上がりもせず、ただひたすらそうであるだけの現実性である。相並ぶ仕方であっても排除する仕方であっても（＝第三水準でも第二水準でも）「他」が働くけれども、第一水準の現実では「他」がそもそも働きようがない。「ただひたすらそうであるだけ」とは、「自他」の成立以前のことである。

（2）と（3）の対立は、絶対性と相対性の（あるいは唯一性と複数性の）対立であり、どちら側も、現実世界と可能世界との関係を問題にしている点では同じである。しかし、（1）では、その共通性自体が放棄されている。（1）の水準で働く「現に」は可能性と対比されないし、「現に」という現実性は副詞的に働く力であって、そもそも「世界」（個体化された事物）ではない。

「ソクラテスは哲学者である」という命題に関連させて、この三水準の違いと繋がりを再確認したうえで、さらに細分化しておきたい。（1）を（1-1）と（1-2）に分け、さらに第一水準に第0水準を追加する。

（1）現にソクラテスは哲学者である。
（2）この現実世界において、ソクラテスは哲学者である。
（3）ある可能世界において、ソクラテスは哲学者である。

（1）〜（3）は、三水準の違いに対応している。（1）は無様相の現実性に対応し、（2）と（3）は有様相の現実の唯一性（絶対性）と複数性（相対性）に対応する。

（3）は、「ソクラテスは哲学者である」が真であるような可能世界が、少なくとも一つ存在することを表している。少なくとも一つ存在するその可能世界にとっては、「ソクラテスは哲学者である」は現実である。この第三水準での現実性は、どの可能世界であっても、その世界自身にとって成立する再帰的な現実性である。その現実性は、存在が少なくとも一つ確保できれば、それだけで保証される。いわば、第三水準の現実性は、「存在に内属する現実性」「存在の現実」である。

それに対して（2）は、少なくとも一つ存在するその可能世界が、まさにこの現実世界であることを表している。「ソクラテスは哲学者である」が現実であるのは、ある一つの世界においてではなく、他ならぬこの世界においてである。（3）とは違って、存在が少なくとも一つ確保されたとしても、この現実性はまだ保証されない。この現実性は、確保された存在の外から、さらにプラス・アルファで付与されなければならない。いわば、第二水準の現実性は、「存在の外から付与される現実性」「現実の存在」である。

そしてさらに、（2）はもう一度（3）に回収される。「存在（可能世界）の外から付与される現実性」もまた、それぞれの「この現実性」として、「それぞれの存在（諸可能世界）に内属する」と見なすことができる。もちろんさらに、(2)はその回収からも逸脱して、外からの付与を再導入することもできる。「それぞれの」ではない、この現実性として。つまり、「存在の現実」と「現実の存在」は、存在と現実のどちらが優位のポジションを占めるかをめぐって、相互凌駕を繰り返して循環する(存在⇅現実)。そのように終わることのない(2)の水準と(3)の水準の優位性争いは、現実主義と可能主義の対立の中にも読み取ることができる。[6]

(3)の水準への回収と(2)の水準の突出は、なぜ完結せずにどこまでも続くのか。その無限進行を駆動する力は、どこからやって来るのか。その力は、様相(可能性)の内からはけっして導かれないし、世界という個物の内で完結するものでもない。「様相」や「世界」という枠には収まらない現実性(力)が、(2)の水準の突出を背後から駆動している。いわば、回収と突出を繰り返す「永久機関」は、実は外から備給される力によって回っている。その力が(1)の水準の「現に」に相当する。「様相」や「世界」という枠には収まらない「現に」という力を、無理やりその枠の中に押し込もうとするからこそ、回収と突出の無限反復、すなわち終わらない過剰(溢れ出し)が生じる。

さらに、(1)を(1-1)と(1-2)に分けよう。(1)の現実性の水準には、純粋現実性の水準(1-1)と事実性の水準(1-2)の両方が含まれている。

(1)現にソクラテスは哲学者である。
(1-1)すべてのことは「現に」の作用域で生じる。
(1-2)「ソクラテスは哲学者である」は端的に真である。

「事実性」の水準（1-2）には、特定の内容の真・偽が関与している。一方、「純粋現実性」の水準（1-1）は、真・偽や肯定・否定の区別を持つことなく、一番外側で透明に（すなわち内容とは無関係に）働く。内容が関与してくる現実性の水準（1-2）が「事実性」の水準であり、内容とは無関係の現実性の水準（1-1）が「純粋現実性」の水準である。（1-1）と（1-2）の区分けの基準は、否定が働くか否か、内容が関与するか否かにある。

たとえ、（1）の現実性を否定しようとして、「ソクラテスは哲学者であるのは、現にではない（現実ではない）」としたところで、それは現実性の否定にはならない。むしろ、現実性は温存され、特定の内容（ソクラテスは哲学者である）の方が、その現実という場から排除されるだけである。つまり、否定が働く対象は、現実性自体ではなくて、その内容（事実性）になってしまう。

（1）の水準で否定を働かせようとすると、（1-1）の水準では働くことができず、必ず（1-2）の水準で働いてしまう。すなわち、否定は特定の事実の不成立を表すだけになって、現実性自体の否定になることはできず、（1-1）の水準へは届かないままになる。純粋現実性が否定されえないことは、次の書き換えからも読み取ることができる。

（6）　ここで想定している「現実主義vs可能主義」は、現実の絶対性と相対性をめぐる対立ということになる。つまり、争点は「現実の存在論的身分」である。しかし、元々の「ルイス的な様相実在論vs代用主義（ersatzism）」を「可能主義vs現実主義」と呼ぶ場合には、（現実ではなくて）可能世界の存在論的身分が争点である（現実性は格別な問題ではない）ことに注意しておこう。もちろん、私の関心は、現実性自体の身分が問題となる水準での「現実主義vs可能主義」のほうである。註9も参照。

ソクラテスは哲学者であるのは、現にではない。
＝ソクラテスは哲学者であるのは、現にではないことが現実である。
＝ソクラテスは哲学者ではないという事実が現に成立している。
＝現にソクラテスは哲学者ではない。

結局、純粋現実性の「現に」は否定されないまま、一番外側で透明に（すなわち内容とは無関係に）働き続ける。

事実性（1-2）は、たとえ端的に真であっても、偽への可能性が開かれている。しかし、純粋現実性（1-1）にはそもそも否定の働く余地がないので、その現実性は最小様相（他である可能性）にさえ開かれていない。否定へと開かれている「端的さ」と、否定の可能性をまったく持たない「端的さ」との違いが、事実性（1-2）と純粋現実性（1-1）の差に相当する。微妙ではあるが、重要な違いである。

しかしそれでも、（1-1）の水準は、「純粋性」がまだ不完全だとも言える。純粋度＝透明度を完璧にするためには、「現に」や「現実である」という表記は、消え去る方がより相応しい。その消去を「φ」で表すならば、「現にソクラテスは哲学者である」は「φソクラテスは哲学者である」へ変換される。「現に」に対して否定は働かないが、それでも表面上は「現にではない」というように否定が付加できてしまう。否定の付けようのなさを徹底し、透明度を高めるには、「φソクラテスは哲学者である」の方が相応しい。

しかし、それでもまだ、「純粋性」が不完全だとも言える。というのも、「φ」は「現に」の後からの消去にしかならないからである。しかし、そもそもの「一番外側で透明に」働く現実性は、その「φ」（消去）に先だって働く力である。その点まで考慮して、消去の必要さえない程に透明化すると、（1）の純粋現実性は、「φ」段階を経て、（0）の水準にまで遡行する。（0）は、純粋現実性の純度を完璧にした水準ではあるが、その見かけ（表面上の姿）は、単なる命題内容としての「ソクラテスは哲学者である」と一致してしまう。以上が、第0水準の追加である。

（0）ソクラテスは哲学者である。
→ φソクラテスは哲学者である。
（1）現にソクラテスは哲学者である。

このように見てくると、（0）～（3）の水準は相互に絡み合って働いていることが分かる。（0）と（1）の間、（2）と（3）の間には、それぞれ循環が含まれている。（1）↓（0）すなわち「現に」↓「φ」↓「　」は、純粋性の高まりであると同時に、単なる命題内容と区別が無くなってしまうことでもある。命題内容の内に埋もれてしまう現実性を取り出そうとするならば、もう一度「現に」を明示することになり、（0）↓（1）へと逆戻りする。また、（2）と（3）の間では、「突出と回収」が繰り返される。（0）⇅（1）と（2）⇅（3）は、どちらも現実性が複数水準間を跨いで振幅する点で、同型である。

（1）の現実性は無様相であるが、（2）（3）の現実性は様相に（外的に・内的に）埋め込まれることによって、有様相で働く。その無様相／有様相のあいだの「溝」は極めて大きい。しかし、その

「溝」は、事実性という（1-2）の水準を介して、「橋渡し」されてもいる。つまり、（1）の無様相と（2）の有様相のあいだの「溝」は、端的な事実が含んでいる二つの面（端的さと最小様相）によって、媒介されてもいる。言い換えれば、端的な事実性という水準（1-2）は、純粋現実性（1-1）へと向かうベクトルと、様相（2や3）へと向かうベクトルとの和として成立している。

また、（2）と（3）の間で生じる（優位性をめぐる）循環は、（0）と（1）の間で生じる循環と同型であるだけでなく、（1）の水準内部における（1-1）と（1-2）の間で生じる循環とも同型である。それは、純粋現実性（1-1）と事実性（1-2）の間での循環である。もちろん、純粋現実性（1-1）が（2）の突出（絶対化）に対応し、事実性（1-2）が（3）の回収（相対化）に対応している。

「現に ソクラテスは哲学者である」に含まれている純粋現実性が、「ソクラテスは哲学者である」が端的に真であること（事実性）へと転落するときに起こっていることは、「この現実世界において」が、「ある可能世界において」へと相対化されることと、（同じではないが）相似的である。逆方向も同様で、相対化に抵抗して絶対性を回復しようとすることは、事実性から純粋現実性へと遡行しようとすることの中で、相似的に反復されている。

同型性を貫いているのは、現実性と様相（可能性）を両極とする純度の物差しである。諸可能世界からの現実世界の「突出」と、事実性からの純粋現実性への「遡行」とを比べた場合、どちらも（突出も遡行も）現実性の純度が上がる方向である点では同じである。しかし、「突出」よりも「遡行」の方が、なお一層その純度が高くなる。もちろん、逆方向でも同様である。「回収」も「転落」も、現実性の純度が下がる（様相の純度が上がる）方向である点では同じである。しかし、「転落」よりも「回収」の方が、なお一層現実性の純度が低くなる（様相の純度が上がる）。

さらに、純粋現実性（1-1）が事実性（1-2）へと転落することと、この現実世界（2）がある可能世界（3）へと回収されることは、互いに相似的であるというだけではない。（1-1）から（1-2）へという転落自体が、下落して（2）から（3）への回収となる（あるいは逆向きに言えば、上昇して（2）から（3）への回収が、（1-1）から（1-2）へという転落になる）。転落と回収との間に相似変換のようなことが生じている。つまり、「現実の事実化（内容化）」という、そもそもは様相外から様相内への転落が、様相（諸可能世界）内部での「絶対性の相対化」という回収へと読み換えられる。あるいは逆向きに言えば、様相内部における絶対性と相対性の争いからは、様相外部（無様相）と様相の入り口（最小様相）との拮抗、すなわち現実性と事実性の緊張関係を、遡行的に読み取ることができる。

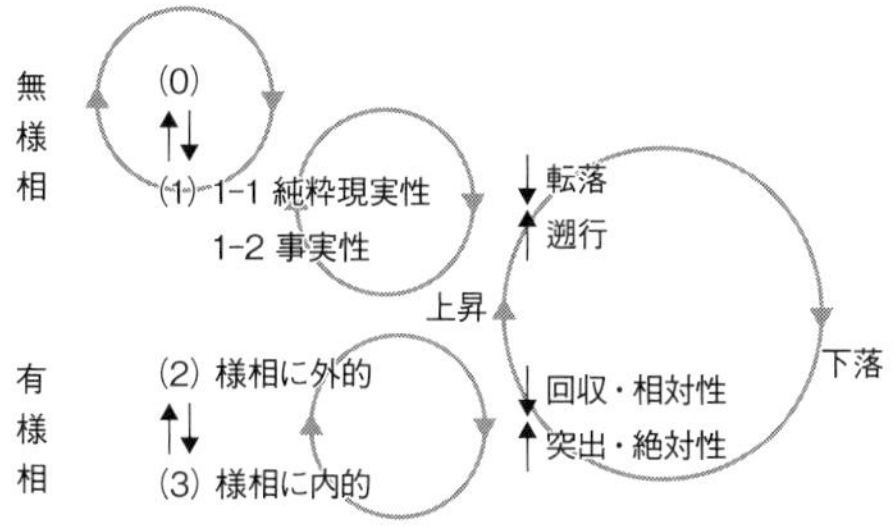

現実性は、異なる三つの（あるいは四つの）水準において働くことを強調してきたが、その水準の違いを超えて、働いているのは同一の（より正確には遍在的な）現実性という力である。その点も強調しておこう。
現実の最も純度の高い姿は、第一水準の現実性（より正確には、第0水準）であるが、そこには命題内容や個物としての輪郭等がいっさい無いため、ただひたすら透明に働いている力とでも表現するしかない。その透明な力は、特定の内容（e.g.ソクラテスは哲学者である）や個物としての輪郭（e.g.現実世界や可能世界）を纏うときに、一定の制約された可視的な姿で現れる。その制約された姿が、「事実（としての端的さ）」であり「個的な

存在（にとっての現実性）」である。現実性という力が貫いている点において、そのすべてが同じ「現実」であり、その現れ方（水準）だけが異なっている。複数の現実があって一つに重なっているのではなく、同一の（より正確には遍在的な）現実性という力が、複数の現れ方（水準）を貫いているのである。

しかも、同一の力（現実性）が異なる水準で現れるだけではなく、その同一性と差異性の内には、「断絶」と「接続」の両方が刻み込まれている。無様相の水準（1）と有様相の水準（2）（3）は、様相の有無において断絶しているし、純粋現実性（1-1）と事実性（1-2）は、内容の有無において断絶している。しかし、事実性（1-2）は、否定の可能性（最小様相）を開くことによって、無様相の水準（1）と有様相の水準（2）（3）を接続してもいる。冒頭で「三水準は三位一体的に働いている」と記したのは、このように同じ力（現実性）に貫かれつつ、各水準が相似的に展開する「動的な三者関係」を表すためであった。[7]

2 潜在性について

第1節では、様相（可能性）との関連で、現実性について考察した。では、（現実性と可能性ではなく）現実性と潜在性という対照からは、どのような洞察が得られるだろうか。潜在性（potentiality）は、単純には可能性（possibility）とイコールで結べないし、様相の一つであるかどうかも疑わしい。また、現実性と潜在性は、相互に排他的に扱われることも多いが、私はそうは考えない（以下で強調するように「現実／潜在」は「発現／潜在」「現前／潜在」と同じではないのだから）。この第

2節では、現実性についての第1節の考察を踏まえて、潜在性に関する私の見方を提示したい。その議論のための素材として、メガラ派的現実主義（Megarian Actualism, Megarianism）を採り上げて、私なりの解釈を加えることになる。(8)

哲学的な議論としての現実主義（Actualism）とは、一般的に言えば「存在するものは、すべて現実に存在する」と考える見解であり、「現実には存在しないが、別の仕方で存在する」ことを認めない見解である。(9) これに対して、「現実に」ではない別の仕方でも存在することを認める見解は、可能主義（Possibilism）と呼ばれる。たとえば、（現実にではなく）可能性としてだけ存在することや、虚構の中でのみ存在すること等が、その「別の仕方で」の候補となる。

大多数の者が、（現実にではなく）可能性としてだけ存在するという「別の仕方」を認めるだろう。

(7)（0）と（1-1）（1-2）で作られる三者関係、（1）と（2）（3）で作られる三者関係、あるいは両三者関係の相似性などが、ここでは「三位一体的」と呼ばれている。同様の三者関係を、永井均『存在と時間　哲学探究1』（文藝春秋、二〇一六年）をめぐる私の議論の中では、「無内包・脱内包・有内包」という三つの水準として論じている。本書第4章「現実の現実性と時間の動性」を参照。また、本書「おわりに」の4「現実性という神」も参照。

(8) メガラ派的現実主義については、アリストテレス『形而上学』第9巻第3章を参照（cf. 註10）。Stephen, Makin, "Megarian Possibilities", *Philosophical Studies* 83, pp. 253-276, 1996. も参照。

(9) 現実主義（Actualism）と可能主義（Possibilism）については、以下を参照。Menzel, Christopher, "Actualism", The Stanford Encyclopedia of Philosophy（Winter 2016 Edition）, Edward N. Zalta（ed.）, URL = ⟨https://plato.stanford.edu/archives/win2016/entries/actualism/⟩. また、本書第6章「無関係・力・これ性」の第4節「「このもの主義」を別様に考える」も参照。

しかし、メガラ派的現実主義は、大多数の者が認めるその常識を否定する。つまり、「現実的なものだけが可能である」「現実ではない可能性など存在しない」「可能性は現実性と一致する」と主張する。現実というあり方以外には、いかなる別の仕方で存在することも認めない。メガラ派的現実主義は、ラディカルな現実主義であると言うことができる。

以下の引用（アリストテレス『形而上学』第9巻第3章冒頭）では、メガラ派的現実主義が例示されていて、その不合理性が指摘されている。[10]「まさに……している」（発現）との対照で、「……できる」（能力）という固有の可能相が問題になっている。例としては、建築能力が採り上げられている。

しかし、つぎのような説をなす人々がある、たとえばメガラ派の徒がそうであるが、それによると、なにものも、ただそれが現に活動しているときにのみそうする能力がある【活動しうる】のであって、活動していないときにはその能力がない。たとえば、現に建築していない者は建築する能力がなく、ただ建築する者が現に建築活動をしているときにのみそうする能力がある、同様にその他の場合にもそうである、というのである。だが、この説から生じる諸結果の不条理な点をみつけることは容易である。

「現実的なものだけが可能である」「現実ではない可能性など存在しない」「可能性は現実性と一致する」というメガラ派的現実主義は、「能力」という可能性の文脈で言えば、「現に働いているときだけ能力は存在する」「現に働いていない能力など存在しない」「何かができるということは、実際にそれをやっていることと一致する」という主張となる。

しかし、このメガラ派的現実主義を受け入れてしまうと、「現に建築してはいない」けれども「建築家としての能力がある（建築することができる）」ということが成り立たなくなる。他の例で言えば、現に自動車を運転している最中にしか、自動車を運転する能力がないことになってしまう。これは不合理な帰結であろう。アリストテレスはそのように考えているし、常識的にもそう考えるだろう。よく知られているように、アリストテレス自身は、現実態（エネルゲイア）と可能態（デュナミス）という区別を導入して、不合理なメガラ派的帰結を避け、さらに自説を展開した。[11]

ところで、私がこれから進みたい方向は、非アリストテレス的・非常識的な方向である。しかしそれは、メガラ派的現実主義から「（アリストテレスが読み取ったのとは）別様の」意味合いを私が勝手に読み取る方向なので、反アリストテレス的・反常識的な方向というわけではない。すなわち、アリストテレスや常識に反対して（＝彼らが思い描くメガラ派をそのまま支持して）、「能力は現に働いているときにだけ存在する」「実際にやっていないときには能力は存在しない」「〈できる〉とは〈している〉ことに他ならない」と主張したいわけではない。

いやむしろ、逆である。というのも、アリストテレスや常識は、メガラ派の主張から「強い反実在論的（検証主義的）な発想」を読み取ったうえで、それを不合理と断じていることになるが、私のほ

（10） アリストテレス『形而上学』第9巻第3章 1046b29-32（『アリストテレス全集』第12巻、出隆訳、岩波書店、一九八八年、二九四頁）からの引用であるが、「能」という訳語は「能力」に変えている。

（11） アリストテレスによるメガラ派的現実主義批判と、現実態（エネルゲイア）と可能態（デュナミス）の区別については、以下を参照。Charlotte Witt, *Ways of Being: Potentiality and Actuality in Aristotle's Metaphisics*, Cornell University Press, 2003.

うは逆で、メガラ派の主張から「強い実在論的な発想」を読み取ったうえで、それを支持したいからである。「強い実在論的な発想」には、「能力は、まったく（一度たりとも）発現することがなくとも、それ自体で現実存在しうる」の承認が含まれる。そのような読み取り方をするための鍵は、「現実性と潜在性」という対照のところにある。以下の「第一に」と「第二に」の二つのステップを経て、可能性の限界としての「潜在性」と、発現や現前ではない「現実性」をクローズアップして、両者の対照を考えることにしたい。

第一に、メガラ派の主張に登場する「可能性」は、実は「潜在性」と表現する方がより適切である。この点は、次のように考えれば頷けるだろう。

可能性にはいくつもの種類があるが、その中には、直ちに潜在性とは言い難いものがある。たとえば、論理的可能性がそうである。食卓にあるガラスのコップは、床に叩きつけたら壊れるだろうが、そのコップがそのまま空中浮遊することも論理的には可能である。しかしこれは、そう想像することもできるという可能性であって、その可能性がそのままコップに「潜在している」とは言い難い(12)。コップに帰属させられる潜在性の典型は、たとえば脆弱性・壊れやすさ（fragility）である。むしろ、そのような典型的な潜在性を超えて（現に潜在しているかどうかとは無関係に）考えるときに際立つのが、論理的可能性である。論理的可能性は、潜在性の「外」でこそ力を発揮すると言ってもよい。そして、メガラ派のターゲットは、論理的可能性とは異なる種類の可能性、すなわち現実性が染み渡った可能性（すなわち潜在性）のほうであるように思われる。

逆に、潜在性の「内」に本質的に含まれているような可能性もある。「食卓にあるガラスのコップは、床に叩きつけたら壊れる」という脆弱性の内には、「壊れている」という発現状態ではない「壊れやすさ」という可能性が含まれている。その固有の可能性は、「（諸条件が満たされて）床に叩きつけられると、そのコップは必ず壊れている状態になる」（条件的な必然性）によって分析・還元できるものではない。[13] ここには、潜在性に固有の可能性というあり方が示唆されている。また、そもそも「潜在的な可能性」という言い方ができることが、種々の可能性のうちに、特に潜在性と結びついた独自の可能性があることを、伝えている。

建築術や自動車の運転のような「能力」の場面と、ガラスのコップの脆弱性のような「傾向性」の

(12) 「空中浮遊可能性」もまた、捉え方次第では、「壊れやすさ」と同様に（程度が異なるだけで）、コップに「潜在している」と言えるのではないか、と思われるかもしれない。たしかに、単なる可能性と潜在性の線引きは相対的であり変動する。しかしそれは、何を現実的と見なし、何を（非現実的な）可能性にすぎないと見なすかの線引きに関わっていて、その線引きが（壊れやすさ／空中浮遊のところではなくても）どこかでなされる限りは、可能性と潜在性の区別も更新され続ける。ここでは、「論理的可能性」＝「無矛盾であることのすべて（現実であるか否かとは無関係）」と考えておく。あるいはまた、可能と潜在との線引きが放棄されて、全ての可能性は潜在性でもあって、あらゆる可能性が（例えばコップに）潜在すると考えることもできる。その場合には、（現に潜在するのだから）可能＝潜在＝現実となって様相は潰れることになる。以下の私の議論は、その両方（線引きと潰れ）をいっぺんに受け入れる構成になっている。「線引きの更新」と「様相の潰れ」の間で落差を反復することが、「現実の現実性」の働き方であると考えている。可能性と潜在性の対照については、また別の仕方で、第1章「円環モデルによる概観」においても考察した。

(13) 反事実的条件法によって傾向性（disposition）を分析して、還元しようとする反実在論的な方向性に反対して、条件法を伴わない傾向性を指摘すること等を含め、傾向性をより実在論的に捉える論者（e.g. ジョナサン・ロウ）の考え方を念頭に置いている。cf. E. J. Lowe, "How Not to Think of Powers: A Deconstruction of the 'Dispositions and Conditionals' Debate", *Monist* 94, 2011, pp. 19–33.

場面は、どちらも「潜在性」として統一的に扱うことができる。たとえば、人間（や生物）が典型例となりやすい「能力」の場面と、物体（無生物）が典型例となりやすい「傾向性」の場面との間に、一意的な境界線を引かずに、「潜在と発現」の結合度のスペクトラム上に乗せて、人間も物体も「力」の観点から統一的に捉えることができるかもしれない[14]。

そして、先の引用に登場したのは、「能力」という可能性、まさに潜在性の一例であった。しかも、「現に活動している」という現実的な発現との対照が問題となっている。メガラ派的現実主義を論じる文脈では、「現実性と可能性」よりも「現実性と潜在性」という対照で考えた方が、見通しがよくなる。

メガラ派的現実主義を、「現実性と潜在性」という対照で捉えるならば、その主張は次のようになる。「現実的なものだけが潜在的である」「現実ではない潜在性など存在しない」「潜在性は現実性と一致する」という主張である。

第二に、「現実性と潜在性」における「現実性」を、狭く「発現（manifestation, realization）」や「現前（presence, appearance）」に閉じ込めてしまうべきではない。特に「能力」と対照される場面では、現実とは（能力の）発現や現前のことだと短絡しやすい。現実は、「発現や現前ではない現実性」と「発現や現前としての現実性」の重なり（二重性）において捉えなくてはいけない。「発現や現前ではない現実性」の方が見失われがちである。この二重性もまた、（第1節で述べた）現実性の異なる水準の区別と関係するが、その点も後で確認する。

現実性と潜在性が、相互に排他的に見えてしまうのは、「現実性」を「発現や現前としての現実性」だけに限定して、「発現（現前）と潜在」という対立概念で考えてしまうからである。たしかに、「発現（現前）と潜在」ならば、「すでに現れている状態」と「まだ現れていない状態」として、両者は相互排他的になる。「能力」という文脈で言えば、「能力が発揮されている状態」と「発揮されてはいない（が能力はある）状態」として対立概念となる。要するに、「発現（現前）と潜在」の相互排他的な対立は、「肯定と否定」の相互排他性に基づいている。別言すれば、「現実性と潜在性」という対照を、「肯定と否定」という限定的な枠の中に押し込めることによって、「発現（現前）と潜在」「現れと隠れ」という対立が生じる。

しかし、現実性を「発現や現前」だけに限定してしまうならば、それは、認識論的にしか（あるいは、「肯定と否定」という枠の中でしか）現実を捉えていないことになる。そこからは、存在論的な水準で働く現実性が抜け落ちてしまう。「現実性と潜在性」という対照は、認識論的な水準に留まることなく、存在論的な水準にまで及んでいるし、「肯定と否定」という枠の中には収まらない力を持つ。

存在論的な水準で言えば、「すでに現れている状態」であればそれが現実であるし、「まだ現れてい

(14) バーバラ・ヴェターは、能力と傾向性を潜在性として統一的に扱い、その潜在性を拡張し洗練していく。彼女は、複数の個体に跨がる潜在性（共同的な潜在性）や、それに基づき一層拡張される潜在性（外在的な潜在性）、潜在性の反復（反復的な潜在性）を導入し、潜在性を基盤に様相（可能性）概念の分析を行う。cf. B. Vetter, *Potentiality: From Dispositions to Modality*, Oxford University Press, 2015. また、人間と物体を連続的に捉えるという点については、心の特徴としての志向性と物体の傾向性（物的な志向性）を連続的に捉えるジョージ・モルナーのことを念頭に置いている。cf. G. Molnar, *Powers: A Study in Metaphysics*, edited by S. Mumford, Oxford University Press, 2003. この観点に関連して、「物と心の通底」を考える「中立的一元論」も参照（本書第7章・註26、第8章・註13、第9章・註12等）。

ない状態」であればそれが現実である。つまり、「発現（現前）と潜在」のどちらも現実である。「まだ現れていない」が現実であることと、「すでに現れている」が現実であることとは、同じ現実における異なった認識相にすぎない。存在論的な水準で働く現実性には、肯定と否定の相互排他性は働かない（「肯定と否定」という枠をはみ出す）。

要するに、認識相（発現や現前）における肯定（現れている・発揮されている）と否定（現れていない・発揮されていない）は、どちらも同じように「現に」の作用域の中で働いているし、そうであるしかない。一番外側で透明に働く「現に」という現実性が、存在論的な水準で働く現実性であり、そこでは肯定と否定の相互排他性は働かない。これは、第1節の考察における「純粋現実性」に相当する。

「現実性と潜在性」という対照は、存在論的な水準と認識論的な水準の両方で働くことによって、二重性を帯びている。「一番外側で透明に働く現実性と潜在性」でもあるし、「発現・現前としての現実性と潜在性」でもある。ただし、二つの水準は対等ではない。「一番外側で透明に働く現実性」なしに「発現・現前としての現実性」はありえないが、発現・現前することがない（というのが現実である）場合には、後者なしに前者が働いている。存在論的な水準（純粋現実）が、認識論的な水準（発現・現前）に対して優先する。すなわち、発現・現前するしないに関わらず、現実は現実である。

優先度の高い「一番外側で透明に働く現実性と潜在性」の場合には、対照される両者（現実性と潜在性）は、相互排他的ではない。むしろ、「現に潜在している」のであり、「潜在的であることが現実である」のだから、潜在性は現実性の働きの内にある。存在論的な水準を「現実性^1」で、認識論的な水準（発現・現前）を「現実性^2」で表し、作用域（働き）の内にあるという関係性を不等号の

「∨」や「∧」で表すとすれば、次のような図式になる。現実性$_1$と潜在性は、排他的ではない。

現実性$_1$ ∨ ｛現実性$_2$ vs 潜在性｝

ここにはさらに、次のような図式を加えることもできる。現実性$_2$（発現・現前）と潜在性$_1$は、排他的ではない。

｛現実性$_2$ vs 潜在性$_2$｝ ∧ 潜在性$_1$

潜在性$_1$は、潜在性$_2$よりも「深度」が大きな潜在性を表す。この場合の「深度」とは、発現（現実性$_2$）と潜在の間の結合（繋がり）の強さをどれくらいに見積もるか、必然寄りと見るか可能寄りと見るかに相当する。結合（繋がり）を緩くとればとるほど、潜在性の「深度」は大きくなる。たとえば、何かを実際にやる能力よりも、その能力を習得する能力の方が、さらにその習得能力を持つための能力（遺伝的な能力？）の方が、この意味での「深度」は大きいことになる。[15] 実際に自転車に乗

（15）「能力のための能力のための能力……」は、註14で言及したヴェターによる「反復的な潜在性（iterated potentiality）」に依拠している。ヴェターは、「バイオリンを弾く能力」「バイオリンを弾く能力を獲得する能力」等を例に考察している。ただし、「最深潜在性」を想定し、それを「可能性の限界」として捉える点、つまり通常の「区別が成り立たせている可能性」ではない「区別が成立する以前の可能性」「そこから区別そのものが発生する可能性」を潜在性と見なす点は、私の考えである。cf. 第1章「円環モデルによる概観」

っていること（現実性^2＝発現・現前）と自転車に乗る能力があること（潜在性^2）との結合（繋がり）度はかなり大きいと言えるだろう。しかし、その能力を可能にする能力をさらに可能にする能力（ある種の遺伝子配列？）との結合（繋がり）度は、はるかに小さくなっていく（深度は大きくなっていく）。潜在性^{1}は、その「深度」の深まりの先に位置づけられる最深の潜在性である。

特定の発現や現前を括弧に入れて、能力がそれ自体で自存する（かのように見なしてよい）度合いが高まることが、結合（繋がり）度が小さくなること、すなわち潜在性の「深度」が大きくなることに対応する。（発現と直接対立させられた）能力よりは、その能力のための能力のための能力……という基盤的な能力の方が、潜在性は「より深い」。原理的にはその「深度」の極点に、「潜在性^{1}は、まったく発現されることがなくとも、それ自体で現に存在すると見なしてよい」という、力に関する強い実在論が控えている。もちろん、それは、もう人間的な意味での「能力」とは言えない「力」の水準になるだろう。潜在性^{1}とは、そのような力の次元である。

追加した｛現実性^2 vs 潜在性^2｝∧潜在性^{1}という図式は、発現・現前との対照性の強い潜在性（潜在性^2）を超えて、その両者の対照（現れたり現れなかったり）自体を可能にしている基盤的な潜在性^{1}が、背後に（発現・現前することからいっそう退いて）控えていることを表している。

さらに、｛現実性^2 vs 潜在性^2｝という対照の外（背後）に、現実性^{1}と潜在性^{1}が共に控えているという次の図式からは、現実性^{1}と潜在性^{1}の逆周りでの「近さ」についても考えることができる。図式の両端どうし（現実性^{1}と潜在性^1）は、表と裏（現実性^{2}と潜在性^2）が地続きの「メビウスの輪」を作るかのように接近する。

潜在性^{1} ↑ … 現実性^{1} ∨ ｛現実性^{2} vs 潜在性^{2}｝ ∧ 潜在性^{1} … ↓ 現実性^{1}

一番外側で透明に働く現実性こそ、内容化・様相化から退避する仕方で、最も潜在的に働いている。また、どれほど「深度」の大きい潜在性であっても、発現・現前としての現実性からは退却できるとしても、それでもなお現実性の内で働いている。つまり、現実性はどこまでも潜在的であり、潜在性はどこまでも現実的である。現実性と潜在性は、相互に排他的であるどころか、純粋であればあるほど（深くなればなるほど）接近し合い、互いに似てくる。

一番外側で透明に働く現実性が、自己顕現化（現実性の受肉化）を行うやり方は、特定の命題内容（e.g.ソクラテスは哲学者である）や個物的な輪郭（e.g.可能世界）を身に纏って、一定の制約された姿で現れることである。第1節で述べた、(0)→(1)((1-1)→(1-2))→(2)→(3)という現実性の転落とその逆の遡行が、現実性の「受肉化」とその逆の「脱受肉化」に相当する。

同様に、潜在とその発現・現前の間の関係にも、自己限定による顕現化と（その逆の）退隠化、すなわち潜在性の受肉化と脱受肉化を見て取ることができる。潜在性の「深度」の深まりが脱受肉化に、その反対（発現との結合度の高まり）が受肉化に相当する。現実性と潜在性それぞれの「受肉化」は、認識論的な水準へと引き下ろされることに相当し、現実性と潜在性それぞれの「脱受肉化」は、存在論的な水準へと差し戻されることに相当する。

それでも、脱受肉化する現実性^{1}と潜在性^{1}は、どんなに接近し合い互いに似てくるとしても、どこまでも違いは残るだろう(16)。メビウスの輪の比喩で続けるならば、

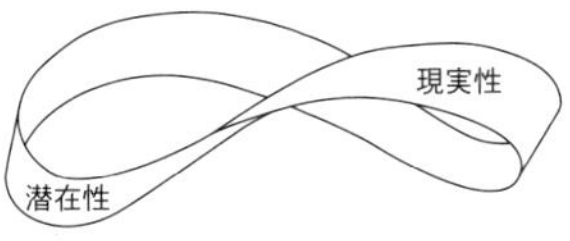

メビウスの輪

その違いは、(一つの輪として閉じるとしても)その捻れの過程に表と裏の差異が残り続けることに似ている。

一番外側で透明に働く現実性に対して否定が働かないのは、現実性はどんな内容とも無関係に透明に働くからであり、そこには現実性という力の作動(肯定)しかない。その意味において、純粋現実性とは、絶対的肯定性である。

一方、最深潜在性は、否定が働かないという点では同じであっても、どのような「働かなさ」なのかは違う。純粋現実性には肯定しかないのに対して、最深潜在性には、肯定・否定(現れる・現れない)が未生であって、しかもどちらもがそこから出現する。その意味で、最深潜在性とは、肯定でも否定でもあると言うことができる。つまり、最深潜在性とは、区別が発生する前の可能性のことであり、そのような区別のない可能性は「可能性自体の可能性」「可能性の限界」に等しい。

純粋現実性も最深潜在性も、ともに特定の内容とは無関係である点では同じであるが、前者は無内包の「力」として働くのに対して、後者はむしろ無限の内容(の発現・現前)を含み持つ無限内包(無尽蔵内包)の「マテリアル」「産出力」として働く。

先述した図式(現実性^1 ∨ {現実性^2 vs 潜在性^2} ∧ 潜在性^1)は、両極と中間という点に着目するならば、次のように表現することもできる。しかも、その三区分は、(論理の水準に落とし込むならば)同一律・排中律・矛盾の三者にそれぞれ対応するだろう。[17]

純粋現実性	—	(区別ありの)可能性	—	最深潜在性
$P = P$		$P \vee \neg P$		$P \wedge \neg P$

純粋現実性には否定が働かないこと（絶対的肯定性）は、同一律P＝Pには（¬Pは現れずに）Pという肯定形しか現れないことに対応する。最深潜在性が無限内包であることは、矛盾（P∧¬P）からは任意の命題が導出されることに対応する。そして、可能性という様相は分割（区別）の発生に等しいが、その点は排中律（P∨¬P）における肯定・否定の分割・選択に対応する。

さらに、中間に位置する可能性というあり方は、両極へと迫ってそれぞれの純粋性・最深性を浸食する（転落や回収や受肉に相当する）。その点もまた、論理の水準に落とし込める。P＝Pといえども、「＝の左と右」という空間的な区別があることによってその表現は成立している。ということは、すでに分割（区別）によって浸食されている。純粋現実性が「現に↓φ↓」と遡行することは、P＝Pから（左右の区別を捨てて）単独のPへ、さらに（Pとさえ表記されない）表現無記へと遡ることに対応するだろう。また、P∧¬Pといえども、時間的な区別が入り込むと矛盾にはならない（時点t_1でPかつ時点t_2で¬P）。それは、可能性（区別あり）の精神が、可能性の限界としての潜在性を浸食する（潜在性を可能性内部に引き戻そうとする）ことに相当する。

また、時点の異なり（の可能性）は矛盾を解除してしまうが、逆に、純粋現実性や今性は、Pと¬Pを「現に」「まさに今」という「一」における両立へと引き戻して、その解除を食い止め矛盾を保持しようとする。純粋現実性と最深潜在性が逆周りで接近することに対応して、同一律と矛盾はど

（16） 第1章「円環モデルによる概観」における「謎《ギャップ》」「円環の閉じなさ」と同様である。

（17） この点についても、第1章「円環モデルによる概観」を参照。

ちらも（表現無記の）「一」を背後に隠し持つ。同一律は、単独のPによってさえ（ズレてしまい）表記し得ない「一」性を背後に持つし、矛盾は、その不可能性が成立する場としての「一」性を背後に持つ。

もちろん、論理の水準は「形式」（トートロジーと矛盾）であるが、現実性─潜在性の水準は「形式」ではないし、その形式を満たす「内容」でもない。言い換えれば、現実性─潜在性の水準は「力」や「マテリアル」である。両水準（形式と力）は対応関係がある（落とし込める）だけであって、同じものではない。

ここで、メガラ派的現実主義の主張に戻っておこう。「現実的なものだけが潜在的である」「現実ではない潜在性など存在しない」「潜在性は現実性と一致する」という主張は、ここまでの考察を通して見直すと、どのように見えてくるだろうか。

メガラ派の主張が不合理に見えてしまうとすれば、その原因は、「現実（性）」「現実的」を、「発現」「現前」へと限定しすぎることによるか、「潜在（性）」「潜在的」を「区別ありの可能性（ex.諸可能世界）」へと薄めすぎることによるか、そのどちらかである。「メガラ派の主張では、現に自動車を運転している最中（＝発現中・現前中）にしか、自動車を運転する能力がないことになる」と考えてしまうことが、前者の「限定しすぎる」の一例である。また、「メガラ派の主張では、可能性が縮退してしまうので、複数の可能世界の中から一つの世界が選ばれて現実化すると言えなくなる」と考えてしまうとすれば、それは後者の「薄めすぎる」の一例である。どちらも、メガラ派的な「現実性と潜在性」の十全な意味（限定しすぎない・薄めすぎない意味）を引き出せていない。そのせいで、メガラ派の主張が、常識に反する不合理なものに見えてしまう。

しかし、「現実性と潜在性」を「現実性^{1}と潜在性^{1}」の水準で考えるならば、そうはならない。現実性を、発現・現前している現実に「限定しすぎる」ことなく、発現・現前していない現実（すなわち潜在）までをカバーする現実性として扱えばよい。また、潜在性を、複数個からの選択可能性などに「薄めすぎる」ことなく、潜在性に固有の（肯定・否定のどちらも含み持つ）可能性の限界として扱えばよい。

そのように捉えるならば、「現実ではない潜在性など存在しない」は、「どんなに深い潜在性でも、一番外側で透明に働く現実性の作用域の内にある」ことを表す。現に潜在しているのだから。「現実的なものだけが潜在的である」は、「一番外側で透明に働く現実性は、どこまでも潜在的であり続ける」ことを表す。純粋現実性は、「現に」という表記で顕在化するのも不十分な程に透明であるのだから。そして、「潜在性は現実性と一致する」は、「現実性と潜在性は、強力であればあるほど（深くなればなるほど）接近し合い、互いに似てくる」ことを表す。

現実性はどこまでも潜在的であり、潜在性はどこまでも現実的である。アリストテレス的な用語を利用して（しかし非アリストテレス的な結論を）表現するならば、「現実態はそのままで潜在態でもあり、潜在態はそのままで現実態でもある」となる。こうして、この第2章では、メガラ派的現実主義を、ある種の「汎‐現実主義＝汎‐潜在主義（pan-actualism = pan-potentialism）」に読み換えたことになる。

現実性と潜在性を、純粋現実性（現実性^{1}）と最深潜在性（潜在性^{1}）のところで対照することで、メガラ派的現実主義に対する一つの解釈を提示したことになるが、以下で述べるような「限定バージョン」の解釈も加えておきたい。その解釈には、「今」という時間の問題が深く関わってくる。

純粋現実性は、特定の命題内容を伴った場合には「端的な事実」として受肉化し、個物的な輪郭を伴った場合には「現実世界」として受肉化する。さらに、「現実性^{1}と潜在性^{1}」を「現実性^{2}と潜在性^{2}」の水準へ落とす場合にも、つまり「発現（現前）と潜在能力」の対照で考える場合にも、別種の受肉化が起こる。たとえば、自動車運転能力という潜在は、「まさに今自動車を運転している」という発現（現前）として受肉化する。これは、潜在能力に「まさに今」という現実性が入り込んで、受肉化（発現・現前）することに当たる。

「まさに今」という発現（現前）の場合には、純粋現実性の「限定」が二重に起こっている。それは、時制的な限定と内容的な限定である。純粋現実の無時制性は「まさに今」という現在へと限定され、純粋現実の無内容性は「自動車の運転」という内容へと限定されている。しかも、前者の「まさに今」という時制的限定は、後者の内容的限定とは独立である。それは、「現に」という力が無内包であるのと同様である。ただし、「まさに今」は無内包的かつ（時制的に）限定的であるのに対して、「現に」は一切の限定なしの無内包である。[18]

「まさに今」という今性は、純粋現実性そのものではないが、端的な事実性とも個物性とも異なるし、また発現内容（現前内容）のことでもない。どんな内実であるかとは無関係に、「まさに今」ならば端的に今である。ゆえに、今性（まさに今）は、純粋現実性（現に）と、その他の内実を伴う現実の様態との「中間」に位置している。内容の関与しない時制的な限定こそが、「まさに今」という発現（現前）である。

現実性^{1} ∨ ｛発現・現前（内容＋今性）vs 潜在能力｝ ∧ 潜在性^{1}

メガラ派的現実主義を、現実性^{1}と潜在性^{1}の水準ではなく、今性のところに焦点を絞って読み取ることもできる。「まさに今、Pをしている」ときには、「まさに今、Pをする可能性（能力）が発現・現前している」し、「まさに今、Pをすること以外はできない」し、「まさに今、Pをしていることは必然」である。つまり、「まさに今」のところで、発現・現前としての現実と可能と必然が一つに重なって「潰れる」。今性においては、様相は潰れる。この「様相の潰れ」こそが、メガラ派的現実主義の主張である（と解釈することができる[(19)]）。

両端（現実性^{1}と潜在性^1）での読み取り方を、その中途の「今性」のところへと縮約したのが、この「限定バージョン」の読み方である。まさに今のところでは、「していること」が「できること」の全てであり、「それ以外のことはできない」し、「しているのは必然」である。今性のところでは、現実性と潜在性と様相（可能性や必然性）は一つに重なってしまう。

どちらの解釈をしても（非限定バージョンでも限定バージョンでも）、現実性と潜在性は、排反的であるどころか相互包含的に重なり合って働いているし、その地点では様相が無効化している。その

(18)　永井均が論じる〈私〉と〈今〉が、（人称的・時制的）限定性を残した無内包に相当すると、私は考えている。この点については、註7も参照。また、（私自身の方向性とは異なるが）示唆的な考察として、伊佐敷隆弘『時間様相の形而上学　現在・過去・未来とは何か』（勁草書房、二〇一〇年）の「Ⅳ　原型的〈現在〉と現実性」における「現在・今と現実性」の考察も参照。

(19)　「様相の潰れ」については、第3章「事実性と様相の潰れと賭け」、および前掲拙著『あるようにあり、なるようになる　運命論の運命』の第9章〜第11章を参照。

点は共通である。その一致点を指し示そうとする主張が、メガラ派的現実主義だったのである。[20]

(20) この第2章の元になる草稿による講義（京都大学大学院文学研究科・文学部での集中講義二〇一七年九月四日〜九月八日）の中で、受講学生・院生からは貴重なコメントをたくさん貰った。また同期間中に、友人の上野修からもメールで有益なコメントを貰った。この第2章が、草稿段階よりも良くなっているとすれば、それは彼らのおかげである。感謝を記しておきたい。

第3章　事実性と様相の潰れと賭け

この章では、「事実性」と「様相の潰れ・確率の潰れ」と「賭け」の三者を、同種の中間的なものとして描き出す。三者はいずれも、現実性とシステム（様相のシステムや確率のシステム等）が鬩《せめ》ぎ合い拮抗するところに出現する中間であり、それぞれが両極性を有している。

【極1】　【拮抗的な中間】　【極2】
現実性　←…事実性／様相の潰れ・確率の潰れ／賭け…→　システム

現実性とシステムとその中間を考察するために、各節（1・2・3）では、以下の題材を扱う。第1節では、ラッセル的拒否感（命題は様相を持たない）を素材にして、現実性と様相の中間に、事実性を位置づける。第2節では、様相の潰れ（現実＝可能＝必然＝偶然）と確率の潰れ（現実の確率は常に1/2、確率の数値は現実には意味がない）に注目して、現実性によってもたらされるシステム内の歪み（潰れ）としての中間を考察する。第3節では、選択と賭けと祈りを比較対照する。システム内で安定的に働く「選択」から始めて、そこから逸脱していく方向性を持つ「賭け」を経由して、神＝

現実性を志向する「祈り」までを辿る。この辿りの遂行を通じて、賭けの中間性を浮かび上がらせたい。

1 事実性と様相

1－1 否定と最小様相

B・ラッセルは、様相（可能や必然など）を、命題ではなく命題関数が持つ性質として考えていた。(1) 「ソクラテスは哲学者である」のような命題に適用できるのは真理値（真・偽）であって、様相（可能や必然など）ではない。様相を持つことができるのは、「ｘは哲学者である」のような空所を含む命題関数である。ｘに何を代入しても真になる場合には「ｘは哲学者である」は必然であり、ｘに代入できるものが少なくとも一つある場合には「ｘは哲学者である」は可能であり、ｘに代入できるものが一つもない場合には「ｘは哲学者である」は不可能である、というように考えていた。

このことは、様相と空所性のあいだに関係があることを教えてくれる。ただひたすら真なる事実を表現するだけで、そこにいっさいの空所性が含まれないならば、様相が入り込む余地はない。「ソクラテスは哲学者である」に可能や必然は適用できないと感じられる理由（の少なくとも一つ）は、端的に成立している事実は、「空所」があったうえで埋めるという迂遠な操作とは無縁であって、予め充実していると感じられるからだろう。様相が成り立つためには、そのような端的な事実への密着状態からは距離を取って、相対化できなければならない。「ソクラテスは哲学者である」という命題とは違って、「ｘは哲学者である」という命題関数には、そのような距離化や相対化が目に見える形で、すなわち「x」として含まれている。

だからこそ、ラッセル的な精神を生かす方向で考えるとしても、「ソクラテスは哲学者である」の内にも何らかの空所性が見つかるならば、命題にも様相を適用できるようになる。[2] たとえば「世界xにおいて、ソクラテスは哲学者である」のように、可能世界xという「空所」を導入することによって相対化する仕方がありうる。そうすれば、「ソクラテスは哲学者である」に対しても、必然や可能

（1） Bertrand Russell, "The Philosophy of Logical Atomism," 1918, repr. in *Logic and Knowledge*, George Allen and Unwin, 1956, pp. 177-281. Bertrand Russell, *Introduction to Mathematical Philosophy*, 1919, George Allen and Unwin. ラッセルの様相概念の扱いについては、以下を参照。飯田隆『言語哲学大全 Ⅲ意味と様相（下）』（勁草書房、一九九五年）九一―一一頁。三浦俊彦「必然・可能・現実―様相の形而上学―」、『岩波講座 哲学 02 形而上学の現在』（岩波書店、二〇〇八年）九三―一一一頁の「一　命題関数の性質としての「様相」」。

（2） 以下では、可能世界xを利用した「空所性」へと話を移しているが、ラッセル自身は、命題にも様相が適用されがちである理由を、認識論的なものだと考えている。「ソクラテスが哲学者である」ことを（聞いたことはあっても）よく覚えていないなどの理由が、「ソクラテスが哲学者である」は可能であるという様相と結びつくと考えている（必然であるという様相のほうは、知識の確かさのような認識論的理由と結びつくことになる。註1の文献を参照）。なお、そのような確かさ・不確かさの程度もまた、認識論的な「空所」を設定することに等しいとも考えられる。そこで、「ラッセル的な精神」とは、様相の適用と、何らかの相対化（空所性を見出すこと／密着から距離を取ること）とを繋げることであると考えることができる。ちなみに、認識論的に「様相」を捉えようとする点は、カントにも見られる。たとえば、カントの「現実性」概念は、感覚的経験との結びつきで語られていて、可能性と必然性の中間に位置づけられている。カント『純粋理性批判』（I. Kant, *Kritik der reinen Vernunft*), A74f/B100, A218/B265f などを参照。

などの様相を適用できるようになる。可能性を「少なくとも一つの可能世界において真であること」と解釈し、必然性を「すべての可能世界において真であること」と解釈することによって。さらに、この現実世界を諸可能世界の中の一つとみなして、少なくとも一つの可能世界（＝この現実世界）において「ソクラテスは哲学者である」が真であると考えるならば、「ソクラテスは哲学者である」には可能という様相が適用できる。諸可能世界によって現実世界は相対化され、端的な事実（だと思われていたもの）にも新たに空所性が見出されて、命題にも様相が適用できるようになる。

さらに、可能世界に基づくのとは別の仕方で、「ソクラテスは哲学者である」の内に様相の萌芽を見出すこともできる。それは、「ソクラテスは哲学者である」のように命題化（言語化）されている時点で、「端的な事実」「予めの充実」は原‐相対化を被っており、「端的さ」「充実」は既に失われているのだ、と考える方向である。命題化（言語化）自体が、すでにして「空所化」であるという考え方である。

「ソクラテスは哲学者である」が命題であるということは、それが真でも偽でもありうるということである。命題は真でも偽でもありうることによって、最小限の可能性へとすでに開かれている。言い換えれば、「ソクラテスは哲学者である」という肯定は、同時に「ソクラテスは哲学者ではない」という否定の可能性も一緒に開いている。その否定の可能性への開かれと共に、「ソクラテスは哲学者である」は「端的な事実」「予めの充実」ではなくなっている。むしろ、「ソクラテスは哲学者でもありうるし、哲学者でないこともありうる」という可能性の空間内に位置づけられた「肯定的な事実」になっていて、すでに原‐相対化（端的な事実から肯定的な事実への変質）を被っている。

否定の出現は、最小限の様相としての「可能性」を開くことであり、「ではない」という否定こそが、様相に必要な最小の空所性を切り開いている。このように考えるならば、「ソクラテスは哲学者である」という命題もまた、真でも偽でもありうるかぎり、最小様相（可能性）の内にある。こうして命題も、命題関数よりももっと根底的な仕方で（しかも諸可能世界という道具立てを使わなくとも）、様相に晒されている。だとすると、ラッセル的拒否感（命題は様相を持たない）は、却下されてしまうのだろうか。それとも、ラッセル的拒否感（命題は様相を持たない）は、さらに何かを教えてくれているのだろうか。

1-2 事実性から現実性へ

それでもなお、ラッセル的拒否感には、見るべき洞察が含まれているように思われる。というのも、ラッセル的拒否感からは、空所性を見出してどんなに命題を相対化しても、なお相対化しきれないもの——命題の内にも残る「端的さ」の痕跡（事実性）——を読み取ることができるからである。たしかに、真でも偽でもありうる命題は、すでに可能性の空間の住人になっている。しかしまだ、最小の「二つ」という可能性が開かれただけであり、「複数の諸可能世界の中の一つ」という相対化（様相化）にまでは進んでいない。しかも、その「二つ」は、対等に並列する二つ（の可能性）ではなく、非対称性を残した真／偽、肯定／否定という可能性である。

その非対称性に注目しよう。「ソクラテスは哲学者である」が否定の可能性に開かれていることと、「ソクラテスは哲学者である」「ソクラテスは数学者である」「ソクラテスは鍛冶屋である」……という複数の可能性が並列されることとは、やはり違う。前者の場合には、肯定がまず先行（優先）して、それに寄生する仕方でのみ、否定は別の可能性を開くことができる。一方、後者の場合には、肯定形の諸可能性がそれぞれ対等かつ独立に並んでいる。言い換えれば、前者の場合には、「肯定（真）があったうえでの否定（偽）」という非対称性（肯定の優先性）が残っていて、そこに、相対化に抗する「端的さ」の痕跡（事実性）が読み取れる。一方、後者の場合には、肯定（真）自体がさらに相対化を被っており、肯定（真）自体が複数化されている。前者よりも後者の方が、相対化の度合いが大きくなっている(3)。

命題に様相を認めない「ラッセル的拒否感」は、この痕跡（事実性）に対する適切な感度である、と考えることができる。しかしそうは言っても、「ソクラテスは哲学者である」から否定の可能性を奪い去ることはできないし、真・偽の可能性が開けてこその「命題」である。やはり、命題に様相を拒否するわけにはいかないのではないか。そう思われるかもしれない。

そこで、「痕跡（事実性）」から、「端的さそれ自体」へとさらに遡って考えてみよう。それは、肯定・否定の「非対称性（asymmetry）」から、さらに肯定・否定の「非双対性（non-duality）」へと遡ることであり、「肯定が優先（先行）する」段階から、さらに「否定があり得ない」段階へと遡ることである。

この二つ「非対称と非双対」は区別すべきである。その区別は、「事実性と現実性」の違いに対応する。「事実性」は特定の命題内容を持つことと「端的さ」との結合から成るが、「現実性」は「現に」という働きそのものであり、「(現に) どうであるか」という内容性とは無関係である（現実の無内包性(4)）。

「非対称から非双対へ」「事実性から現実性へ」という観点の下で「(現に) ソクラテスは哲学者である」を眺めると、どうなるだろうか。言い換えれば、「(現に) ソクラテスは哲学者である」に対して、命題内容が関与する事実性の水準と、命題内容とは無関係である現実性の水準を切り分けようとすると、どうなるだろうか。

「ソクラテスは哲学者である」を命題内容として捉えるということは、「ソクラテスは哲学者ではない」という否定（の可能性）と共に見ることである。また、「ソクラテスは哲学者である」を事実として捉えるということは、「端的さ」がその肯定のところに刻まれていると考えることである。命題内容としては、肯定と否定はイーブン・ペアであるけれども、その内容を持つ端的な事実としては、肯定と否定はイーブンではない。言い換えれば、内容性と事実性の差は、その「傾き（イーブンさの崩れ度合い）」の差である。その度合いの差はあるとしても、「ソクラテスは哲学者である」に対しては否定が働きうる。

しかし、「現にソクラテスは哲学者である」の「現に」の部分（現実性）には、原理的に否定は働くことができない。まず、単純に「現にソクラテスは哲学者ではない」のように否定を加えたところで、それは「ソクラテスは哲学者ではないことが、現実である」ことを表すだけであって、現実性自

（3） 第1章「円環モデルによる概観」の第4節「反実仮想と可能性」も参照。もちろん、前者（否定の可能性に開かれていること）が「反実仮想」に対応し、後者（複数の可能性が並列されていること）が「可能性」に対応する。

（4） 「現実の無内包性」については、本書の第6章を参照。また、拙著『あるようにあり、なるようになる運命論の運命』（講談社、二〇一五年）、永井均『存在と時間　哲学探究1』（文藝春秋、二〇一六年）も参照。第1章「円環モデルによる概観」との関連で言えば、垂直の矢印で表した力の働きが「無内包の現実性」に対応し、円環の「始発点」あるいは「第一歩」が「（すでに内容を伴った）事実性」に対応する。

体を否定することにはならない。

では、「ソクラテスは哲学者であることは、現実ではない」のように否定を現実性のところで働かせたらどうだろうか。今度は、命題内容の否定ではなくなって、現実性を否定していることになるだろうか。いや、そうはならない。「ソクラテスは哲学者であることは、現実ではない」とは、現実という場から「ソクラテスは哲学者である」という命題内容のほうが追い出されるだけであり、現実という場はそのまま不動であって否定されることはない。「現に」という現実性は、否定されるどころか温存されたままである。否定は、命題内容をその現実から排除するという仕方で働くだけである。

したがって、「ソクラテスは哲学者であることは、現実ではない」も、「ソクラテスは哲学者ではないことが、現実である」も、（焦点の当て方の違いはあっても）結局は同じことである。実際、前者を「ソクラテスは哲学者であることは現実ではないということが、現実である」と言い換えてみれば分かるように、「現実ではない」という否定も、実は命題内容にまでしか届いておらず、一番外側（下側）の「現実である」にはその否定は及ばない。現実をいくら否定しても現実内容の否定にしかならず、その否定自体は現実性という掌の上で動き回るのみである。つまり、現実性は否定され得ないままで、一番外側で透明に働く。

この一番外側で透明に働く「現に」という現実性こそが、「端的さそれ自体」であって、「否定があり得ない」水準に相当する。こうして、現実性の水準にまで遡るならば、様相の入り込む余地はなくなる。否定があり得ないところには、最小様相さえ開かれない。ラッセルのように「命題は様相を持たない」とまでは言えないとしても、「現実性は様相を持たない」「現実性は無様相である」と言うことはできる。

1－3　ラッセル的拒否感の役割

以上のような考察に基づくならば、ラッセル的拒否感（命題は様相を持たない）から引き出すことのできる洞察とは、事実というあり方の中間性である、と言うことができる。「ソクラテスは哲学者である」には、三つの水準――（1）命題内容を読み取る水準、（2）「である」という肯定形に端的さの痕跡（肯定の優先性）を読み取る水準、（3）「現に」という現実性の働きを読み取る水準――が、絡み合って働いている。ラッセル的拒否感を、三つの水準が力動的に働く場の中に置いてみると、（1）から（3）へと向かうベクトルと、（3）から（1）へ向かう逆方向のベクトルのあいだの鬩ぎ合いを、その拒否感からは見て取ることができる。

命題内容としての「ソクラテスは哲学者である」ならば、もちろん様相へとすでに開かれている。「命題は（その内容においては）様相を持つ」。単に否定の可能性へと開かれているだけでなく、肯定的な複数可能性へも開かれている。

しかし、命題内容の実際の成立としての「ソクラテスは哲学者である」ならば、様相へと開かれていないわけではないが、その度合いは縮小する。その「である」（肯定形）には、事実であることの端的さが刻まれているからである。「端的さ」は非様相性を志向する。「命題は（その実際の成立においては）様相を縮減させる」。事実であることの端的さとは、可能性の空間内部に留まりつつも、その空間を閉じようとしていることに相当し、様相の際《きわ》を表す。

さらに、「ソクラテスは哲学者である」は、命題内容とも事実性とも違う「現実性の水準」も含む。「ソクラテスは哲学者である」は、「現にソクラテスは哲学者である」の純化された表現とも言えるからである。逆に言えば、事実性の水準は、様相の（閉じつつある）湧出口である。

ここでは、「現にソクラテスは哲学者である」↓「φソクラテスは哲学者である」↓「ソクラテスは哲学者である」という純化の過程が想定されている。[5]「現に」という現実性は、一番外側で働く透明な力であるからこそ、副詞句として顕在化されないほうがより純度が増す。だからといって、「φ」によって副詞句「現に」の消去を表してしまうと、「取り消し（否定）」という不要な過剰が加わってしまう。そこで、顕在化も過剰もなしで済まそうとすれば、「ソクラテスは哲学者である」へと戻ってしまう。こうして、現実性を純化しようとすると、命題内容としての「ソクラテスは哲学者である」や事実性としての「ソクラテスは哲学者である」と、（少なくとも表面上は）一致して区別がつかなくなる。逆に言えば、「ソクラテスは哲学者である」は、「現にソクラテスは哲学者である」の純化された表現として捉えることもできる。このように命題内容に憑依しつつも、その内容とは無関係に働く水準の「現実性」は、様相を持たない（現実性は無様相である）。したがって、「命題も、純化された現実性の表現として見れば、様相を持たない」。

ラッセル的拒否感（命題は様相を持たない）は、この三つの水準を貫く「（1）↓（2）↓（3）↓（1）↓…」という循環の内に置いてみるならば、上昇ベクトル（現実性純化）が下降ベクトル（様相化）に対して抗うことから生じる感覚として、受け取ることができる。

この両方向のベクトルの拮抗において出現するのが、「事実性の水準」である。この「中間」は、様相システム内の相対的な位置づけとしての中間（必然と不可能の中間としての偶然）ではなくて、その様相システム自体と純粋な現実性との「中間」「拮抗」である。ラッセル的拒否感の役割とは、そのような中間性を体現することである。ラッセル的拒否感の役割を、そのように捉えておきたい。

2　様相の潰れと確率の潰れ

2−1　事実性と様相の潰れ

ラッセル的拒否感（命題は様相を持たない）を「中間」として捉えることは、現実性と様相システムの間に、断絶と接触の両方が絡み合って働く仕方を見て取ることである。「現に」という力と、様相（可能・必然・偶然・不可能）の秩序との間には、関係と無関係が重なり合って働いている。

その「中間」は、現実性の側から様相システムの側へと向けて迫る場合には「事実性の水準」として出現するし、様相システムの側から現実性の側へと向けて迫る場合には「様相の潰れ」として出現する。両者は、同じ「中間」の異なる局面である。

三つの水準を（1）（2）（3）で、迫る方向性（（1）から（3）へ）を矢印（←）で表しておくと、次のようになる。（1）（3）が両極で、（2）がその中間である。

（1）現実性の水準：一番外側で透明に働く「現に」という力
（2）←　事実性の水準：「ソクラテスは哲学者である（が、そうでないこともありうる）」
（3）様相の水準：「ソクラテスは哲学者である」「ソクラテスは数学者である」「ソクラテスは鍛冶屋である」……等々の諸可能世界の中の一つが、我々の現実世界である。

（5）純化過程については、本書第2章六五頁も参照。

（1）の現実性と（3）の様相の秩序は、本来は相互に独立である。一番外側で透明に働く「現に」という力は、無内包・無様相であって、諸可能性や様相区分とは無関係である。一方、（3）の水準を洗練した様相システム（たとえば様相論理の体系）も、現実が現にどうであるかとは無関係に、その内的な秩序（論理）によってのみ成立できる。[6] しかし、（2）という中間では、その無関係性自体が、（無関係という）関係として回収されて、その両面性（断絶と接続）が反復され続けることになる。

現実性の側から様相システムの側へと向かって接近しようとすると【（1）→（3）】、途上（中間）には（2）「事実性の水準」が現れる。逆に、様相システムの側から現実性の側へと向かって接近しようとすると【（3）→（1）】、途上（中間）には（2′）「様相の潰れ」が現れる。（2）も（2′）も、（1）と（3）の中間という意味では同じであるが、どちらからどちらへ向かう際の途上（中間）であるかが違う。

（1）現実性の水準：
（2′）→ 様相の潰れ：現実＝可能＝必然＝偶然
（3）様相の水準：

一般に「様相の潰れ（modal collapse, a collapse of modalities）」は、「神の存在証明」に代表され

るような存在論的な問題と、様相の体系に関わる論理的な問題とが接触する場面において論じられることが多い。私の考察でも、（1）が形而上学的な水準で、（3）が論理的な水準であり、（2）（2′）が両者の接触面である。

そもそも何を「様相の潰れ」と見なすか自体も議論になりうるが、たとえば「現実や真であるものはすべて必然的にそうなのである」や「現実や真ではないものはすべて不可能である」や「現実や真であるものと、可能であるものと、必然であるものはすべて一致する」などは、「様相の潰れ」の表現例である。現実・可能・必然などの様相区分が崩壊して一つに重なってしまうことが、「様相の潰れ」と呼ばれる。そのような「様相の潰れ」が生じてしまうことが、様相の体系にとって忌々しき事態と見なされる場合には、それを避ける方策が探究される。[7]

しかし私は、（2′）の「様相の潰れ」を、単なる誤謬や忌々しき事態とは見なさない。むしろ、（1）と（3）が関係を持ってしまう限り、正当に出現するものである。言い換えれば、様相システムが、無様相の現実を自らの内に取り込もうとするところに生じる効果（あってしかるべき歪み）が、

（6）　高度化した様相システムの例として、可能世界意味論や確率論を考えることができる。可能世界意味論の場合には、複数の諸可能世界を立てて、それらについて量化や関係性を考えることを通して様相を扱う。確率論の場合には、独立事象の設定や大数の法則などの基本定理の内に、根源的に対等な複数の諸可能性という様相を見て取ることができる。

（7）　以下を参照。Jordan Howard Sobel, *Logic and Theism: Arguments for and against Beliefs in God*, Cambridge University Press, 2004. Paolo Valore, *Fundamentals of Ontological Commitment*, Walter de Gruyter GmbH & Co KG, 2016.

「様相の潰れ」である。私は「様相の潰れ」をそのように扱う。

（2）の「事実性の水準」と（2′）の「様相の潰れ」は、双子のように似ている。どちらも、（1）と（3）の中間（接触面）で出現し、両極の無関係と関係（断絶と接触）が重なり合う。（2）の「事実性の水準」は、現実性と特定の内容との拮抗（反発しつつの同居）によって成立しているし、（2′）の「様相の潰れ」は、現実性と様相秩序との拮抗（反発しつつの同居）によって成立している。（2）のように最小様相のみを持つことと、（2′）のように様相が潰れることとは、迫る方向性は違っていても、同じ中間性である。

2-2 様相の潰れから確率の潰れへ

高度化した様相システム（様相論理の諸体系）ではなく、もっと手前にある単純な「可能・必然・偶然・不可能」のネットワークを考えるだけでも、そこに「様相の潰れ」を読み込むことができる。(8) たとえば「現実は、偶然でも必然でもある」「現実性は可能性の一部であると同時に全体でもある」は、「様相の潰れ」の表現例である。

（2）と（2′）の双子性からも予想されるように、事実の端的さのところで様相は潰れる。特定の事実は、命題内容と否定によって様相へと開かれていて、偶然性に晒されている。しかし、端的さ（肯定の優先性）は、むしろその事実の否定できなさ（必然性）に通じている。こうして、現実性と内容性が拮抗する端的な事実は、偶然的でもあり必然的でもある。排反するはずの偶然性と必然性が一つに重なって働いていて、様相は潰れる（現実＝必然＝偶然）。

また、現実性の水準（「現に」という力の働き）は、その外がない仕方で働くので、高度化した諸可能性のシステム全体もまた、その力の作動の下にあるしかない。つまり、（3）の水準全体もまた、（1）の水準の作用域内で働いており、現実性は諸可能性のシステム全体に浸透していることになる。しかしそれでも、（3）の水準は、その現実性の水準を（2）の事実性の水準へと転落させるし、さらに諸可能性のうちの一つ（システム内の一部分）としてその現実を馴致しようとする。こうして、現実性は可能性の一部であると同時に全体でもあることによって、様相は潰れる（現実＝可能）。

確率の場面でも、同様のことが言える。高度化した確率システム（体系化された確率論）ではなく、もっと手前にあるごく初歩的な確率の場面（たとえば、サイコロ振りやコイントス等）を考えるだけでも、そこに「確率（数値）の潰れ」を読み込むことができる。「確率（数値）の潰れ」にも、現実性とシステムとの関係と無関係が交錯する。

通常のサイコロを振って、或る特定の面が出る確率が「1/6」であると言われる場合には、次のような基本的な前提が働いている。たとえば、各面の出現は対等な独立事象であること、各事象の確率は0から1の範囲の数値に結びつけられること、1は全事象の確率の和であること。あるいはまた、無限回に及ぶ理念的な試行のもとで考えてみること。そのようないくつかの基本的な前提に基づくことで、確率は成立している。[9]

だからこそ、もし仮に「結局のところ、或る特定の面は実際に出るか実際に出ないかのどちらかで

（8）拙著『あるようにあり、なるようになる　運命論の運命』（講談社、二〇一五年）、第9章・第10章・第11章も参照。

（9）コルモゴロフの公理や大数の法則のことを念頭に置いている。A・N・コルモゴロフ『確率論の基礎概念』（ちくま学芸文庫、坂本實訳、二〇一〇年）参照。

あり、その面の現実の確率は「1/6」ではなくて「1/2」だ」などと言う人がいたら、その人は、確率論の基本前提を無視しているし、確率の概念を正しく理解していないことになる。

同様のことは、「明日の降水確率は70％であると予報されても、雨が降るときには実際に降るわけだし、降らない時には実際に降らない。現実に起こるのはそのどちらかしかなく、70％という数値は現実には意味を持たない」と考える人がいたら、その人にも同じことが言える（もちろん、その数値は一定の確率的・実践的な意味を持つ）。

しかし、それらの確率の概念上は誤りである主張（現実の確率は常に1/2、確率の数値は無意味）の内にも、「ラッセル的拒否感」の場合と同じように、或る「洞察」を読み取ることはできる。それは、生の現実そのものと確率概念との間でどこまでも残ってしまう齟齬（軋轢）の痕跡である。確率空間内には存在しないもの（生の現実）を、無理やり確率空間内に位置づけようとするから「誤謬」にはなるけれども、齟齬（軋轢）に対する感度自体には見るべきものが含まれている。

つまり、「ラッセル的拒否感」にしても「確率の誤謬」にしても、現実性とシステムの中間で発生する「歪み」を体現していると捉えることができる。この観点から言えば、「現実の確率は「1/6」ではなくて「1/2」である」や「確率の数値は現実には意味がない」という誤った主張もまた、一種の様相の潰れ・確率（数値）の潰れであって、潰れること自体にはそれなりに意味がある。

言い換えれば、「コイントスにおいて（裏ではなく）表が出る確率は1/2である」の「1/2」と、「サイコロの特定の目が実際に出るという現実の確率は1/2である（実際に起こるときには起こるし、起こらないときには起こらないから）」の「1/2」とは、次元の異なる「1/2」であるにもかかわらず、それが一つに潰れてしまっている。

前者は確率論的な数値であるが、後者は相対的な数値ではない。後者の1/2は、「実際に起こるときには起こる／実際に起こらないときには起こらない」に刻まれた「非対称的な分割（現実性の痕跡）」を表そうとしている。「1/2」には、原初的な分割（非対称性）と分割成立後の俯瞰的な計算（対称性）が重なっている。

二重性を含んだその「1/2」は、「ソクラテスは哲学者である（が、そうでないこともありうる）」という事実性とよく似ている。「である／でない」の二分割（対称性）の中には肯定性の優位（非対称性）が刻まれていることと、半分（1/2）の中には原初的な分割（非対称性）と分割成立後の俯瞰的な計算（対称性）が重ねられていることとは、同型の事態である。「非数値的な分割」が「相対的な数値1/2」に重ねられることで、「1/2」は確率（数値）の潰れとなる。潰れた「1/2」は、絶対的な現実性と相対的な数値とが短絡接触することで生じた「歪み」なのである。

「1/2」が相対的な数値である場合には、サイコロの或る特定の面が出る確率が「1/6」であると言われる場合の「1/6」という数値と、同じ確率空間の内にある。だからこそ、「コイントスで表が出る確率は、サイコロの或る特定の面が出る確率の三倍である」（1/2＝1/6×3）のような計算も成り立つ。

しかし「1/2」が非数値的な分割である場合には、「0〜1」の真ん中に位置する相対的な数値ではない。それは、「様相の潰れ」が「必然と不可能の中間（偶然）」ではないこととパラレルである。むしろ、非数値的な分割の「1/2」は、現実全体（1）を分割の内に保存しようとしている。「実際に起こるときには起こるし、実際に起こらないときには起こらない」における「実際に」は現実全体（1）であるが、「起こる／起こらない」は根源的な分割（1/2）である。「起こる」という肯定（1/2）が現実ならばそれが「1」であり、「起こらない」という否定（1/2）が現実ならばそれが「1」である（1/2+1/2＝1ではなく、むしろ1/2＝1である）。しかも、その「1」どうしが並べられて「2」になることは決してない（1＋1＝2はありえず、1は足され得ない）。

このように、相対的な数値の「1/2」から、現実性が刷り込まれた根源的分割としての「1/2」へといったん目を移してしまうと、「1/2」は相対的な数値としては意味を失うし、失わなければならない。いや、「1/2」だけではなく、任意の確率的な数値が意味を失う。

サイコロ振りの場合には「1/6＝1」であるし、その他「1/4＝1」の場合も「1/3＝1」の場合もある。現実の「1」は任意の確率的な数値と等置されることによって、どの数値にも「現実性」が刻み込まれる。これは、「どんな事態であれ、それが現実であれば現実であり、それが全てである」という事態（現実は全体でも部分でもあるという事態）に相当する。「確率の数値は現実には意味を持たない」は、このような形而上の水準と数値の水準の接触を表現している。

「1/2」の二重性は、「1」自身においても反復される。つまり、「1」もまた、確率空間内においても働くし、その外でも働く。相対的な「1」と絶対的な「1」が「1」という表記に同居していて、「1」自身が潰れる。「全体（1）」には二つの意味があると言うこともできる。

確率空間内の「1」（相対的な「1」）とは、「0〜1」の「1」である。それは、「1/6×6＝1」や「1/2+1/2＝1」のように分割総和的に捉えられる「1」であり、確率空間の全体を画する。その「1」は、部分の総和と等置できなくてはならないし、確率空間を開く公理として働く。

一方、確率空間の外の「1」（絶対的な「1」）は、「1/6」の内にも「1/2」の内にも、あるいは他のどんな数値であっても、現実性の徴として刻み込まれる（1/6＝1/2＝…＝1）。絶対的な「1」は、どんな事態（部分）も、それが現実ならば、それが全てであってそれしかないことを表現する（部分と全体の一致)。そのような「1」は、確率空間の公理としての「1」ではない。「全体(1)」には、部分の総和としての全体と、部分でも全体でもある全体という二つの意味が重なっている。

確率空間の外の「1」と確率(数値)の潰れとしての「1/2」(実は任意の数値)と確率空間内の相対的な数値(0から1まで)という三者は、①現実性と②事実性・様相の潰れと③様相という三水準と対応している。

① 確率空間の外(絶対的な「1」)＝純粋な現実性
② 確率(数値)の潰れ(「1/2」など)＝事実性・様相の潰れ
③ 確率空間の内(0から1までの相対的な数値)＝様相システム

「確率(数値)の潰れ」は、①が③と拮抗して働くところではどこででも(どの数値でも)発生する。しかし、とりわけ(他の数値ではなくて)「1/2」や「1」という数値が注目されることにも、それなりの理由はある。「1」や「1/2」という数値は、ある意味で特別な数値であり、「非総和的な全体」や「根源的な(非対称的な)分割」と親和性があるということだろう。[10]「確率(数値)の潰れ」を任意の数値に見て取ることが、「確率の数値は現実には意味を持たない」に相当する。また、とりわけ(他の数値ではなくて)「1/2」や「1」という数値に着目することが、

(10)「0」もまた「不可能性」に関わる特別な数値である。「不可能性」に関しては、否定と可能性を前提にした(すなわち様相空間内の)「不可能性(0)」と、その空間へのそもそもの入り得なさ(不可能性)という二重性がある。後者の意味では、現実性こそが不可能性である。第1章の註12も参照。

「現実の確率は常に1/2である（1＝1/2）」に相当する。どちらも、「確率（数値）の潰れ」である。[11]

①②と③の間の葛藤、つまり絶対的な「1」と相対的な「1」の間の葛藤、潰れた数値としての「1/2」と相対的な数値としての「1/2」の間の葛藤は、あくまでも非確率と確率のあいだでの葛藤である。それは、確率論内部における対立（たとえば主観確率と客観確率の区別）とはまったく別次元のものである。その点は、様相外の現実（無様相の現実）と様相内に位置づけられた現実（有様相の現実）の拮抗という問題が、有様相内部における現実の捉え方の違い（たとえば現実主義か可能主義か）という問題とはまったく別次元の問題であることとパラレルである。[12] この点でも、様相の潰れと確率（数値）の潰れは同型である。

3 選択と賭けと祈り

3-1 選択と賭け

安定的な選択は、様相システムや確率空間の内部に位置づけられる。しかし、そのシステムや空間の際《きわ》に近づき脱落しそうになると、「選択」は「賭け」へと接近する。[13]

安定的な選択を支えているのは、複数性と合理性（根拠づけ）である。様相システムの内部にあることによって「複数の可能性の中の一つであること」が成立し、その複数性に基づいて「選択肢の中から選ぶこと」や「他の選択肢も選ぶことができた（他選択可能性）」も成立する。また、確率空間の内部にあることによって、各選択肢は確率（数値）を持つことができて、その数値の大小は「選択」の合理性（根拠づけ）として利用できる。選択を安定的なものにするためには、合理性（根拠づ

け）がどこまでも追求できなくてはならない。諸々の制約のせいで「見つからない」ことはあるとし

(11) 一ノ瀬正樹は、『原因と理由の迷宮　「なぜならば」の哲学』（勁草書房、二〇〇六年）第一章・第二節「過去的出来事の確率」（二七―三四頁）で、「過去確率原理」を提示している。この「すでに生じてしまった出来事は確率が1になる」という考え方と、本章の「確率（数値）の潰れ」の違いについて簡単に触れておく。一ノ瀬は、その原理が表す「1」もコルモゴロフの公理の下で考えようとしていて、トートロジーに比する仕方で記述している（三二―三三頁）。しかし私は、「1」を二重化して考えていて、その半面（現実性の1）をむしろ公理外のものと見なす。一ノ瀬は、その原理によって「現実化することで確率1へ突然飛躍する」と考えている（三三頁）。しかし私は、「確率が」（1未満から1へと）変化するとは考えないし、「現実性の1」が未来には当てはまらず、過去にのみ当てはまるとも考えていない（未来も過去も全てが現実だから）。言い換えれば、一ノ瀬の「1」は「現実化・実現の1」であるが、私の「1」は「（現実化・実現ではない）現実性の1」である。現実化（実現）と現実性を区別する点については、註16も参照。私の「現実性の1」は、「時間的な飛躍（未来↓過去のところで生じる飛躍）」とは無関係であり、「潰れ」（1/2や任意の数値）において無時制的に（汎時間的に）己を刻みつけるというあり方をする。

(12) この点についても、本書第2章を参照。

(13) 賭けについての哲学書としては、檜垣立哉『賭博／偶然の哲学』（河出書房新社、二〇〇八年）を参照。檜垣の論と比べた場合、「賭けの中間性」をより強調しているという特徴が、私の論にはある。檜垣が「偶然性」を重視するのに対して、私は「様相の潰れ」を強調している。檜垣は、賭けに対して（理性・計算と対立させられた）意志・情動を重視するが、私ならば、意志・情動自体に理性・計算的な半面と、それを裏切って溢れ出る半面の二重性があると考える。また、檜垣は遊びに関して「意図的に非意図的なものを生きること」（一八頁）という秀逸な表現を当てているが、それに倣って言えば、賭け特有の「意志」とは、「意志することを放棄しようとする（ところまでを含んだ）意志」である。つまり、賭け特有の「意志」とは、「理性・計算vs意志・情動」という二元性には収まらない意志であり、その点（意志放棄の意志）は「祈り」へと通じていく特徴であると、私は考えている。

ても、合理性（根拠づけ）が「そもそもない」のでは、安定的な選択ではなくなってしまう。

白玉を引いたら当たりという設定で、A箱（99個赤玉・1個白玉）かB箱（50個赤玉・50個白玉）のどちらか一方の箱から、一回だけ玉を引いていい（しかも赤玉・白玉の割合も知っている）というケースならば、通常B箱を選択するだろう。これが安定的な選択の超単純なモデルである。A箱の選択とB箱の選択という二つの可能性があるし、「1/100＜1/2」という数値が選択の合理性（根拠づけ）として利用できる。最も単純な仕方ではあるが、複数性（諸可能性）と合理性（根拠づけ）が確保されている。

しかし、A箱（50個赤玉・50個白玉）かB箱（50個赤玉・50個白玉）という数値を揃えた二箱から選ぶというケースに変えると、事態は変わる。二つの可能性は用意されていても、白玉を引く確率はどちらも同じ「1/2」なので、その数値は選択の合理性（根拠づけ）として利用できなくなる。もちろん、その数値が合理性（根拠づけ）として利用できるものの全て、というわけではない。このケースでもなお、B箱「に賭ける」のではなくて、B箱「を選択する」と言えるためには、さらに別の合理性（根拠づけ）を求めることができるのでなければならない。

「ビュリダンのロバ」[14]は、このケースを極端にした事例として捉えることができる。つまり、合理性（根拠づけ）をどこまでも追求するが、結局見つからない（そもそもないのかもしれない）というケースである。全く同量・同質の「左の餌」と「右の餌」が寸分違わない距離にあるので、合理的な（根拠フィリアの）ロバは、一方だけを食べるための合理性の計算ができない状態に陥っている。ロバは、選択できずに餓死するのだろうか、それとも合理性（根拠づけ）を超えて餌を食べるのだろうか。

ビュリダンのロバは、「安定的な選択」から逸脱しかかっていて、「賭け」へと接近している。ロバは、どこまでも合理性（根拠づけ）に拘り続けて——たとえば左か右かの違いに拘ったり、隠れた神の合理性を持ち出したりして——、安定的な選択の内部に留まろうとするかもしれない。あるいは、ロバは合理性（根拠づけ）の外へと踏み出して、「賭ける」かもしれない。その危うい境界線上に、ビュリダンのロバはいる。

「選択」の場合には「……を選択する」と言うけれども、「賭け」の場合には「……に賭ける」と言う。どちらの場合も、行為の向かう先を表す点では同じなのに、なぜ助詞は「を」から「に」へ変わるのだろうか。その助詞の変化は、「選択」から「賭け」への移動と共に生じる「複数性の後退（唯一性の前面化・全面化）」と連動しているだろう。

助詞の違いに注目して、たとえば「家の屋根に登る」と「家の屋根を登る」を比べてみよう。「に」が付けられた「家の屋根」は、そこで何かができる「一つの場」「舞台」のように感じられる。一方、「を」が付けられた「家の屋根」は、「広がりのある場」というよりは「一点」として捉えられていて、「別のどこかへ向かっている」「屋根は中途である」ように感じられる。つまり、「を」の場合には「家の屋根」は手段化・部分化されているのに対して、「に」の場合には「家の屋根」は背景化・全体化されている。あるいは、対象化・焦点化の度合いに大小の違いがある（「を」＞「に」）と言うこと

（14）「ビュリダンのロバ（Buridan's Ass）」という言い方は、一四世紀フランスのスコラ哲学者ビュリダンが自由意志の問題を論じる際に使った例え話に由来するという説もあるが、文献的な証拠はないと言われている。cf. Zupko, Jack, "John Buridan", The Stanford Encyclopedia of Philosophy (Spring 2014 Edition), Edward N. Zalta (ed.), URL = 〈https://plato.stanford.edu/archives/spr2014/entries/buridan/〉.

もできる。

その助詞の意味の違いが、選択と賭けの違いと連動する。「……を選択する」の場合は、複数選択肢（諸可能性）が用意され、その中の一つ（部分）として対象が選ばれる。すなわち、助詞「を」は部分対象性と連動している。一方、「……に賭ける」の場合は、賭けが向かう先は、複数性に支えられた部分対象ではなくなる。むしろ、それが全てになるほどに没入するのが、賭けの賭けらしさである。賭けの向かう先は全面化（唯一化）して、複数選択肢の中の単なる一つとは思えなくなる。すなわち、助詞「に」は「部分対象性の後退」「没入度（密着度）の増大」と連動している。

ビュリダンのロバが、選択の合理性（根拠づけ）の追求を最終的に諦めて、それでもなお一方の餌を食べるとすれば、それはもう「選択」ではなく「賭け」に等しい（少なくとも「安定的な選択」ではなくて「賭け的な選択」になる）。ロバは、無根拠に一方を選び取ることになり、その一方だけが全面化する（何しろ命がかかっているのだから）。合理的に一方を選択することはできなくとも、全面的に一方に賭けることはできる。

しかし、選択と賭けの「文法」はもう少し複雑である。「Xを選択する」と「Xに賭ける」という対比だけでは済まず、「XをYに（向けて）選択する」と「Xに（対して）Yを賭ける」という対比にまで進む。選択にも「に」が使われるし、賭けにも「を」が使われる。


「Xを選択する」　↕　「Xに賭ける」

「XをYに（向けて）選択する」　↕　「Xに（対して）Yを賭ける」

一行目の「を」と「に」の対比からは、「部分対象性と全面性」「対象化と没入・密着」という対比が読み取れる。しかし、二行目で新たに加わった「Yに」と「Yを」の場合には、どのように考えるべきだろうか。一行目とは逆に、選択において「に」が、賭けにおいて「を」が使われている。「XをYに選択する」の「Yに（向けて）」は、「Yさんのために選ぶ」（目的）や「Yさんの代わりに選ぶ」（代理）を表すことができる。選択した部分対象（X）の送り先・届け先を、「Yに」は表そうとしている。その送り先・届け先もまた、（Xと同様に）部分対象である。「（ZさんやWさん……のためにではなく）Yさんのために」であったり、「（ZさんやWさん……の代わりにではなく）Yさんの代わりに」であったり、複数選択肢（諸可能性）や他選択可能性のもとで、「Yに」が選び出される。選択の場合の「Yに」は、賭けの場合の「Yに」のようには、全面化や没入・密着へは至らない(15)。

一方、「XにYを賭ける」では逆に、「Xに」だけでなく「Yを」においても、「部分対象性の後退」「没入度（密着度）の増大」が生じる。「一〇〇万円をXに賭ける」と「命（人生）をXに賭ける」という例で考えてみよう。

一見、「一〇〇万円をXに賭ける」の「一〇〇万円を」は、全面化や没入・密着ではなくて、むしろ部分対象を表しているように見えるかもしれない。というのも、「一〇〇万円」という賭け金は、複数の金額の可能性の中から選ばれた特定の金額であるし、他の金額でもよかったはずだからである。

(15) 特定の助詞が「背景性」「部分対象性」を固定的・静的に担うのではなく、他の助詞・動詞・名詞などとの関係性に応じて、位置価が相対的に定まるのではないだろうか。

しかし、そうではない。「一〇〇万円を賭ける」が賭けらしい賭けであるためには、その賭け金は、単なる部分対象（諸可能性の中の特定の金額）であるだけでは、まだ不十分である。「一〇〇万円」は単なる特定の金額ということに留まらず、「大金である」という意味を担うことによってこそ「賭け金」に相応しいものとなる。すなわち賭けの場面では、「Yを」もまた、単なる部分対象であることをはみ出すような「大きさ」を必要とする。

賭けの場合の「Yの大きさ」は、「一〇〇万円をXに賭ける」から「命（人生）をXに賭ける」へと例を変えてみれば明らかなように、その全面性（没入・密着の度合い）を強めていく。「大金」はどんなに大きな意味を持つとしても、「命あっての物種《ものだね》」である。「大金」にも優るその物種《ものだね》自体が投入されるところにまで進むことは、賭けの賭けらしさ（全面化や没入・密着）を表している。

しかも、「命（人生）をXに賭ける」の段階では、もうYの全面性はXの全面性をも上まわろうとしている。つまり、「Y（物種としての全面性）＞X（没入・密着としての全面性）」である。「全て」を「全て」へと投入するようなこの段階の「賭け」は、複数選択肢（諸可能性）と合理性（根拠づけ）のもとで行われる「安定した選択」からは、かなり遠く離れた地点にまで達している。

3-2 賭けと祈り

「選択」と「賭け」の比較に、「神頼み」や「祈り」を付け加えることで、さらに先の地点を考えてみよう。

「選択」は、合理的な計算ができる主体による能動的な行為である。「賭け」もまた、能動的・主体的な行為ではあるが、その能動性・主体性を棄却しようとする逆の側面も併せ持つ。「賭け」には、主体の合理性・計算性が後景に退く（＝無根拠に賭ける）という側面があるし、最終的には、賭けの対象へと身を委ねる（身を任す）という側面がある。合理性・計算性も能動性・主体性も後景へと退いて、むしろ受動性・非主体性が迫り出してくるのが、「賭け」が併せ持つ逆の側面である。

では「神頼み」は、「賭け」とどう違うか。「神頼み」は、「賭け」以上にその受動性・非主体性が大きくなる。「賭け」の主体は、合理的・計算的ではなくなっても、無根拠なジャンプを自らの力で行おうとする。その「前のめりの力」において、賭けには能動性・主体性が残っている。「神頼み」は、むしろそのような能動性・主体性を放棄する行為である。こちら側からのアプローチが（合理的なものも無根拠なものも）すべて尽きるからこそ、「神頼み」をする。

「選択→賭け→神頼み」の順で、行為主体の能動性は低減し、自らの力が及ばない要素（運であったり神様であったり）の度合いが高くなる。それでも「賭け」の場合には、その行為の決断的な力に能動性・主体性が残っている。賭けの場合には、のめり込めばのめり込むほど、その執着によって賭けの対象が招き寄せられて実現するかもしれない……という「幻想的な主体性」さえ生じる場合もある。しかし「神頼み」の場合には、そのような「前のめりの」主体性は弱まっており、むしろ（自分ではなく）他者＝神の側へと、その「実現する力」は移譲されている。「神頼み」は、「賭け」よりもはるかに受動的な仕方で願望を実現しようとしている。

それでもまだ、「神頼み」は「祈り」ではない。「神にYを頼む・求める」（神頼み）と「神にYを祈る」（祈り）は、神様が登場する点で似ていると思われるかもしれないが、実は大きく異なる。その違いは、こちら側（頼む側・祈る側）とあちら側（神）との関わり方にある。「こちら側とあちら側」という観点から言うならば、「XにYを選択する」「XにYを賭ける」「神にYを頼む」の三者は、むしろ緩く一つのグループ（同族）を構成するのに対して、「神にYを祈る」だけはそのグループから逸脱する。その（前三者と祈りの間の）線引きの基準は、前三者が「こちら側とあちら側の関係性」を前提にしているのに対して、「祈り」は逆で、「こちら側とあちら側の無関係性」の方をベースにしている、という点にある。

こちら／あちらの関係性【選択・賭け・神頼み】⟷無関係性【祈り】
能動的↑…↓受動的…↓無態的

能動性・主体性が強い「選択」も、受動性・非主体性が強い「神頼み」も、その両面を含む「賭け」も、いずれの場合にも、「あちら側とこちら側の関係性（状況や神と主体とが相互に関係を持つこと）」を前提にしている。もちろん関係の仕方（重み付け）は違っていて、「選択↓賭け↓神頼み（能動的↓両面的↓受動的）」という違いはある。しかし、その違い自体が、関係性（相互に関係を持つこと）という前提の上で成立する。

しかし「祈り」は、そのような関係性が断たれていても（いるからこそ）なされる行為である。選択・賭け・神頼みの場合は、関係性を前提にしているからこそ、「選ぶから実現する」「賭けるから実現する（賭けるけれども実現しない）」「実現してくれるように頼む」ということが成立する。しかし祈りの場合には、「祈るから実現する」や「祈ったのに実現しない」や「神に祈って実現してもらう」は、「祈り」としてはどこか不純である。それらは、「願望」や「要求」や「嘆願」ではあっても、祈りらしい「祈り」ではない。むしろ、「祈るから実現する」「祈って実現してもらう」のでは<u>ない</u>、<u>のではなくて</u>、そのような関係性は後景へと退いて、実現しようがしまいが只管《ひたすら》祈り、「(或る事が)そもそも現実でありますように」とだけ念じるのが、祈りらしい祈りである。

「(或る事が)そもそも現実でありますように」と念じることは、「神様、(或る事を)実現してください」と嘆願することとは違う。後者の神は、まるでスーパー選択者のようであり、まだ実現していない諸可能性の中から、一つを選び出して現実化する力を持つかのようである。

しかし、「(或る事が)そもそも現実でありますように」と念じることは、「現実になっていないものを現実化してもらおう」と意図しているのではない。「そもそも始めからそういう現実であるように」と念じているのである。現実の外に「スーパー選択者」としての神が存在して、現実ではないものを現実にしてくれるのではない。むしろ、現実に外などなく、或る事が外のない現実でありますようにと祈るのである。祈りが向かう神は、現実の外の「スーパー選択者」ではなく、外のない現実そのものである。祈りらしい祈りにおいては、神は外のない現実とぴったりと重なろうとしている。祈りとは、そういう現実=神を志向する行為である。

だからこそ、「現実化」「実現」と「現実性」「そもそも現実であること」は、違う。両者は、「神頼み」と「祈り」が違うのと同じくらいに違う。「現実化」「実現」が成立するということは、現実がすでに様相(諸可能性)という背景の中に埋め込まれていることになる。というのも、「現実化する」「実現する」とは、そうなる「前」――「まだ現実化していない」「まだ実現していない」状態――から出来《しゅったい》することだからである。その「前」を提供するのが、様相(諸可能性)である。(16) 一方、「現実

(16)「前」を提供するもう一つの候補は、「潜在(性)」である。「潜在(性)」は、様相(諸可能性)ではない。

性」「そもそも現実であること」は、それ自体が最大の透明な背景であって、その外（背景）を持たないので、より大きな何らかの背景から出来することなどできない。

そのような現実＝神は、祈るか祈らないかに左右されるようなものではない。左右されないけれども、いや左右されないからこそ、現実＝神へと思いを向ける。すなわち、祈りは、無関係性の方をベースにしている。この段階こそが、「願い」でも「頼み」でもない「祈り」である。「選択→賭け→神頼み（能動的→両面的→受動的）」から、さらに「選択→賭け→神頼み→祈り（能動的→両面的→受動的→無態的）[17]」にまで辿りついたことになる。

「祈り」の一例として、マイケル・ダメットの「遡及的な祈り」を見ておこう[18]。

> 私が神にお願いしているのは、たとえ息子がすでに溺れていたとしても、彼が溺れていなかったように、まさに今そうして下さい、ということではない。私が願っているのは、その悲惨な事故のときに、その時点で、息子を溺れないようにしておいて下さい、ということなのである[19]。
> （「その時点で」の傍点は引用者）

ダメットの神は、すでに起こったこと（溺死）を、起こらなかったこと（生存）に変えるような神ではない（それはスーパー選択者としての神の更なる拡張版になってしまう）。そもそもの始めから（まさにその時点で）、息子が生存していることが現実であって、それ以外の現実などないように……と祈っているのである。ダメットの神は、その現実がすべてで外がないことにおいて働いている神であり、外から現実を左右する神ではない。言い換えれば、私の祈りとダメットの神は、現実性という一点（まさにその時点で）のみで繋がっているだけで、依頼や懇願が成立するような関係にはない。この第3節で辿ってきた「祈りと賭けと選択」の三者関係は、第1節における「現実性と事実性と様相システム」、第2節における「現実性と様相の潰れと様相システム」、あるいは「絶対的な「1」と潰れた「1/2」と相対的な数値「0〜1」」「確率システムの外と確率の潰れと確率システムの内」という三者関係と類比的である。

現実性からシステムの方へ、そしてシステムから現実性の方へと、いずれの方向のどの段階にも、関係と無関係の交錯が、何重にも折り畳まれて働いている。そのことを中間のほうから眺めるならば、

「潜在（性）」は現に潜在しているので、現実性の作用域内にある。ゆえに、「前」が潜在（性）であるならば、「現実化」「実現」とは、潜在的な現実から顕在的な現実への変化であって、現実でないものが現実になるわけではない。この点についても、第1章と第2章の議論を参照。

(17)「態（voice）」は、「こちら側（主体）とあちら側（客体）の関係性」を前提にしている。それゆえ、「こちら側とあちら側の無関係性」がベースになっている「祈り」の場合は、能動とも受動とも言えないし、双方向とも言えない。とりあえず「無態」（態＝関係性を持たない）と表現した。その意味で、現実の現実性は、「無内包」であり「無様相」であるだけでなく「無態」でもある。「無態」と呼んで、「中動」と呼ばなかったのは、「中動態」を、「能動と受動の高次の折り畳み」（能動の自己再帰や受動を能動するや受動的能動……等々）として考えたいからである。

(18) 前掲拙著『あるようにあり、なるようになる　運命論の運命』、第23章「「族長の踊り」と「遡及的な祈り」」を参照。本章における「賭け・神頼み・祈り」という三者間の異同（移動）を踏まえるならば、ダメットの三つの挿話「ロンドン空襲」「族長の踊り」「遡及的な祈り」を、その三者間の異同（移動）と類比的に捉えることができるかもしれない。

(19) Michael Dummett, *Truth and Other Enigmas* (1978), ch. 19, p. 337.

片極優位の「偏り」「傾き」が、度合いの違いを伴いつつ無限に続いているように見えるだろう。つまり、どんな内容の事実にも、どんな様相の潰れ・確率の潰れにも、そしてどんな賭けにも（ゲーム内の賭けでも命がかかった賭けでも）、現実性への（或いはその逆の）「偏り」「傾き」が遍在している。中間におけるその「偏向」のスペクトラムの限界を画しているのが、両極（現実性とシステム）である。

3-3　祈りと神

「祈り」は、〈現実性←中間→システム〉という三者関係のうちの「現実性」に対応するものとして論じられた（より正確に言えば、純粋現実性へと接近するものとしての「祈り」である）。「祈り」は、「中間」に位置する「神頼み」や「賭け」、「システム」内の「選択」と対照された。四つは、〈現実性←中間→システム〉の尺度上に並べると、次のようになる。

祈り　―　神頼み　―　賭け　―　選択

この並びの中に、一箇所だけ大きな切れ目（溝）を入れるとしたら、どこに入れるだろうか？　その切れ目（溝）を、「〓」で示しておくと、次のようになる。逆に言えば、「神頼み・賭け・選択」は、ある観点のもとで一括りになる。

祈り　―〓―　{神頼み　―　賭け　―　選択}

これは、無関係性と関係性との「切れ目（溝）」に相当する。つまり、「神頼み・賭け・選択」を一括りにしているのは「関係性」であり、「祈り」だけが「無関係性」において孤立的である（「関係と無関係」については、第6章「無関係・力・これ性」も参照。）

「神頼み・賭け・選択」は、どれも「関係性」をベースにしている。それは、「こちら側」と「あちら側」との関係である。「選択」では、こちら側（選択主体）の計算理性や意志に依拠する度合いが大きいのに対して、「賭け」では、こちら側（主体）ではコントロールできない「運」などの「あちら側」の力が大きくなる（と同時に、主体の計算理性的な側面は背景に退いて、意志的な側面が前面化する）。さらに「神頼み」では、あちら側（神）の力がより大きくなって、こちら側（主体）の力に依拠する度合いは（意志的な側面も含めて）小さくなる。あちら側とこちら側との関係性をベースとする「神頼み・賭け・選択」は、能動性・受動性の大小や、合理性（計算性）・非合理性（非計算性）の大小などによって、スペクトラム（連続体）をなしている。

「神頼み・賭け・選択」は、「こちら側」と「あちら側」の関係性をベースにしつつ、どれにおいても「実現（現実化）」が問題になる。「選択」では「実現する力」がこちら側に大きく割り振られ、「賭け」では「実現する力」がある程度あちら側（運）に譲り渡され、「神頼み」では「実現する力」が全面的にあちら側（神）へと移譲される。関係性の中で、「実現する力」の焦点はそのように移動するけれども、「何かをすることで、何かが何かを実現する、、」という構図は、不変である。そして、「実現（現実化）」するかどうかは、次のような表現と共に問題になる。

● ……をするから実現する／……をするけれども実現しない
● 〜が実現してくれる／〜を実現してくれるように頼む

これらは、「何かをすること」と（何かの）実現との関係を表現していたり、こちら側とあちら側と実現との関係を表現している。「実現（現実化）」することは、諸関係性の中でなされることであり、「実現（現実化）」を目指すならば、その関係性に働きかけなければならない。

また「実現（現実化）」は、行為や主体や実現対象などと関係するばかりでなく、さらに根本的な関係性の内に置かれている。それは、「実現（現実化）」には、必ずその〈前〉——実現（現実化）以前——が伴わざるを得ないということである。「アイデア（プラン）を実現する」場合には、そのアイデア（プラン）がその〈前〉になりうるし、「神が最善世界を実現する」場合には、複数の可能世界とその間の比較（善の計算）がその〈前〉になりうる。「実現（現実化）」は、その〈前〉に対する関係としてのみ「実現（現実化）」でありうる。要するに、「実現（現実化）」には、現実ではない（現実化されていない）「前」との関係性が必須である。

それでは、「祈り」はどうだろうか？　述べてきた諸点のすべてにおいて、「祈り」だけは、異なっている。少なくとも、「頼む」や「願う」等とは区別される「純粋な祈り」だけは、〈関係性〉ではなく〈無関係性〉のほうをベースにしているし、「実現（現実化）」ではなく「純粋現実性」へと向かう。「実現（現実化）」と純粋現実性は異なる。次の二つの表現の違いに注目しよう。

● 〜を実現してくれるように頼む

● 〜が現実である（現に〜である）ようにと思う

後者が、私の考える「純粋な祈り」に相当する。後者の「現実性」が前者の「実現」といかに異なるかは、後者のポイント（の一つ）を次のように明示化してみると、はっきりする。

● 〈そもそもの始めから〉〜が現実である（現に〜である）ようにと思う

すなわち、「実現」においては必須である〈前〉など、外部なき現実性（現に）にはありえないのだから、「実現」ではなく「現実であること」を祈るということは、「そもそもの始めから（現に〜である）」ようにと思うということである。「実現を頼む」場合には、実現される状態が、実現「前」と関係せざるをえない（もちろん、その他の諸関係も持たざるをえない）。しかし、「現実へと向けて祈る」場合には、祈りが向かう現実とは、始めから唯々そうであるような現実であり、いかなる外部（前）とも無関係であるような「即自態」としての現実である。

そして、そのような外部なき現実（即自態としての現実）に、その外から関わってくるような諸関係は、もちろん「ありえない」のだから、「祈り」は「頼む」のようには諸関係に巻き込まれることもない（のでなければならない）。「（祈りの場合の）思う」は文字通り「唯々思うだけ」であって、その「思い」はむしろ全くの無力でなければならない。たとえば、仮に「思う」ことによって超能力（念力）が働いて、現実に影響を及ぼすことができるとすると、それは「祈り」ではない。これが、後者（祈りの場合）のもう一つのポイントである。

● そもそもの始めから〜が現実である（現に〜である）ようにと唯々思うだけ

「（〜が）そもそもの現実でありますように」という祈りは、その「現実性（現に）」という側面においても、「ただの思い」という側面においても、「実現する力」の焦点化や諸関係の中で成立する「神頼み・賭け・選択」から、最も離れたところに位置していることが分かる。

したがって、「神頼み」の神と「祈り」の場合の神は、決定的に異なっていなければならない。「神頼み」の神は、（何かを）実現してくれる神であり、現実の外から働きかける力を持つ超越者であり、世俗的な権力者の延長線上にイメージされる「スーパー権力者」である。しかし、「祈り」の場合の神は超越者ではないし、こちら側の「ただの思い」を聞いて応えてくれるわけでもない。というのも、「祈り」が神に向かうものだとすると、その向かう先は「そもそも始めからそうである外部なき現実」なのだから、「祈り」の場合の神とは、現実そのものに他ならない。祈りの神は、現実の外に存在するのでもなく、現実の内なる存在者でもなく、現実そのものと一つに重なっている神である。(20)

もちろん、「ただの思い（祈り）」は「神＝現実」を呼び起こしたり、変えたりなどできはしない。いや、「どのように思うか」と「現に〜である」ことは徹底的に無関係であるからこそ、祈りは、懇願や依頼など別の何かに変質することなく「純粋な祈り」でありうる。「純粋な祈り」は、〈関係性〉ではなく〈無関係性〉のほうをベースにしているというのは、そのようなことである。

「そもそもの現実でありますように」というただそれだけの思い、すなわち〈祈り〉は、〈願い〉と接近してはいても、それでも異なっている。〈願い〉には、「そう願うことによって（実現されますように)」という関係性・自己効力性がどこまでも残る。それに対して、〈祈り〉からは、「そう祈ることによって」という関係性・自己効力性など、むしろ後退して消え去っていくことを、その純化の条件としている。〈祈り〉が向かうべき現実は、そのような関係性・自己効力性からは無縁の現実である。

しかも、「ただそれだけの思い」がそのように生じていることもまた、当のそもそもの現実の一部に他ならない。或る現実の「実現」を現実の外から願っているのではなくて、「祈っている(ただ思っている)」こともその一部であるような現実が、そもそもの始めからあるようにと「思う」のが、純化した「祈り」である。

ということは、こうなる。「そもそもの現実でありますように」というただそれだけの思いは、「(そもそもの始めから/このただの思いも含めて)現に〜である」と思う、ということであって、最後の「と思う」もまた、当然のことながら、現実(現に〜である)の一部に他ならない。こうして、最後の「と思う」は、自己効力性を持たないだけでなく、そもそも現実性の力の内に飲み込まれて消えゆくような「と思う」である。

逆に言えば、現実性の力のほんの僅かな「お零れ」(第4章註1参照)として、「ただ思う」がふと現れることが「祈り」である。だからこそ、そういう形で「祈り」が「思い」として出現するかしないかは、「祈り」にとってあまり重要なことではない。「思い」として出現しようとしまいと、「純粋な祈り」は、(消え去っても/消え去るからこそ)現実自体にぴったりと重なっているからである。

(20) 本書「おわりに」の「現実性こそ神である」も参照。

いわば、「現に〜である」こと自体が、神と祈りの一致なのである。それでもなお、「ただの思い」としての祈りが泡沫のようにふと現れては消え去ることは、神と祈りの（無）関係に気づかせてくれる良い機会ではある。

第4章　現実の現実性と時間の動性

第4章は、大きく二つの部分から構成される。前半（第1節）が「現実の現実性」についての考察であり、後半（第2節）が「時間の動性（時間の経過）」についての考察になっている。どちらも、永井均『存在と時間――哲学探究1』（文藝春秋、二〇一六年）の議論を検討するという仕方で考察を進める。

前半（第1節）では、「現実の現実性」を、永井的な〈私〉や〈今〉から切り離そうとする方向の議論によって、「現実の現実性」が（無内包に加えて）無様相・無人称・無時制でもあり、遍在的であることを強調する。後半（第2節）では、「時間の動性（時間の経過）」を「現在（今）の移動」という考え方から切り離そうとする方向の議論によって、「時間の動性」とは、今が動くことではなくて、更にその背後に退かざるを得ない潜在的な絶対変化であることを強調する。

1　現実の現実性について

まずは、永井均『存在と時間――哲学探究1』（以下「同書」と略す）からの引用で始めよう。

〈私〉とは何か、という問いはどうだろうか。これには二つの問い方がありうる。一つは、［…］じつはそのうち一つだけ現実に外界が見えたり音が聞こえたり体が動かせたり［…］する（一つだけしか現実に外界が見えたり音が聞こえたり体が動かせたり［…］しない）のだが、そいつはいったい何なのか、といった問い方である。［…］ここで問われているのは、あくまでも、可能性（どういうわけか現実にはそうでないもの）と対比された現実性（なぜか現実にそうであるもの）なのである。

もう一つは、そもそもこれは何か、という問い方である。この場合には、現実性は特定の可能性と対比されてはいない。［…］これは何とも対比されておらず、それゆえ、何でないのかわからず、それゆえ、何であるかわからない。これが在ることこそが空前絶後の事実だからである。この問いこそが最初の問い方の背後に存在する本当の驚《タウマゼイン》きである。（同書、一五八―一五九頁）

この引用で述べられている区別を、私は（永井が区別している以上に）より強く際立たせたい。その区別とは、「可能性との対比がある」現実と「可能性との対比がない」現実という区別である。[1]永井は「可能性と対比された現実」と「特定の可能性と対比されていない現実」を区別しているが、私は「可能性と対比された現実」と「そもそも可能性の相の下にない現実」を区別したい。私は、前者のことを「様相内に埋め込まれた現実」と呼び、後者のことを「様相外の（無様相の）現実」と呼ぶ。この区別を強調することは、以下で見るように、現実の現実性を、無内包であるだけでなく無様相・無人称・無時制でもあり、遍在的であると捉えることに他ならない。

この区別を強調するためにも、引用後半部に出てくる「これ」について、注釈を加えておかなければ

（1）「より強く際立たせる」というのは、すぐ後に述べるように、「可能性との対比がない」ことを、「特定の可能性と対比されていない」こととしてでなく、「そもそも可能性の相の下にない」こと、すなわち「様相の下にない」こと（無様相）として捉えることに相当する。

あるいは、「より強く」という差は、（この点も後述するように）「これ」についての捉え方の違いでもある。「中心指向性（収斂性）」の「これ（この）」と「全域指向性（発散性）」の「これ」の違いであり、中心指向性（収斂性）によって生じる「偏在」が消えて、全域指向性（発散性）によって生じる「遍在」が強調されたほうが、「無内包」性が完璧になる、と私は考えていることになる。

また、永井自身は、「[…]これとして在るにすぎない純粋な私とは、まだ他者（タウマゼイン語法でいうところの「可能な私」）と対比されていない単なる現実性そのものとしての私、ということである。それは、当然のことながら、第一人称に与えられる公的特権はまだ持っていない」（同書、一六七頁）と述べている。一方、私のほうは、「対比されていない単なる現実性そのもの」は、「第一人称に与えられる公的特権」を持たないのはもちろんだが、そもそも「第一人称（私）」に結びつけることもできない、と考えていることになる。言い換えれば、「これとして在るにすぎない純粋な私」「単なる現実性そのものとしての私」という表現において、「純粋な私」「としての私」の部分を取り去る方が純度が高まる、と考えていることになる。

次の点にも注目すべきであろう。永井自身も、「とはいえしかし、ほんとうに物自体だとすれば、〈私〉だとか〈今〉だとか、何らかの内容的規定を示唆する呼び名で呼べるはずがない。だからたぶんそれらは、このような超越論的な（＝実在を構成する）形式が適用された後に、そのような形式をすり抜けて生き残った（そのような形式によって変形させられながらも現象界の中に生き残った）、物自体のお零れのようなものだろう」（同書、七七頁）と述べている。まさにその通りだと思う。ということは、その言葉遣いを引き継いで言うならば、物自体の「お零れ」ではなく「物自体」本体に相当するのが、「現実の現実性」それ自体であって、「お零れ」には内包が僅かに残されるが、「本体（物自体）」は完全に無内包である、と私は考えていることになる。

ばならない。というのも、永井による「これ（この）」の使用と、私が意図する「これ（この）」の使用の間には、次のような違いがあるからである。

まず永井による「これ（この）」使用の「幅」を確認しておこう。[2] ヘーゲル『精神現象学』[3]の「感覚的確実性」の議論を検討する場面（cf.同書、第10章）においては、「この痒み」「これは甘い」のように感覚表現を伴いつつ、「これ（この）」は、第〇《ゼロ》次内包（私秘性）を指示する使い方で（も）登場するが、永井自身の眼目は、「これ（この）」をそのような内包性（本質）から引き離して、無内包性を強調することのほうにある。その点を強調する場面では、「これが私だ」「これが今だ」「これとして在るにすぎない純粋な私」等のように、〈私〉〈今〉との結合において「これ」は出現する。この点、つまり「これ（この）」と〈私〉〈今〉とのあいだの親和性・互換性から分かるのは、引用前半の「可能性との対比がある」現実（〈私〉）と、引用後半の「可能性との対比がない」現実（これ）との区別は、あくまでも問い方の違いという区別なのであって、そこで問われている「現実」は同じ一つの現実（〈私〉＝これ）だ、ということである。〈私〉も「これ」も、同じ「無内包の現実」を表すけれども、それへの迫り方が違うというわけである。

実際、永井は〈私〉や〈今〉と「これ（この）」をほぼ互換的に使っていて、どれも「中心指向性（収斂性）」とでも呼ぶべき力の向きを共有している。また、第〇次内包（私秘性）を指示する「これ（この）」もまた――無内包の「これ」とは異なるとしても――、同様の「中心指向性（収斂性）」という力の向きは共有している。「中心指向性（収斂性）」は、ウィトゲンシュタイン（『哲学探究』253）[4]に倣って言えば、「これ（この）」を強調して言いつつ自分の胸の辺りを叩くジェスチャーによって象徴されるだろう。

しかし、私が考えるほうの「これ（この）」の用法は、そのような「中心指向性（収斂性）」をむしろ解除する働きを持つ（と捉えようとしている）。先ほどのジェスチャーの比喩で続けるならば、「これ（この）」と言いつつ、周囲（世界）を丸ごと両手で抱えるかのように円を描く仕草によって象徴される。「これ（この）」とは、「この世界」「この宇宙」「これ全部」なのであって、むしろ「全域指向性（発散性）」とでも呼ぶべき力の拡がり（あるいは「遠さと対比されない汎‐近接性」「遍在する近さ」）を特徴とする。こちらの「これ（この）」は、中心へと収斂するのではなく、全体へと拡散させて中心という在り方を無効にするような用法である。この用法の「これ（この）」は、外のない現実すべてを丸ごと内側から指し示そうとしている。ただし後述するように、「世界」「宇宙」等の名詞を形容するかのように「この」を使うことは、「これ＝現実」をより厳密に表現するためには相応しくないのであるけれども。

こうして、全域指向的（発散的）な「現実（これ）」は、中心指向的（収斂的）な「現実（私・

（2）同書の（第10章に加えて）第11章の冒頭においても、「感覚の貧しさは、どんなに貧しくとも、たとえ言葉で言い表すことができないとしても、いわく言い難い「これ」という特定の内容があった。[…] 対して、「今」の貧しさは、「これ」と指せるような特定の内容がない貧しさである」と言われているように、「これ（この）」は、有内包（私秘性）と無内包（独在性）の両方に跨がって使われている。この「両方に跨がる」という点が、「幅」である。

（3）Hegel, G. W. F. (1807). *Phänomenologie des Geistes*, Suhrkamp. G・W・F・ヘーゲル『精神現象学』（金子武蔵訳、岩波書店、二〇〇二年／長谷川宏訳、作品社、二〇〇八年）。

（4）Wittgenstein, L. (1953). *Philosophische Untersuchungen*, Suhrkamp.『ウィトゲンシュタイン全集　第8巻　哲学探究』（藤本隆志訳、大修館書店、一九七六年）。

今)」と比べると、単に(同じ一つの現実への)問い方が違うのではなく、そもそも「現実」としての在り方(偏在か遍在か)が異なっている。そして、「特定の可能性との対比がない」現実と「そもそも可能性の相の下にはない」現実との区別は、中心指向的(収斂的)な「現実(私・今)」と全域指向的(発散的)な「現実(これ)」の違いと重なる、と私は考えている。[5] 強調したい区別をまとめておくと、こうなる。

特定の可能性との対比がないこと ≠ そもそも可能性の相の下にないこと
中心指向的(収斂的)な「これ」 ≠ 全域指向的(発散的)な「これ」
偏在的な「現実」 ≠ 遍在的な「現実」
〈私〉・〈今〉 ≠ 現実性それ自体

同書においては、「人称・時制・様相」という枠組みを背景にして考察が進められるが、このセット(三竦み)の内部で論じられる限りは、その現実は、あくまでも「対比あり」か「特定の可能性との対比がない」かのどちらかに留まるのであって、「全く対比なし」の現実にはならない。「人称・時制・様相」自体が、人称・時制・様相の「区分」——一人称・二人称・三人称や過去・現在・未来や現実・可能・必然など——における「対比」に依存するからである。逆に言えば、「全く対比なし」の現実に相当する「これ」には、人称も時制も様相もなく、もちろん「あれ」や「それ」との対比もないはずである(「これ」は、外のない現実を丸ごと内から指示する表現なので、その外からは指示ができない)。

また、「人称・時制・様相」というセットは、それぞれの内に「中心と周辺」の区別も持つ。すなわち「人称・時制・様相」は、私・現在（今）・現実を「中心」として、あなたや彼（彼女）・過去や未来・諸可能性を「周辺」として配置するシステムである。それゆえ、現実の現実性が「人称・時制・様相」というシステムに巻き込まれる場合には、当然のことながら、この「中心と周辺」の効果を被ることになる。すなわち、〈私〉〈今〉〈これ＝現実〉は、中心として働く（中心化する）ことになる。

「対比あり」という点は、引用文の前半の「そのうち一つだけ」や「現実にそうでないもの／現実にそうであるもの」という表現において顕わになっているし、「中心化」という点は、〈　〉（山括弧）内に置かれた表現が一人称であって二人称・三人称ではないこと等の内に読み取ることができる。(6)

他方、「全く対比なし」の現実のほうは、「全く対比なし」なのだから、「人称・時制・様相」という対比や中心化とは無関係である。つまり、「全く対比なし」の現実には、人称・時制・様相の区分

（5）「中心指向的（収斂的）」と「全域指向的（発散的）」という対比は、これ性の力の波及・環流における局面（方向性）の違いとして、（本書の後半にも）受け継がれていくことになる。本書第6章・第4節「「このもの主義」を別様に考える」や第7章・第5節「無内包・脱内包とこれ性」などを参照。

（6）永井は、「〈私〉とは、世界が現実にそこから開けている唯一の原点のことである」という言い方をするが、その「そこから開けている」や「原点」が、まさに「中心化」を表している。その起点性・原点性・中心性は、遍在的な現実の現実性にとっては外的なものであることを、私は強調していることになる。そして、その起点性・原点性・中心性は、「対比あり」の場面へと接続することになり、「全く対比なし」の現実とは鋭く対立することになる。たとえば、「世界には、〈私〉である人とそうでない人が存在している、これが現実である」（同書、二三九頁）という表現には、「対比あり」の現実がよく表れている。

は何ら効力を発揮できないし、「全く対比なし」の現実には、中心と周辺という区別もない。そういう現実は「遍在的」と呼ぶのが相応しい。

引用箇所の前半部において「対比」を創り出しているのは、一人称表現の「私」であり、「見える・聞こえる……（／見えない・聞こえない……）」や「そうである／そうでない」という肯定／否定表現である。

しかし、その前半部においても、「現実に」が表す現実性自体は、むしろそのような「対比」を跨いで働いており、遍在的に出現していることが（私の観点からは）重要である。「現実にそうであるもの」と「現実にはそうではないもの」という対比は、内容（「そうである」の部分）における肯定・否定の対比なのであって、「現実に」という現実性自体に対比相手があるわけではない。むしろ、肯定と否定の違いを跨いで、同じ一つの「現実に」という副詞が働いている。「対比あり」の現実について述べる引用前半部においてさえも、現実性自体は実は「全く対比なく」働いているのであって、「対比」はあくまで人称や肯定・否定に由来すると言うべきである。

ちなみに、そのような「対比」や「中心化」をできるだけ回避して、「全く対比なし」の現実を表現するためには、「現実世界」という言い方は避けたほうがよいだろう。「現実世界」という言い方は、様相論の文脈での「可能世界」との対比を呼び込むし、「世界」の状態（内包）を呼び込まざるを得ないからである。「現実」は、（「現実世界」のような）実体的な名詞としてではなく、「現に」という副詞的な働き（現実性）――力――として考えた方がよい。

さて、「対比あり」の現実と「対比なし」の現実の区別を、このように「より強く」取るならば、現実の「無内包性」についてもまた、次のような注釈を加えることができる。それは、「有内包（第

○次内包・第一次内包・第二次内包)」と「無内包」という二区分ではなくて、「有内包と脱内包と無内包」という三区分の導入についてである。(7) 呼び方は、「脱内包」のかわりに「反内包」でも「半内包」でも何でも構わないだろう。「人称(私)・時制(現在)・様相(可能世界)」との関連で表現するならば、次のように分けておくこともできる。(8)

(1)「私の現実・現在の現実・世界の現実」…有内包
(2)「現実の私・現実の現在・現実の世界」…脱内包
(3)「現実の現実性」・「現に」という力…無内包

(7)「今」や「私」から感覚的確実性(第〇次内包)を取り除いて、それら特有の確実性(無内包)が浮かび上がるのと同様に、さらに無内包の「今」や「私」から、その「今」という時間要因や「私」という人称要因まで取り除いてこそ、「現に」という現実の無内包性の力がいっそう明らかになる。この中間段階をここでは「脱内包」と呼んでいることになる。なお、第〇次内包(私秘性)・第一次内包・第二次内包については、永井均『改訂版 なぜ意識は実在しないのか』(岩波書店、二〇一六年)を参照。「無内包」については、拙著『あるようにあり、なるようになる 運命論の運命』(講談社、二〇一五年)、および本書第7章を参照。
(8)(1)と(2)の対比は、第2章「現実性と潜在性」において、「存在の現実」と「現実の存在」は、存在と現実のどちらが優位のポジションを占めるかをめぐって、相互凌駕を繰り返して循環する」(六二頁)と述べた事態と対応している。言い換えれば、(1)〜(3)の分け方(有内包・脱内包・無内包)は、第1章における「様相に内的に関係する水準」「様相に外的に関係する水準」「様相とは無関係に働く水準」に対応している。すなわち、(1)〜(3)は、「様相(可能世界)」への三関係に加えて、「人称・時制に内的に関係する水準」「人称・時制に外的に関係する水準」「人称・時制とは無関係に働く水準」を表している。

（1）では、「現実」が、「私・現在・世界」の作用域内におかれているために、その三者による限定を受け取る仕方で、現実の中身が読み込まれる（内包を持つ）ことになる。「あなたの現実・過去の現実・物語内の現実」ではなくて、というようにして。それに対して（2）では、「現実」が三者の作用域内から外に出る（順序が入れ替わる）ことによって、（1）のような仕方で――外から限定を受ける仕方で――内包を持つことからは解放される。しかしなお、（2）では、私・現在・世界によって「中心化」は行われるし、最小限の人称的・時制的・様相的な内包性は残存する。それでも、（2）における「現実の」は、ほんとうは「私・現在・世界」という三領域を貫通して一様に働く遍在的なものである。ゆえに、そこ（貫通・一様・遍在）には「中心化」は生じない。その点を明示的に取り出すと、（3）になる。（3）は、人称・時制・様相の表現を消し去ることで、遍在一様な現実を表現しようとしている。結局、（3）によって表現される「現実の現実性」・「現に」という力は、無内包であると同時に、無人称・無時制・無様相でもあるということである。「無内包の現実」は、どんな領域（人称・時制・様相）への囲い込みや中心化もすべて無効にしてしまう「遍在的な現実」なのである。

　にもかかわらず、囲い込みや中心化が生じて、現実は「私」化されたり、「現在」化されたり、「世界」化されたりする。つまり、「遍在的な現実」である（3）が「偏在的な現実」である（2）へと変質する。その変質は、（現実性自体とは）別の要因に由来する。

　その「別の要因」とは（少なくともその一つは）、「現実」が「現前」「顕在」と取り違えられやすいという点にあるだろう。「現に」という現実性は、ありありと現前しているかどうかや、顕在的であるのか潜在的であるのかとは異なる水準で働いている。現実はたとえありありと現前していなくとも現実であるし、たとえ潜在的であるとしても、「現に」潜在しているのだから現実に他ならない。現実は、現前と同一ではないし、潜在とも対立しない。[9] むしろ「現実」とは、顕在的なものであれ潜在的なものであれ、またありありと現れていようがいまいが、まったく無差別にそのすべてなのである。にもかかわらず、現実を現前や顕在と同一視してしまうと、現実は「ありありと現れている何か」へと不当に狭められることになり、偏在化してしまう。

その点を時制の場面で言うならば、次のようになる。「現実」であることと「現在」であることとは別のことである。にもかかわらず、（過去や未来ではなく）現在を「ありありと現れている何か」として、特権的な現実であるかのようにみなしてしまうと、現実は現在へと不当に狭まり、現実性は現前性・顕在性に変質してしまう。現在は過去や未来とは違って、「ありありと現れている時」ではあるかもしれないが、そのこと（現在の現前性）は、過去が「現実の（実際の）過去」であり、未来が「現実の（実際の）未来」であることにいっさい影響を与えない。現在の現前性は、現実の現実性とは異なるからである。現実の現実性は、時制の区別（過去・現在・未来）とは無関係であり、過去・現在・未来を貫通して一様に・遍在的に働く。その意味において、現実の現実性は「無時制（あるいは汎時制）」なのである。

この点を、累進構造の図（同書、五〇頁）と関連させて述べるならば、その構造の内に潜在してい

（9）この点は、第2章「現実性と潜在性」の重要な論点であった。第1章「円環モデルによる概観」における現実性と潜在性についての考察も参照。

図1

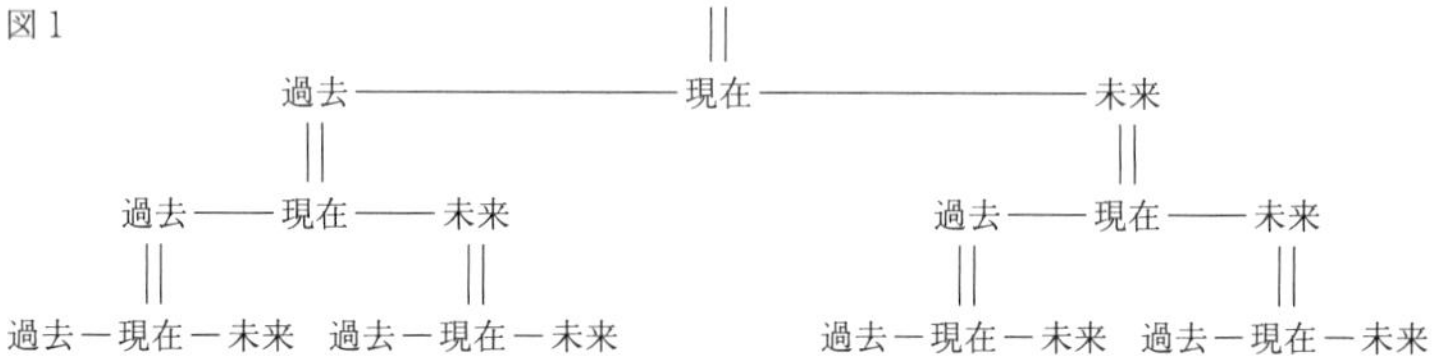

（以下同様）

図2

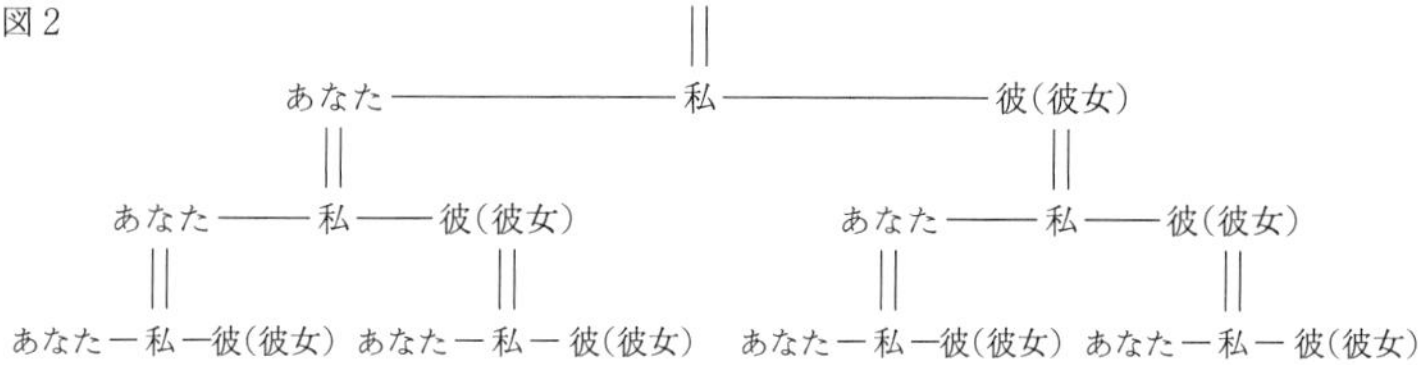

（以下同様）

る（と私には思われる）ダイナミズム（以下で「蛇腹的な開閉」と呼ぶことになる動き）を取り出すことができる。「蛇腹的な開閉」は、「累進」とはまた別の運動をその図に上書きすることになる。以下では、まず永井による累進構造の図を提示したうえで、順次それに対して上書きを加えていくことにする。

　まず、「図1において、最上段が現実の現在・過去・未来を表している」と言われている点に注目し、次のように敷衍しておこう。「最上段であること」自体、すなわち「横の線」全体が現実性を表現しているのであって、その線上に「現在・過去・未来」や「私・あなた・彼（彼女）」（図2）という三区分が書き込まれていることは、その最上段性（現実性）にとっては無関係である。そして、図1や図2は現在や私へと「中心化」された図になっているけれども、そのこと（中心化）も、その最上段性（現実性）にとっては無関係である。現在や私が中心を占めることは、別の要因（対比や現前性など）に由来するのであって、無内包の現実性自体からは出てこない。こうして、「現実の現在・過去・未来」という表現における「現実の」は、完璧に無差別に汎通的に三区分を射通している。現実の現実性自体は、「現在・過去・未来」「私・あなた・彼（彼女）」の区別に関係なく、その全体へと汎通的に及んでいる。つまり「横の線」は、その一線全体が丸ごと現実性に満たされているのである。このように「横線の無差別の全体性」を強調したうえで累進構造の図を眺めるならば、「縦の関係（段差）」のほうにも違った見方を加えることができる。

図の「縦の関係（段差）」を成立させているものは、現実と可能の対比であり、それに基づく中心（現在や私）の位置の移動である。遍在的で一様であるはずの現実の内に、「現実と可能」と「中心と周辺」という対比とそれに基づく移動が持ち込まれることが、「縦の関係（段差）」である。しかしながら、その「縦の関係（段差）」の多段化・多重化において、そもそもの現実の「無差別性」「遍在性」、すなわち「横線全体の丸ごと性」が消え去ってしまうわけではない。いやむしろ、それは伝播する（せざるを得ない）。だからこそ、「横一線」が「横一線」のままに、「縦の関係（段差）」の中でもどこまでも繰り返されるし、そうである他はない【横線自体の多段性】。

その遍在性の「伝播」のほうに注目するために、累進構造の図からあえて「時制の三区分」と「現在による中心化」という偏在的な要因を後景に退かせて、「横線の遍在性・一様性」「横一線の丸ごと全体性」のほうだけを前景化してみよう。そうすると、どのように表象されるだろうか。まずは、（特に現在は特権化されることなく）無数の直線が僅かに位置をずらしつつ、縦に（ピラミッド状に）重なっている姿が現れてくるだろう。それは、元の図のような隙間があって中心を持つツリー構造ではなくて、びっしりと重なり合った横一線が無数に積み重なっているような図に見えるだろう。さらに言えば、偏在の後景化と遍在の前景化によって、縦関係における僅かな位置のズレ（累進）からも、

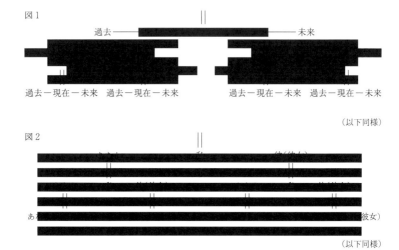

図1

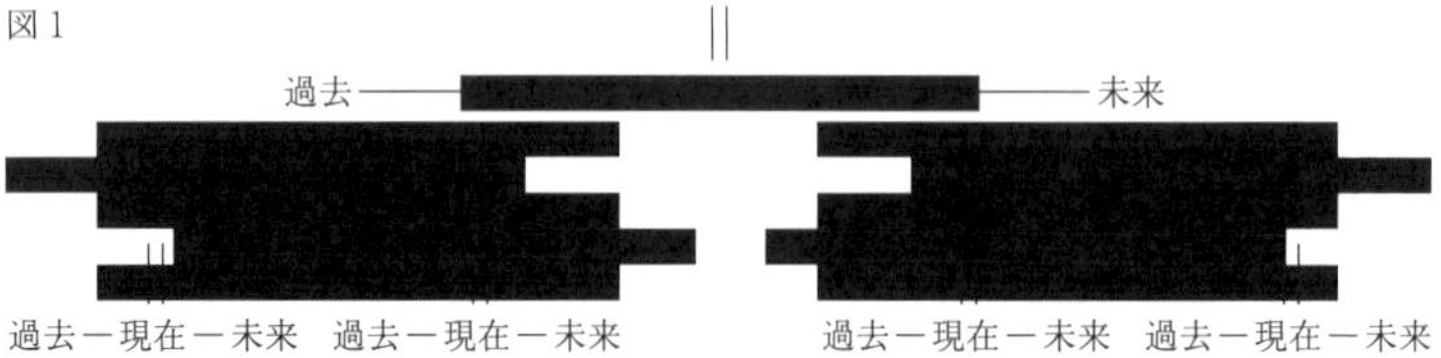

（以下同様）

図2

（以下同様）

もうほんとうは意味が失われている。そこで、「無数の横一線が縦に積み重なった姿」は、もうピラミッド状（台形状）であるというよりも、横一線の丸ごと全体が無数に重なっているだけで、結局は極太の一本の直線（あるいは長方形）が描かれているかのように表象されるだろう。こうして、「縦」の関係（累進）はすべて「横」一線（すなわち遍在的な現実）の内へと埋没する。つまり、現実一色で塗りつぶされる。上の図は、その点を表象するものである（完全には塗りつぶしていないが）。

　これは、「多重の縦関係」が「横線の無差別な遍在性」の内へと畳み込まれて潰れてしまうことに相当する。累進構造の図には、上下に「展開」する方向性だけでなく、上下が「収縮（凝集）」する方向性も含まれているということである。累進構造は、無限後退や循環などの「終わらない展開」を表現すると共に、その構造自体が収束（終息）する方向性（収縮・凝集）もまた、同時に表現していることになる。累進構造にこの両方向性が含まれていること

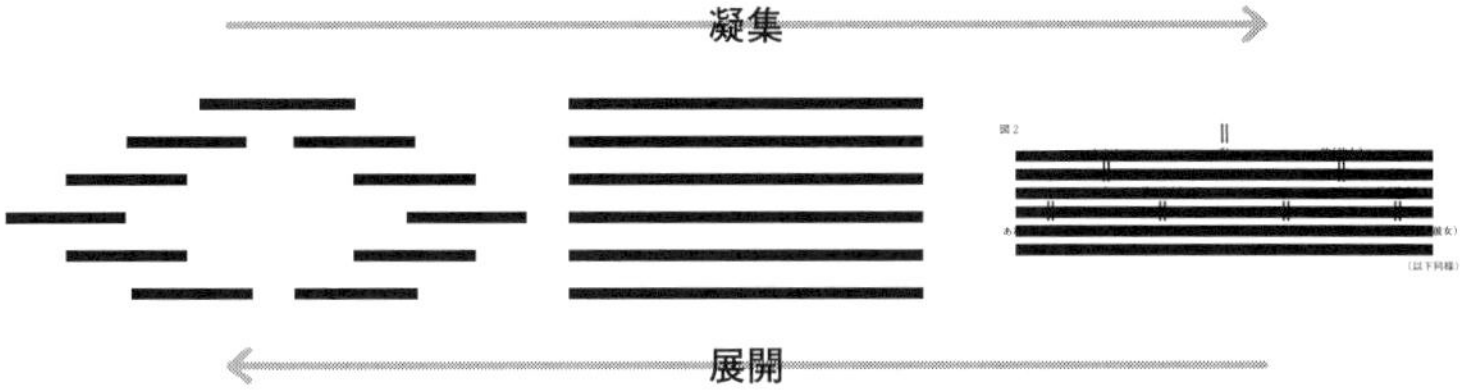

を表すために、アコーディオンの蛇腹が閉じたり開いたりするイメージで考えることにすると、累進構造には「蛇腹的な開閉」が含まれていると表現しておくことができる。現実一色へと塗りつぶされる「閉」と、隙間ができて構造が顕わになる「開」とが、繰り返される運動を、累進の図に上書きしたことになる。

ちなみに、「横一線への収縮・凝集」という「閉」方向性を強調することは、多段の存在を認めたうえで、その一つを「絶対的な最上段」として確保することとは違うということに注目してもらいたい。むしろ、「最上段」性は棄却（キャンセル）されることでこそ、その「絶対性」が完成する。というのも、横一線の無差別性・遍在性が全ての段に浸透してしまうことによって、多段性（累進性）自体が棄却（キャンセル）され、「上段／下段」という相対性自体が無くなることで、逆に、最上段しかないことと変わりない絶対性が表現されるからである。この対照（「最上段を認める・認めない」と「上段・下段がそもそもない」との区別）は、再び「対比あり」と「全く対比なし」との違いに相当する。

また、「閉」方向と「開」方向との対立は、現実主義と可能主義（同書二七六頁）の対立とも異なる。[10] 現実主義と可能主義の対立は、累進図における（累

（10）「現実主義vs可能主義」については、第2章の註6、註9も参照。

進図の構造を前提にした上での）最上段のあるなしに関する対立であるが、「閉」方向と「開」方向との対立は、累進図そのものの構造消失と構造展開という対立だからである。累進図における現実主義は「最上段が無限累進をストップさせる」と考えることに相当し、累進図における可能主義は「無限累進をストップさせる最上段はない」と考えることに相当する。しかし、「閉」方向と「開」方向が対立するということは、「無限累進の始まらなさ」と「無限累進の始まり」との間で起こる対立であって、これら（最上段のあるなしの対立と開閉の対立）の水準は異なっている。近似的に図式化しておくために累進図に上書きするならば、前頁の「凝集と展開」の図のようになる。便宜上（見やすいように）「隙間」を僅かに残した図になっているが、実際にはそれさえも消失するので、極太の横線（現実一色）になる。

2　時間の動性について

永井は、「時間の経過」を「現在の移動」と言い換えている（同書二四六頁）。単に言い換えているだけではなく、時間の動性についての考察全体が、「時間が経過するとは、現実に今が動くことである」という考え方によって主導されている。時間の動性については多角的な考察がなされているが、その一局面において永井は以下のように述べる。

もし現在（今）がそういう不思議な性質［引用者註：極限的に豊かであると同時に極限的に貧しい存在でもあること。要するに、端的な現実性］を持っていなければ、動く現在は本当にたんなる針のようなもの（それがその上を動く、それとは独立の空間のごときものを背後にもつ、外部からその動きを見ることができるひとつの動く物体）になってしまい、その動きはふつうの動きに、したがって時間の経過という特殊な変化はふつうの変化に、なってしまうからである。（同書、二八一頁）

たしかに、「現在の移動」は、その現在が「端的な現実性」を持たないならば、ものが空間的に移動することと変わらなくなってしまう。そのような移動は、「時間の経過」ではなくて、（むしろ時間の経過を前提にして初めて意味を持つような）位置の移動にしかならない。何かが空間的に移動すること自体は、「時間の経過」ではなくて、時間の経過において起こる出来事である。一方、「時間の経過」自体は出来事ではない（あるいは、きわめて特異な出来事である）。

では逆に、現在（今）が「端的な現実性」を持つならば、現在は移動して時間は経過するだろうか。いや、それ（端的さ）を「持つ」だけでは、まだ時間の経過にはならない。というのも、現在（今）が「端的な現実性」をただ持つだけならば、すなわち持つだけで失わないならば、現在（今）は端的に現実のままだからである。それではむしろ、現実の現在は、動きとは無関係になってしまう。「端的な現実性」を持つだけでは、現在は動かず時間は経過しない。

結局、現在（今）が「端的な現実性」を持つだけでも持たないだけでも、どちらにしても、それだけでは「現在の移動＝時間の経過」は導き出せない。「端的な現実性」は、必要ではあるが十分ではない。そこで、現在（今）は、「端的な現実性」を持つだけでも持たないだけでもなくて、「持たなくなる（一度だけ失う）」あるいは「持つようになる（一度だけ獲得する）」と考えざるを得ない。基本的には永井の同書も、この方向で「現在の移動＝時間の経過」を考えているはずである。

ところで、端的な現実性の「出現／消失」「獲得／喪失」というこの考え方に対しては、次のような疑問を向けることができる。それは、端的な現実性の「出現／消失」「獲得／喪失」を加味して考えたとしても、まだ「現在の移動」は「時間の経過」になるためには不十分ではないかという疑問である。(11)

もう一度確認しよう。たしかに、現在が「端的な現実性」を持たなければ、その移動は空間的な移動に等しいものになるだけで、時間の経過にはならない。また、現在が「端的な現実性」を持つだけならば、「動き」とは無関係であり、現在は端的に現実であるだけである。そこで、現在が移動する（今が動く）ためには、「端的な現実性」を持つようになり、また持たなくなる（一度だけ獲得しそして失う）のでなければならない。ここまでは、とりあえず「よい」としよう（「端的な現実性」は、そもそも出現（獲得）したり消失（喪失）したりできるものなのか？　という疑問は、問わないでおこう）。(12)しかし、その「端的な現実性の出現／消失（獲得／喪失）」だけで、もう十分なのだろうか。それだけではまだ、「時間が経過する」ためには何かが足りないのではないか。そういう疑問にいまは至っている。

その疑問は、こう続くことになる。端的な現実性の出現／消失（獲得／喪失）とは、各時点（現在）において、端的な現実性が点滅（出現と消失、獲得と喪失）を不連続的に反復するだけのことかもしれないではないか。そうだとすると、「現在の移動」とは、「時間の経過」ではなくて、むしろ「非連続的なジャンプ」ということになる。実際には非連続的なジャンプの反復にすぎないものが、見かけ上の連続的な移動（時間の経過）として捉えられているということなのかもしれない。これが、端的な現実性の「出現／消失」「獲得／喪失」が加わるだけでは、まだ「時間の経過」になるためには不十分ではないかという疑問である。比喩的に言えば、「現在の移動（ジャンプ）」を「時間の経過」のように思ってしまうのは、電光掲示板における独立の各電灯による不連続の点滅が、連続的な文字移動のように見えてしまうことと同じなのではないか(13)。

この疑問は、次のことを示唆している。もし「端的な現実性の出現／消失、獲得／喪失」がデジタルな電灯点滅のようなものだとすると、「現在の移動」は実は「瞬間的な跳躍」のようなものであっ

(11) そもそも、端的な現実性が「出現したり・消失したり」、それを「獲得したり・喪失したり」するとは、どのようなことなのか？　そもそも可能なのか？　という疑問もありうる。しかし、ここで扱いたいのは、そちらの方向の疑問ではない。次の註12も参照。

(12) 私が強調している「現実（性）」については、そもそも「現実化」「実現」「（現実性の）出現」といったことは生じない。「現実化」「実現」というのは、「現実でないものが現実になる」ことではなくて（それはそもそも不可能）、あくまで「現前化」「顕在化」にすぎないと私は考える。つまり、「可能性が現実になる」という考え方を私は認めず、それは実は「現実において、潜在的なものが顕在的になる」ことなのだと考える。潜在的なものも顕在的なものも「現実」であることに変わりはなく、「現実でないものが現実になる」ということは、「無から有が誕生する」ことに等しい。「無から有の創造（あるいはその逆）」を認める限りにおいて、「現実でないものが現実になる」ことを認めることはできるが、それは「可能性」が「現実性」に変わることではないことだけは確かである。なぜならば、それでは、「無」が可能性としては「ある」ことになってしまうからである。「無」は、可能性という仕方でさえ「ない」のでなければならない。「無」の問題については、本書第9章も参照。

(13) ここで比喩として使っている電光掲示板のイメージについては、[http://philosophy-zoo.com/Movie-Irifuji-480.mov] を参照。

て、そこからは連続的な「時間の経過」は（まだ）導き出されてはいない。つまり、「現在の移動」と「時間の経過」のあいだには、まだ楔を打ち込む余地が残っていることになる。「時間の連続的経過なしの現在の移動」「時間が連続的に経過するのとは別の仕方での現在の移動」という考え方があり得るということである。

もちろん、この現実性のデジタルな点滅反復の「間」あるいは「背景」に、「時間の経過」を挿入して補填するならば、連続的な時間の流れを回復することはできる。しかしそれでは、「出現／消失」「獲得／喪失」とは別物として（その背後に）、あらかじめ「時間の経過」を想定せざるを得なくなる。つまり、「現在の移動」がそのまま「時間の経過」であると考えることはできなくなる。「時間の経過」は、さらにそのジャンプの背後で作動するものとなる。

さてここで、「デジタルな点滅（現実性の出現／消失、獲得／喪失）」から「連続的な時間の経過」へと至るために、さらに「別の何か」を探して、それを付け加えるという解決策を試みるべきだろうか。いや、それは無駄な試みである。たとえ何を見つけようとも、それを付け加えることによっては「時間の経過」には至らないだろう。むしろ、そのように「何を付け加えても至れない」こと自体の内に、「時間の経過」がきわめて特殊な変化であることが表現されていると、（逆転させて）考えるべきである。「何を付け加えても至れない」のは、そうであることが、「時間の経過」にとってそもそも構成的で本質的な要件だからである。

「時間の経過」は、他の変化（状態変化や位置移動など）の背景として潜在するのみであって、けっして前景化することはない。そこで時間変化は、他の変化（時間変化ではないふつうの変化）に寄生することによってしか、表象することができない。その点では、時間変化は他の変化に依存する。時間の経過が、川の流れや時計の針の移動などの変化、あるいはものの状態変化などに重ねられて表象されるのは、このためであり、その表象的な依存関係は必然でもある。

にもかかわらず、それ自体では表象され得ない時間変化が背後で潜在進行していてこそ、その他の変化が前景で進行できる（とみなされねばならない）。また、たとえその他の変化が起こらなかったとしても、時間変化のほうは表象されないだけで潜在進行している（とみなされねばならない）。その点では、時間変化は、他の変化に依存しない絶対的な変化なのである。

ここでは、認識論的な優位関係と存在論的な優位関係の逆転が起こっているし、さらに再逆転（再々逆転）も含まれている。つまり、時間変化は、表象的には（認識論的には）他の変化に寄生しつつも、（存在論的には）寄生先の背後で潜在的に独立進行する絶対的な変化である。そのようにみなされねばならない。この「みなされねばならない」が加わると、認識論的な再逆転が生じていることになる。しかし、時間変化は、通常の相対的な背景とは違って、前景化することがけっしてあり得ず、後景に留まり続けて潜在状態のまま作動するという絶対性を、その本質とする。その点では、つまり時間変化の本質的なあり方（存在論的な水準）は、それを「どのようにみなすか」という認識論的な水準からは独立に、そうなのでなければならない。こうして「再々逆転」も生じる。

ゆえに、時間変化は、どんな顕在的な要因を追加して考えたところで、その加えた要因に対して、さらに潜在的な背景であり続ける（背景に退き続ける）。そのように働いてこそ、その変化は「特殊な変化としての時間の経過」になり得る。それが「何を付け加えても至れない」ということの実態であり、時間変化が特殊だということである。

「時間の経過」をこのような「潜在的な絶対変化」と考えるならば、「時間の経過」は「現実の現在の移動」とイコールでは結べないことになる。むしろ「時間の経過」は、「動く今」よりもさらに「極限的に豊かであると同時に極限的に貧しい」存在であり、それ自体はいっさい表象されずに（＝極限的に貧しく）、全てをその変化に巻き込んで働くことを止めない（＝極限的に豊か）。このように、時間の動性もまた、現実の現実性と同様に「無内包」で「遍在的」な在り方をしている。[14]

第1節の現実論と第2節の時間論は、平行関係にある。したがって、現実論で（1）有内包、（2）脱内包、（3）無内包という三つの水準を区別したのと同様のことが、時間論に関しても言える。

（1）（ものの移動のように）今が動く‥　有内包の水準
（2）（現実性の獲得／喪失により）この今が現実に動く‥　脱内包の水準
（3）（潜在的な絶対変化として）時間が推移（経過）する‥　無内包の水準

（1）は「ふつうの変化」へと変質した時間表象であり、第1節での「現実」に対して内包を与えてしまうことに対応する。つまり、前景化した（別の）変化を時間変化であるかのようにみなすことは、現実の現実性が特定の内容を持つかのようにみなすことに対応している。

（2）は、その「ふつうの変化」への変質を拒んで、「端的な現実性の獲得／喪失」として時間の動性を捉えようとする。しかしそれは、（時間の経過にまでは届かず）「現実の瞬間的な跳躍」に留まり、「時間の経過」をさらに背後へと退かせる。第1節では「中心化」が含まれていたことに対応して、第2節では「中心の生滅（の反復）」が含まれている。

それに対して、（3）の「時間の経過」は、（1）のように表象されることはなく、また（2）のように如何なる「中心（の反復）」も含まず、ただただ潜在的にそして遍在的に働くのみである。「時間はただ経つのみ」としか言いようがなく、そこにはどんな内容規定も量的な規定も、また区分や方向性もいっさい入り込めないのが、（3）の時間推移（経過）である。
（2）の「現実の瞬間的な飛躍」「中心の生滅（の反復）」と（3）の「時間推移（経過）」「潜在的な絶対変化」との違いは、第1章「円環モデルによる概観」に即して言うならば、「可能性の領域における無限」と「潜在性の場における無限」との水準差にも対応している（三六―三七頁参照）。言い換

（14）よくあるマクタガート解釈のように「A系列は時間の動性を含むが、B系列は静的である」とは考えずに、時間の動性は（概念的に抽象的にではあるが）むしろB系列に保存されていると永井は考える。これはとても重要な指摘である。たとえば、同書第11章の二〇三頁では「時間的動性は概念的にはむしろB系列に保存されており、A系列が保存しているのはむしろ現在の端的性（なぜか現に与えられているこれという性質）のほうである、ともいえる」と述べているし、同書第14章の二六七頁では「A系列の本質であると考えられている「現在（今）が動く」（出来事が未来・現在・過去とA変化する）という考えは、むしろ（通常はまさに動性の否定こそを本質とするとみなされている）B系列の本質なのではないか」と述べている。また、同書第15章のタイトルは、まさに「B系列こそが時間の動性の表現である」となっている。cf. McTaggart, J. E. "The Unreality of Time", *Mind vol. 17*, pp. 456–474, 1908.
それに倣って（その延長線上で）述べるならば、私が考える「時間の動性」は、B系列的な動性よりもさらに抽象度の高いものとなっている。それは、「二つの物差しのずれの運動」（相対運動）ではないことはもちろんのこと、B系列的な「方向性」さえ持つことができない。方向性を持てないのは、潜在的な絶対変化は「表象されえない」からであり、また（それでもなお寄生的に）表象される場合には、どちらの方向性（過去↓未来、過去↑未来）でも表象できなければならない背景変化だからである。両方向の表象が可能で、しかも相対運動でないならば、（われわれが考えるような）一定の方向性は持つことができない。

えれば、時間の非連続相には現実性と可能性が関与していて、時間の連続相には現実性と潜在性が関与している。[15]

また、（1）〜（3）のあいだの関係を、見方を変えて、次のように捉えることもできる。（1）（2）（3）は互いに独立同等に存在する三極なのではない。むしろ、（1）と（3）という正反対の両極があって、その両極どうしが互いに終わることのない転換（反転）を繰り返すことの結果として、いわば残像のようなものとして、（2）が現れてくる。比喩的に言えば、黒白二色のオセロの駒が、表裏の反転（回転）を高速で繰り返すことによって、第三色の灰色が見えてくることに似ている。[16] そのような意味において、〈私〉や〈今〉という現実性、そして今が現実に動くという動性は、一方の有内包の現実や時間表象（変化や移動）と、他方の無内包の現実や時間経過という両極端のあいだで、両極振幅の効果として生じる「影」のようなものであると言うこともできる。

同書の中では、文字盤と針（の移動や位置）と「今見る」の三者によって時間の動性が考察される場面があるが、[17] 上記の（1）〜（3）をその場面と関連させるならば、次のように言うこともできる。こんどは、（1）と（2）をペアとして捉える。そのペアの背景において、そのペアの作動からは退きつつ、（3）が働く。そのように、三者関係を見ることもできる。

文字盤と針の関係は（1）の水準に対応し、「今見る」が加味されることは（2）の水準が加わることに対応する。もちろん、「今見る」自体が「針」化されて表象されると、（2）は（1）へと転落することになる。また、転落せずに残り続ける（2）の水準こそが、「今見る」が持ち込もうとしている端的な現実性である。（1）と（2）は、反発しつつも連動して働いている。

では、（3）の水準はどのように働くのか。（3）は、（1）（2）の反発連動そのものから退きつつ、

（1）に対しても（2）に対しても無差別に「特殊な背景」を提供するように働く。「特殊な背景」であるのは、文字盤のようにはけっして「見えることがない（今見ることもない）」背景だからであり、しかも文字盤のようには固定されることなく、むしろ（針の移動の裏面に寄生して）潜在進行し続ける「動く」（しかなく静止が意味を持たない）背景だからである。その「見えない動く背景」は、（1）だけでなく、（2）の背後でも働いている。すなわち、「今見る（端的に見える）」ことにも、「それ以外は端的に見えない」ことにも、さらに「たとえ今見ていなくても」まで全部含めて、そのすべてを無差別に貫いて、ただ一つの時間が推移（経過）していることになる。それが（3）の水準である[18]。

「現在が動く」のさらに背後において潜在進行するのが「時間の経過」であり、「現実の現実性」と同様に「時間の動性」もまた、中心化されることなく遍在的に働いている。第1節では、「現実」の無差別な遍在性を表象するのが、「（無数の線が凝集してできた）ものすごく太い一本の横線（むしろ平面）」であった。それに準じて言うならば、「時間の経過」の表象は、その太い横線（むしろ平面）

（15）　さらに「時間の非連続相」には、未来の未来性（潜在から顕在へのギャップ）も関与してくる。これについても、第1章「円環モデルによる概観」を参照。
（16）　青山拓央の教示による比喩。彼自身の時間論については、青山拓央『時間と自由意志――自由は存在するか』（筑摩書房、二〇一六年）を参照。同書は、時間と様相、人称と自由等を考察するにあたって、示唆に富む必読書である。
（17）　同書、一九八―一九九頁、二六三―二六六頁、二七三頁、二八九―二九〇頁、三〇一頁など。
（18）　（3）の水準の「時間推移」については、本書第5章の「時間・様相・視点」の、特に「ベタな時間推移」の箇所も参照。

を満たしているインクが、いっさいの偏りなく（もちろん特異点もなく）流れ去っていて、線（面）の形も危うくする（不定形のインクの流動のほうが全面的で、局所で線や面という図形らしきものが一時的に出現している）というイメージに相当するだろう。[19] もちろん、これは表象不可能なものの表象にすぎないけれども。

第1節で扱った「現実の現実性」と第2節で扱った「時間の動性」は、共に無内包の遍在態として一体で働いている。「現に」という現実性は、もちろん時間の経過全体に及んでいる（現に時間は経っている）。しかし、一体であるにもかかわらず、現実の現実性は、そもそも動きとは無関係という意味で「静態」であるのに対して、時間の動性は、そもそも静止・停止とは無関係という意味で「動態」である。つまり、両者は静態と動態としては相互に矛盾的でもある。一体であり矛盾的でもあるという仕方で、現実の現実性と時間の動性は反発協働しているのである。これは、永井の同書が詳細に分析してみせてくれた「マクタガート的な矛盾」とは別物であろうが、[20] しかしこれもまた、一種のパルメニデス的世界像とヘラクレイトス的世界像との対立ではあるだろう。

(19)「極太の横線（現実一色）」（一四〇頁）というイメージや、ここの「黒インクの遍在的な流れ去り」というイメージによって、私は、マーク・ロスコ（Mark Rothko）の絵画を連想する。とりわけ、ミニマムな線や色彩による差異さえ失われていって、ほぼ黒一色で塗り込められていく、ロスコの晩年の絵を連想する。ロスコにとってはどうか分からないが、私にとっては、この「黒一色」は、「潜在無限色」（第1章の四五―四六頁・註13を参照）を表す。

(20) 同書二五八頁では「つまり、時間の場合には二種類の端的な現実性があるのだ。端的なこの現在と端的なこの動く現在の二種である。それぞれを、パルメニデス的世界像とヘラクレイトス的世界像と呼ぶこともできる」と述べられている。一方、私が述べたほうの両世界像とは、「現実の現実性」自体と「時間の動性（時間の経過）」自体とのあいだの一体性と矛盾のことである。

第5章
時間・様相・視点

1 三つのポイント

拙著『あるようにあり、なるようになる　運命論の運命』では、いわゆる「運命論」の主張から、三つのポイントを抽出した。そして、その三つのポイントそれぞれについて、変形や移動を加えていくことによって、いわゆる「運命論」の擁護でもなく論駁でもない「楕円的な運命論」を私は展開した。[1] すなわち、三つのポイントに関して、私は運命論の書き換えを試みた。その三つのポイントとは、次の三点であった。

(1)「あらかじめ」という時間に関わるポイント

(1)「楕円的な運命論」の意味に関しては、拙著『あるようにあり、なるようになる　運命論の運命』（講談社、二〇一五年）の（特に）第24章を参照。

（2）「必然と偶然」という様相に関わるポイント
（3）「定まっている」という現実に関わるポイント

1－1　定まり

順序は逆になるが、まず（3）から確認しよう。

いわゆる「運命論」の場合には、運命の「定まり」は「決定」として考えられている。現実は何らかの仕方で「決定」されていると「運命論」は考える。「決定」のされ方には種類の違いがあって、因果的に（原因・結果の関係によって）決定されていると考える「因果的決定論」もあれば、超越的な神による決定を考える「神学的決定論」もあれば、物語（ストーリー）によって決定されていると考える「物語的決定論」もある。この三者には共通点もあって、因果・神・物語（ストーリー）による決定はどれも、「何か（X）」が「他の何か（Y）」を決定するという二項関係性を共有している（X－Y形式）。

それに対して、「楕円的な」と私が称した「運命論」へ向かおうとする議論においては、現実に対して、そのような「決定」ではない「定まり」「固定」を考える。「何か（X）」が「他の何か（Y）」を決定するのではなく、「何であれ、そのXが現実であれば、ただそれだけで、そう定まっている」という単項性・単独性を特徴とする（Xのみの形式）。私は、「決定論」から「確定論」へと、運命論を読み換えようとしている。

そのような「（決定ではない）確定」を考えるための入り口として（あくまで「入り口」であるけれども）、排中律という論理が相応しい。というのも、排中律には次の特徴があるからである。

① 排中律（$P \vee \neg P$）には、二つ性（Pと¬P）は残ってはいても、それはXとYのような別個の二項ではない（ただ一つPがあるだけである）。

② 排中律（$P \vee \neg P$）には、「（肯定か否定か）そのどちらか一方である」が含まれているので、「（どちらか一方が現実であれば）その現実は、ただそれだけで、そう定まっている」と考えられる。

排中律（$P \vee \neg P$）を入り口にして、「決定」とは違う「確定」について考える。これが、「論理的運命論」を他のタイプの決定論（因果的決定論・神学的決定論・物語的決定論）から分かつポイントである。両者を分かつポイントは、（二項的な決定か単項的な確定か以外に）もう一つある。それは、全知性（認識性）の関与・無関与というポイントである。

決定論（因果的決定論・神学的決定論・物語的決定論）の場合には、全知者（スーパー認識主体）としてのデーモンや神や作者等が要請される。因果法則を知るデーモンや、宇宙を設計し創造する神や、物語を紡ぎ出す作者が、（理念的にではあれ）想定されるのがこれらの決定論である。他方、論理的運命論の場合には、そのような全知者（スーパー認識主体）は必要ない。必要ないどころか、そもそも「（確定的な現実を）知っている」ことをまったく含意しない。（どのように確定されているかを）知っていようといまいと、その知からは独立に、現実は「ただそれだけで、そう定まっている」のである。

このような（3）のポイントは、第1章「円環モデルによる概観」との関連で言うならば、円環モデルの始発点・第一歩が、「(何であれ)何かが起こった(起こっている)」であったことに対応している。現実自体の原初的な「定まり」とは、その始発点・第一歩のことである。現実の原初的な「定まり」の水準は、その現実の中で起こる諸出来事どうしの「決定‐被決定関係」の水準とは異なる。もちろん、論理的運命論が取り出そうとする「運命」は、前者の水準にある。

1‐2　あらかじめ

(1)の「あらかじめ」という時間に関わるポイントに移ろう。

(3)のポイント「現実自体の原初的な定まり」は、(第1章の一八頁でもふれたように)一般的には「過去の出来事の変更不可能性」として理解されることが多い。しかし正確には、「(何であれ)何かが起こった(起こっている)」は、時制的な意味での「過去の出来事」というよりは、むしろアスペクト的な意味での「完了相・進行相の出来事」である。「(何であれ)何かが起こった(起こっている)」は、現在(完了形・進行形)である。ということは、(3)の「定まり」「確定」というポイントは、過去に限定されるものではなくて、(完了したあるいは進行中の)すべての出来事について言えることである。

それに対して、時制的な意味での「過去・現在・未来」を強調しようとするならば、(1)の「あらかじめ」という時間に関わるポイントが浮上する。それは、「時間が経つ(時間推移・時間経過)」という時間に不可欠な要因が入り込んで来るということでもある。

過去・現在・未来という区分は、時間推移(経過)の内に巻き込まれることによって初めて時間の区分になりうるが、時間推移(経過)の内に巻き込まれるということは、その区分が(時間的に)相互移行的で相対的な区別であることを意味する。すなわち、「未来もやがて現在になり過去になる」「過去もかつては未来であり、現在だった」。言い換えれば、未来や現在を、過去のように見なすことのできる視点を手にするということと、過去・現在・未来という時制区分が成立するということとは、切り離すことができない。

「あらかじめ」という表現には、時制区分のこの成立機序が含まれている。「あらかじめ」とは、未来もやがて現在になり過去になること、そして、その未来を現在の時点でも過去として捉えることができること、これらをすべて一語に凝縮した表現である。

そこで、「あらかじめ」という捉え方が可能である限り、「未来」もまた「過去」と根本的に異質ではありえない（基本的に一様であらねばならない）。「未来」もまた「過去」と同質のものとして見ること（「未来」をあらかじめ「過去」として見ること）ができなければならない。ということは、過ぎ去った出来事が、確定していて変更不可能であるとすれば、未来の出来事もまた、いずれそうなるし、いずれそうなるということを「あらかじめ」いま、そうだと捉えることができなければならない。いわば、「過去の出来事の変更不可能性」は、時間推移（経過）＋時制区分（時制的な視点移動）を通して伝染して、その変更不可能性は汎時間化する。[2] これが、（1）の「あらかじめ」という時間に関

（2）「未来はまだ起こっていないのだから、過去については確定性が言えたとしても、未来についてはそうは言えない」と反論したくなる人もいるだろう。しかし、ことはそう単純ではない。つまり、未来を、過去と異なるものとして特別視した場合には、それはそれで別の問題が生じる。「未来は根本的に異質である」という捉え方の場合にはどうなるか、すなわち、未来に対して「時間推移（経過）＋時制区分（時制的な視点移動）」を認めない場合にはどうなるかについては、後述する。「2-2 無でさえない未来」を参照。

わるポイントである。

1―3　必然と偶然

もう一つのポイントが、(2)「必然と偶然」という様相に関わるポイントである。最大限に大雑把に言えば、運命とは必然と偶然の交錯である。偶然のように思えた出来事が、必然性(や重大な意味)を帯びて立ち現れてくるときに、私たちは「運命」という言葉を使いたくなる。だからこそ、その交錯の仕方をどのように考えるか、偶然や必然をどのようなものと見なすかに応じて、「運命」についての考え方も分かれてくることになる。

その例を三つだけ挙げておこう。たとえば、偶然のように思えたのは「無知」のせいであった。実は、その出来事には隠れた(未知の)原因があって、そこには原因と結果の強い結びつき(因果的な必然性)があることが、あとで判明する。そのような「偶然の見かけをした必然」のことを、ひとは「運命」と呼ぶことがある。

あるいはまた、偶然性は、そのように真相を知ることによって解消できるような「柔なもの」ではないのかもしれない。私たちがどんなに賢くなって、この世界を統べている法則を知ることができたとしても、そもそも、なぜそういう世界が(無いのではなくて)存在するのか、なぜ別の法則が統べていないのかは、説明のつかない謎(偶然)のまま残ってしまう。たまたま在るし、たまたまこの法則だという偶然性は、「知」によっては解消することができない。偶然性は、知よりも根源的なものである。そして、そのような偶然の中へと投げ込まれていること自体が、のっぴきならない意味や相貌(たとえば神の試練)を持つようになると、その偶然自体が必然性(重大な意味)を帯びることになり、「運命」と呼びたくなるかもしれない。
あるいはまた、最初はまったく無関係に見えていた複数の出来事どうしが、或る解釈（ストーリー）のもとで眺められることで、出来事間の深い繋がりが顕わになり、そこに重大な意味や発見がもたらされることがある。そのような人生の出来事（物語）に対して、「運命」という言葉を使いたくなるかもしれない。これらの三つの例は、それぞれ因果・神・物語に対応するような「運命」観である。

では、論理的運命論（から楕円的な運命論への移行）の場合には、必然と偶然の交錯はどのようなものになるのだろうか。

排中律（P∨¬P）の中に現実が埋め込まれることによって、論理的運命論が始まる。すなわち、「Pが現実であるか、¬Pが現実であるかのどちらかである」が、論理的運命論の出発点である。ということは、二つの可能的な現実が用意されて、その片方が実際の現実（Pが実際の現実）であるとしても、そうでないこと（¬P）も可能である。したがって、Pという現実は、「そうでないことが可能である」という偶然性を帯びる。

そのようにPという現実が偶然性を帯びるのは、「論理」のほうを「現実」よりも「上まわらせて（優先させて）」いるからである。「二つの可能的な現実が用意される」ということは、排中律という論理が、自らの選言肢の内へと、現実を閉じ込めることに成功しているということである。しかし、現実とはそのように「飼い慣らせる」ものだろうか？　野生の現実は、論理を上まわる（に優先する）のではないか？　つまり、重要なのは、そのように「飼い慣らされた」可能的な現実ではなくて、実際の現実――現に何かが起こった（起こっている）という初発の現実――ではないのか？

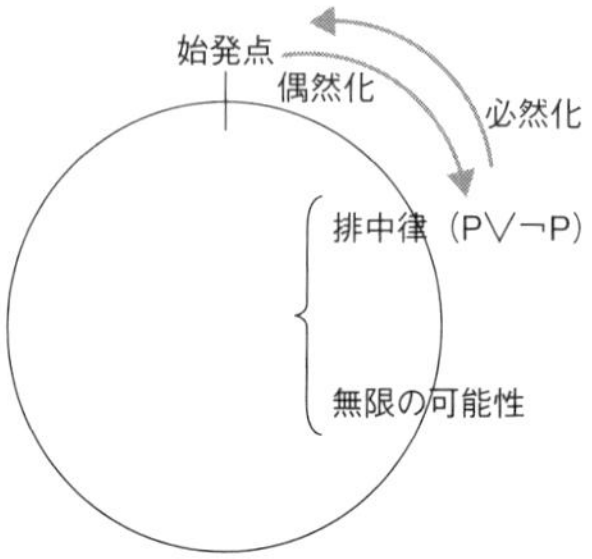

そのような疑問と共に、事態の見え方は変わる。現実は（偶然性ではなくて）必然性を帯びてくる。実際の現実——現に何かが起こった（起こっている）という初発の現実は、（第1章の円環モデルで位置づけたように）始発点・第一歩であって、その肯定に対しては、否定は遅れざるを得ない。要するに、初発の現実には、否定が追いつかない。

もちろん、排中律（P∨¬P）もまた否定を含んでいるので、その初発の現実（実際のPの実現・生起）には追いつかない。初発の現実は、排中律の中に飼い慣らされることなく、排中律を上まわる（に優先する）のである。そのように、初発の現実は「否定」発生以前の「肯定」として位置づけられるので、Pが初発の現実であるということは、そうでないことが可能ではない、ということに等しい。そして、「そうでないことが可能ではない」とは、「そう（P）であることが必然である」ということである。こうして、Pという現実が必然性を帯びる。

運命論の「論証」の最後では、次のように述べられていたことを思い出しておこう。「（……）したがって、起こっても起こらなくてもいずれにしても、それぞれが必然的にそうなのである。ゆえに、どんな出来事であっても必然的にそうなのである」。つまり、Pという現実、あるいは¬Pという現実に対して、「取り消し（否定）」ができないという意味での必然性を、論理的運命論はこの結論部で主張している。(3)

こうして、排中律（可能性）の内に飼い慣らされて偶然性を帯びていた「現実」は、その野生を回復することによって必然化する。それは、第1章の円環モデルで言えば、右半円側から、円環の始発点へと向けて遡るように「現実」を見ていることに相当する（偶然から必然へ）。だからこそ、円環の始発点から右半円側へと（時計回りに）もう一度辿るならば、その必然性を帯びた「現実」は再び偶然化する（必然から偶然へ）。前頁の図を参照。

この「偶然から必然へ」や「必然から偶然へ」が、物語（ストーリー）の場面で起こる「偶然の出来事の必然化」とは、極めて異なるものであることは明らかであろう。物語の場合には、ストーリーによって紡がれる「意味」が、偶然のように見えた出来事に必然性を提供する。しかし、論理と現実の場合には、意味内容にも特定の出来事にもまったく無関係に、偶然⇅必然の転化が生じる。「意味」「ストーリー」ではなくて、現実と論理（可能性）の優位性争い——囲い込みと逸脱——が、その転化を駆動している。

偶然⇅必然の転化は、同一水準の「時計回り」⇅「反時計回り」のところで繰り返されるだけではない。もう少し事情は複雑である。一つには、偶然化に抗する仕方で必然化した「初発の現実」自体が、さらに深い水準では偶然性に晒される（偶然性の深度が深まる）。いわば、必然化した「初発の現実」もまた、始発点よりも左側から見るならば、その必然自体が偶然的である。すなわち、「何かが起こった（起こっている）」という初発の現実は、始発点より左側（左半円）に位置する潜在的な場のほうから見るならば、「謎《ギャップ》」＝根源的な偶然性を帯びることになる。この「根源的な偶然性」は、複数可能性の中の一つであることに由来する「偶然性」とは、深度を異にしている。「複数の中

（3） もちろん、この「論証」が述べる「現実の必然性」と、前段落で私が述べた「初発の現実の必然性」のあいだには、すでにして「ズレ」「隙間」がある。論理の内と外との「ズレ」と言ってもよい。その「ズレ」「隙間」こそが、以下で述べる転化——偶然⇅必然——のための「蝶番」として働いていると捉えることもできる。

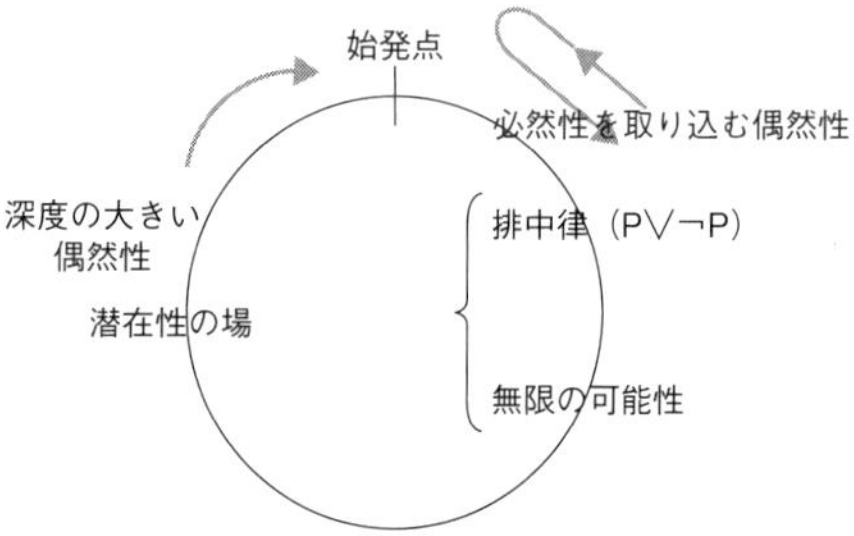

の一つ」という選択的な偶然性ではなく、「初めての一つ」という初発的な偶然性である。この深度の大きい偶然性は、先述した（神学的決定論に対応する形で述べた）「知」によっては解消できない偶然性に近い。

もう一つには、（必然性から偶然性へと単純に戻るのではなくて）必然性を取り込んで温存した上で、高次の偶然性を考えるという方向もある。可能的な現実が（肯定と否定で）二つ想定されることは、現実を偶然の相の下で見ることであった。しかし、（可能的な現実ではなくて）実際の初発の現実を考えることは、現実を必然の相の下へと呼び戻した。ここでさらに、その必然の相の下にある現実――実際の初発の現実――自体を、もう一度排中律の中に埋め込み直してみる。そうすると、「実際の初発の現実がPである」か、または「実際の初発の現実が¬Pである」かのどちらかである、となる。こうして、「可能的な現実」が二つ想定された段階から、「実際の初発である現実」が可能的に二つ想定される段階へと変わる。可能性（偶然性）の水準が、「実際の初発」をも囲い込んで、一段上がっていることになる。これは、「必然性を折り畳んで囲い込んだ偶然性」である。右上図を参照。

このような必然と偶然の間の往復は、「はじめに」で述べた子どもと大人の間でのやり取り（視点の交代）の延長線上にある。「離別と死別」は「会わない」という現実が起こっているだけだという点で、同じようなものだと考える「子どもの視点」は、実際の現実が全てであり、その現実を必然の相の下で見ようとする側（現実の必然性）へと繋がっている。一方、離別と死別の決定的な差を「会う」可能性のある・なしに見ようとする「大人の視点」は、現実を可能性の一つとして位置づけて、現実を偶然の相の下で見ようとする側（現実の偶然性）へと繋がっている。そして、偶然⇅必然という転化は、大人の視点から子どもの視点に転化すること、子どもの視点から大人の視点に転化することに対応している。

たしかに、運命は必然と偶然の交錯であり、その交錯の仕方は多様である。因果・神・物語を通して、必然と偶然が撚り合わされて「運命」概念を構成することもあれば、論理の内に現実が介入することによって、必然と偶然が反転したり、重層化したりして、それが「運命」概念を構成することもある。前者三つは、因果的決定論・神学的決定論・物語的決定論に対応し、後者が論理的運命論（の書き換えの途上）に対応する。

ここで、もう少しだけ議論を先へと進めておこう。その「先」とは、論理・様相の内に介入してくる現実を、それ自体として（「現に」という力として）捉えておくことである。第1章の円環モデルで言えば、「始発点→可能性→潜在性→……」という円環内を巡るほうの現実ではなくて、その巡りを駆動する「垂直に働く力」としての現実性が、議論のもう少しだけ「先」に相当する。

現実を、論理・様相から解放して、それ自体として働く力として捉えるということは、「現に」という力には、肯定／否定という分割（最小論理）も、諸可能性という複数性（様相の土台となるネットワーク）もいっさい無効になるということである。「現に」という現実性は、肯定／否定という枠からはみ出して働くし、諸可能性のネットワークとも無関係に働く。

逆に言えば、肯定／否定という枠の外の力――「現に」――が、その枠の内へと入り込んで来るときの「侵入口」が、円環モデルの始発点――何かが起こった（起こっている）――である。また、諸

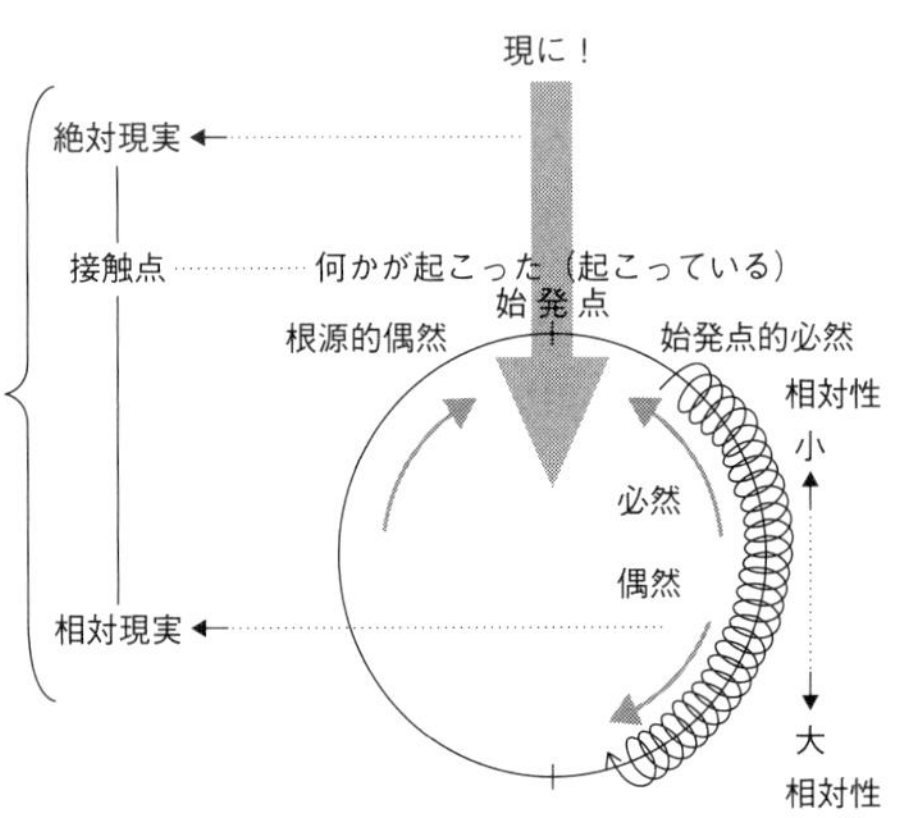

可能性のネットワークとは無関係に働く力――「現に」――が、そのネットワークへと取り込まれるときに生じる「秩序の乱れ」として、始発点が必然でも偶然でもあるという事態（様相の乱れ）を見ることができる。

まとめておくと、上図のようになる。

「垂直に働く力」としての現実性――「現に」――は、（肯定／否定という分割以前の）絶対肯定として働き、（様相のネットワークとは無縁の）無様相である。そのような「現実」のあり方を、「絶対現実」と呼んでおくことができる。[4] 他方、円環モデルの右半円の巡りの中に巻き込まれている「現実」のあり方を、「相対現実」と呼んでおくことができる。「相対現実」の相対性の度合いは、右半円を下側へ向かって進むほど大きくなる。相対性の度合いは、肯定／否定の働き方や、諸可能性の豊かさや、現実の内に充塡される内容しだいであり、小さくもなれば大きくもなる。

その両者に挟まれて、円環モデルの「始発点」――何かが起こった（起こっている）――は、「絶対現実」と「相対現実」の接触点である。その接触点は、「絶対現実の原‐相対化である」と言うこともできるし、「相対的に絶対的な現実である」と言うこともできる。その接触点では、肯定が否定に対して絶対的に優先するという「非対称性」が顕れるし、必然でも偶然でもあるし、（否定が）可能でも不可能でもある。そのような様相の「乱れ」が生じる。それらはすべて、「絶対現実」「現にという力」の働きの効果である。

2　ベタな時間推移か、無でさえない未来か

註2で「未来に対して「時間推移（経過）＋時制区分（時制的な視点移動）」を認めない場合にはどうなるかについては、後述する」と書いた。これから、その「未来を特別視する」場合、「あらかじめ」という捉え方を容認しない場合の考察に進もう。

「時間推移（経過）＋時制区分（時制的な視点移動）」を認めることからは、「あらかじめ」という捉え方が導き出された。「あらかじめ」という捉え方をいったん容認すると、未来のこともまた、いずれ過去のことになるし、いずれそうなることを「あらかじめ」いま、そうだと捉えることができなければならない。そうして、過去の変更不可能性は未来へも伝染するし、伝染しなければならない。過去と未来は、いわば地続き（時続き）なのであり、過去について運命論が成り立つならば、未来についてもそうでなければならない。では、「あらかじめ」という捉え方を容認しなければ、（少なくとも）未来については、運命論を受け入れなくともよくなるのだろうか？　この疑問について考察しよう。

（4）「絶対現実」は、第2章「現実性と潜在性」との関連で言うならば、（1）あるいは（0）の水準の現実である。すなわち、一番外側で透明に働き、様相とは無関係に働く水準が「絶対現実」である。

A　「あらかじめ」を容認　↓　運命論に繋がる
B　「あらかじめ」を拒否　↓　運命論に繋がらずに済むか？
↓（1）ベタな時間推移　↓　「あらかじめ」を拒否しても運命論に繋がる
↓（2）無でさえない未来　↓　「あらかじめ」を拒否しても運命論に繋がる

考察は、このように「AかBか」「Bならば、（1）か（2）か」という仕方で進む。ここまでは、Aを選んで進んでいたことになるので、ここから先はBを選んで進んでみる。そして、そのBの道（「あらかじめ」を拒否する方向）が、さらに二つに分かれることになる。そして、「あらかじめ」という捉え方をどちらのやり方で拒否しても――（1）でも（2）でも――、それはそれで（別の仕方で）、運命論へと繋がることになる。

Bの（1）は、「あらかじめ」という捉え方を支えている「時制的な視点移動」を、時間推移のベタ性（一様性）によって無効にするという選択肢である。それは、時間推移を時制区分（過去・現在・未来）を台無しにする力として捉える方向であり、その無差別的な流れの力によって、区分そのものの有効性を奪う選択肢である。その結果、「あらかじめ」という捉え方ができなくなる。

Bの（2）はむしろ、（1）とは逆に、時制区分（その中の未来）の特別さ・独自性を強調することによって、「あらかじめ」という先取り的な視点が及びようがないポジションへと、未来の「地位」を高める選択肢である。未来は、過去・現在とはあまりにも違う特別なあり方なので、時制的な視点移動による「先取り」など不可能である。その不可能性にこそ、未来の未来らしさがあると考える選択肢である。その結果、特別視された未来（無でさえない未来）には、「あらかじめ」という捉え方ができなくなる。

通常は、「時間推移（経過）」と「時制区分（時制的な視点移動）」という二つの時間要因は、うまく嚙み合って（互いに手を携えて）働いていると考えられている。そうであるからこそ、「あらかじめ」という捉え方ができるのであり、それが「運命論」という考え方を引き連れてくるのであった。

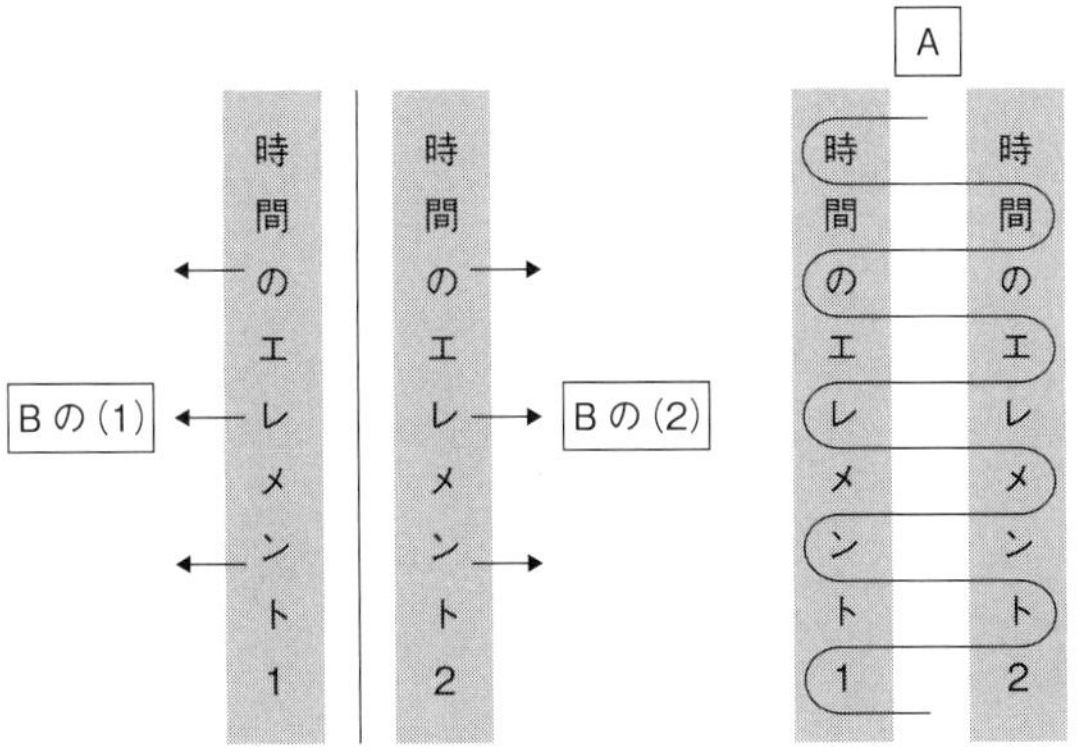

いわば、「常識（通常の考え方）」こそが、「運命論」を招くのである。それがAの方向である。そこで、「常識（通常の考え方）」に反する方向へ進んでみようというのが、Bの（1）の「ベタな時間推移」と（2）の「無でさえない未来」である。常識に反して、時間の二要因は「嚙み合わず」「互いに手を離し」、むしろ相容れなくなる対極にまで進めてみる。そうすることで、「あらかじめ」という捉え方をできなくする。
さて、そうすることによって（＝反常識的な方向に進むことによって）、「運命論」を招き寄せずに済むだろうか？　いや、そうはならないのである。反常識的な方向もまた、別の仕方で「運命論」を招き寄せてしまう。それが私の見立てである。

2-1　ベタな時間推移

通常は、当たり前のように一体化して働いている時間の二要因（時間推移と時制区分）であるが、両者の関係を改めて考え直してみよう。まず、「過去・現在・未来」という時制区分には、「なる」という時間推移が必要不可欠であるが、逆に「なる」という時間推移には、必ずしも「過去・現在・未来」という時制区分は必要不可欠ではない、という点を確認しよう。さらに、その優先度において勝る要因――「なる」という時間推移――が、いかに特殊な動性であるかを確認しよう。

「過去・現在・未来」という区分が、時間に関する三区分であるためには、単に三分割されているだけでは不十分である。「赤・青・黄」や「x・y・z」と比べれば明らかなように、単に三区分が成されるだけでは、時間に関する三区分にはならない。さらに加わらなくてはならないのが、「時間的に動的な関係」である。すなわち、「未来もやがて現在になり過去になる」「過去から現在になって、現在から未来になる」と言えるような動的な推移を表す「なる」が、三区分のあいだには成り立っていなければならない。この「なる」という動性が加わることによって初めて、「過去・現在・未来」という三区分は、他ならぬ時制の三区分になる。

この時間推移の「なる」という動性は、極めて特殊な「変化」である。「水が水蒸気になる」のような状態変化の「なる」とも違うし、「船の位置（緯度・経度）が、XからYになる」のような位置変化（運動）とも違う。状態変化にしろ位置変化にしろ、およそ（時間推移以外の）他の変化は、「XからYへの変化」であって、二項（複数項）関係である。しかし、時間推移の「なる」だけは、そうではない。通常は、時間推移に伴って、何らかの状態変化や位置変化（XからYへ）が随伴するが、その付随は時間推移にとって本質的なものではない。状態変化や位置変化が生じるか否かは、時間が推移することにとっては関係がない。状態変化や位置変化（XからYへ）が生じることなく、たとえXのままであり続けたとしても、Xのままで時間だけは推移（経過）する。「そのままであり続ける」ことが時間の推移なのだから、当然である。状態変化や位置変化には時間推移の「なる」が必要不可欠であるが、時間推移の「なる」は他の変化（XからYへの変化）なしでも成立する。[5]「未来もやがて現在になり過去になる」「過去から現在になって、現在から未来になる」という言い方においては、時間推移の「なる」が、「過去・現在・未来」という三区分どうしの「あいだ」を繋ぐかのように働いている。しかし、「なる」の働きはそれだけではない。というのも、（三区分どうしの「あいだ」ではなくて）三区分それぞれの内部においても、時間推移の「なる」は働いていなければならないからである。いかなる過去の時点でも、いかなる現在の時点でも、いかなる未来の時点でも、どんな時点であれ時間は同じように推移（経過）する。「未来もやがて現在になり過去になる」「過去から現在になって、現在から未来になる」だけではなく、「過去・現在・未来の各時制の内部においても、まったく一様になりゆく（時が流れる）」。

　三区分どうしを跨いで時間推移の「なる」は一様に働くし、各区分の内部でも時間推移の「なる」は一様に働く。ということは、時間推移の「なる」は、ただひたすら遍く（無境界的に）働くのであって、時制の区分は、その推移の上に便宜的に書き込まれるにすぎず、本質的なものではない。要するに、時間推移の「なる」自体は、時制を持たないし、時制の境界（過去・現在・未来）を超えて遍在的に・汎通的に働く。

（5）他の変化の「なる」が二項関係的であるのに対して、時間推移の「なる」だけは非二項関係的である（他の変化なしに時間だけが経つ）という点は、因果・神・物語の「決定」が二項関係的であるのに対して、論理＋現実の「確定」が単項的・単独的である（ただそれだけでそう定まっている）という点と似ている。「時間推移」と「論理＋現実」は、共に非関係性を特徴としている。

以上のように考えると、時間という観点からは、時制区分よりも時間推移の「なる」のほうが、より基礎的であるということになる。「時制区分」は「時間推移」に付随するものであり、前者は後者に依存せざるを得ないが、逆はそうではないからである。時制区分が言語的な装置であるのに対して、時間推移（なる）は、その言語的な制御を逸脱し越境する時間の実質である。時間推移（なる）は、（前景化することなく）背景的にのみ働く時間の本体である。

時間推移の「なる」は時間に特有の動性に他ならないが、その「動き」は、その動きを担うような何か（主体）を持たない。状態変化や位置変化などの場合には、「XからYへの変化」を担う主体が何かある。「水が液体から気体になる」の場合には、状態の違い（液体と気体）を貫く物質（水 H_2O）の同一性がその主体であるし、「船の位置（緯度・経度）がXからYになる」の場合には、緯度・経度の違いを貫く同一物としての船がその主体である。しかし、時間推移の「なる」には、その変化を貫くような主体があるわけではない。

一見、出来事が時間推移（変化）の主体ではないか、と思われるかもしれない。出来事Eが「まだ未来だったのに、すでに現在のことになり、やがて過去のことになる」というように、特定の出来事Eが、時間推移の「なる」を貫く主体ではないのだろうか？

しかし、そうではない。出来事Eは、時制区分（過去・現在・未来）を貫く主体にはなり得ても、時間推移の「なる」自体の主体にはなり得ない。より正確に言えば、出来事Eは、時制区分を貫く主体になり得る限りにおいて、その時制区分を持つ限りでの時間推移の主体になり得るだけである。その時制区分を必要としない時間推移の「なる」自体は、けっして前景化しない絶対的な背景であることによって、それ自体は主体を持ちようがない（主体はあくまでも背景の中で図として浮かび上がるのみだから)。時間推移が特殊な変化であるのは、「何か」が変わる・動くという変化ではなくて、ただ只管《ひたすら》「なる」のみの背景変化だからである。(6)

時間推移の「なる」は、主体を持たないだけでなく、いかなる測定可能な量を持つこともできない。たとえば、時間推移の「なる」は、いかなる速度も持ち得ない。速度という概念は、時間推移の「なる」を前提(背景)にして初めて成立する概念なので、その前提(背景)自体に当の概念を当てはめることはできない。時間推移の「なる」は、速度も方向も持たない(持つことに意味がない)。そのような特殊な動き・変化であって、ただ只管「なる」のみなので、時間推移の「なる」は「原-運動」と呼ぶのが相応しい。

「時制区分」や「測定」等から切り離された「絶対的に一様な時間推移」を、「ベタな時間推移」と呼んでおこう(「ベタ」は、マーク・ロスコ的な「黒一色」を連想させる。註6参照)。その「ベタ」性は、通常の(断絶・切断と対比される意味での)「連続」とは違う。「連続」以上の「連続」でなければならない。つまり、差異・区別を前提にしたうえで繋がりや関係があるという意味での「連続」ではない。そもそも差異・区別が意味をなさないような「一様さ」が、時間推移の「連続」である。この「連続以上の連続」である「一様さ」のことを、「ベタ」と呼んでおこう。

「ベタ」性は、「あらかじめ」という捉え方を無効にしてしまう。「あらかじめ」という「先取り」は、未来もやがて現在になり過去になること、そして、その未来をも現在の時点で過去として捉えること

(6) 第4章「現実の現実性と時間の動性」で述べたように、「現在」「今」もまた時間推移の「なる」の主体ではない。すなわち、時間の経過は「今」が動くこととして捉えることはできない。第4章註19で述べたマーク・ロスコ的な「黒一色」は、このような主体の塗り潰し(主体のなさ)を表してもいる。

ができること、これらによって成り立っている。だから、過去・現在・未来の「連続」と「切断」の組み合わせ（相互依存）を、「あらかじめ」という先取りは利用せざるを得ない。しかし、「ベタ」性は、その「連続」と「切断」という枠組み自体を流し去る「超‐連続」なのである。また、ベタな時間推移は、只管過ぎ行くのみであるため、時制的な視点移動のような（こちら側からの）「操作」「制御」等がいっさい効かない。こうして、ベタな時間推移においては、「あらかじめ」が成立できなくなる。にもかかわらず、ベタな時間推移において、運命論的な「定まり」は強化される。一体、どういうことだろうか？

　時間推移の「なる」の「ベタ」性に焦点を合わせるならば、「運命」とは、「特定の内容の出来事があらかじめ決まっていて確定していること」ではなくなる。そもそも「ベタ」には特定の内容がない（差異が潰れてしまうのが「ベタ」である）。ベタな時間推移に伴う「運命」とは、「内容の確定」よりもっとずっと強力な「そうであるしかない」である。どんな内容の出来事であるかに関わりなく、またその内容が「あらかじめ」定まっているか否かにも関わりなく、ベタな時間推移は、唯々《ただただ》「そうであるしかない」という仕方で経過する。「一様であることの必然性」と言ってもいい。「運命」とはその特殊な必然性の別名なのである。拙著のタイトルとしても使用した「なるようになる」という表現（の意味合いの一つ）は、その「一様であることの必然性」を表そうとしたものである。そのように解釈することができる。

　こうして、「あらかじめ」という時制的な視点が、時間推移の「なる」によって無効になることは、（運命論の却下へと繋がるのではなくて逆に）運命論の強化へと繋がっている。これが、Bの（1）である「ベタな時間推移」という選択肢を選んだ場合の帰結である。

2－2　無でさえない未来

次に、Bの（2）である。「無でさえない未来」という選択肢を選んだ場合にどうなるかを、検討しよう。ひとことで言えば、「無でさえない未来」という選択肢を選んだ場合には、「ケセラセラの運命論」が待っている。

ここまで、時間の二要因（時間推移と時制区分）を組み合わせるやり方によっても、一方の要因である時間推移だけを極端化するやり方によっても、運命論的な「定まり」を回避することはできなかった。もう一つ残っているやり方が、もう一方の要因である時制区分だけを極端化するやり方である。時制区分（過去・現在・未来）を極端化するというのは、三区分の切断・分離だけを強調して、三区分相互の関係性（移行や視点移動）を無化する方向性のことである。

ここでは、「未来」という時制区分だけを徹底的に特別視して、その切断・分離を極端化してみよう。「未来」を特別視して切断・分離するやり方（少なくともその一つ）は、時制的な視点移動であれ、ベタな時間推移であれ、いっさいが及ばないものとして「未来」を位置づけることである。「あらかじめ」という視点によってけっして捉えることができないものこそが「未来」であり、一様に全てを覆うベタな時間推移からも逃れるものこそが「未来」である。

ただし誤解のないようにしよう。この「捉えられなさ」「逃れ」は、次のようなものではない。過去・現在は「すでにある」けれども、未来は「まだない」ので、確実には知りえないし、時間の流れもそこまではまだ及んでいない。これも、ある程度の切断・分離にはなっているが、いまここでの考察のためには、「(その切断・分離の程度が）弱すぎて」役に立たない。というのも、「すでにある／

まだない」という程度の差異では、時間推移によって架け橋されてしまうからである。「まだない」ということは、「やがて「ある」ようになる」ことを含んでいるし、「時間の流れもまだ及んでいない」ということは、「やがて及ぶ」ことを含んでいる。こうして時間推移の「なる」が背後で働いてしまうので、（切断・分離を越えて）繋がってしまわざるを得ない。ゆえに、そのやり方では、「未来」の切断・分離は不十分なものに留まり、極端化しえない。

「未来」を徹底的に特別視したいならば、「すでにある／まだない」「まだ及ばない／やがて及ぶ」という枠組みで「未来のなさ」を捉えてはならない。けっして「ある」ようにはならない「なさ」、時間の流れが及ぶことなど（「まだ」ではなくて）けっしてないような「なさ」こそが、徹底的に特別視された「未来のなさ」として相応しい。その「なさ」は、時間推移の「なる」の中では、すなわち「まだ」「やがて」を通じては、決して受け継がれない「なさ」であり、そこから決定的に失われ続ける「なさ」である。この水準での「なさ」こそが、未来の未来性である。

未来の「なさ」は、そのような特殊な「なさ」なので、「まだ（ない）」や「やがて（あるようになる）」が適用できないだけでなく、予想や期待や計画などの「現在から未来へ向かう志向性」がいっさい及ばないのでなくてはならない。そのような志向性を向けることのできる対象は、「実際には存在していないとしても、存在しうる」という可能性の相の下に置かれた対象である。その「可能性の相」は、予想や期待や計画等が概念的に要請する「相」である。しかし、未来の特殊な「なさ」は、そのような「存在へと転化しうる無」ではなく、「存在へと転化し得ない無」である。ということは、未来の「なさ」は、「不可能性の相」の下に置かれている。特別視される未来は、そのような不可能性の相の下にあるのでなければならない。可能性の相の下に置かれた「無」ではないという点を重視して、特別視される未来を、「無でさえない未来」と呼んでおこう。

　このように「未来」を特別視してもよいとすれば、たしかに現在と未来との切断・分離は、相対的（暫定的）なものではなくなって、絶対的なものとなる。その切断・分離は、「ある／ない」の切断・分離（という関係性）ではなくて、「ある／ない」の対（関係性）に対する無関係性――ない以上にないこと――である。現在と未来のあいだに、その絶対的な無関係性を見出すことが、Bの（2）の選択肢へと進むことである。このように「未来」を特別視すれば、今度こそ運命論に陥らずに済むのだろうか？　いや、そうはならないのである。なぜだろうか？

「無でさえない未来」は、或る別の仕方で運命論的に働くことになる。もちろん、その「運命論的」という意味は「あらかじめ特定の出来事が起こることが確定している」という意味での運命ではない。むしろ「逆」である。「あらかじめの確定」とは真逆の「いま何をするかによって、これから先の未来を変えることができる」「いまの選択が未来を創り上げていく」という発想（反運命論的で常識的な発想）が、「無でさえない未来」によって完璧に無効になってしまう。「無でさえない未来」は、未来への反運命論的な（常識的な）関与を台無しにするという仕方で、アンチ・アンチ・運命論的に（ということは運命論的に）働く。

　こうして、「無でさえない未来」は、「ケセラセラの運命論」へと繋がっていく。スペイン語由来の「ケセラセラ」は、「なるようになるさ」と訳すことができるが、現在と未来との無関係性に対して、軽快な解放感を感じさせる表現になっている。「ケセラセラの運命論」は、たとえば「（空襲に対して）今どんな予防策を取ろうとも（あるいは取らなくとも）、これから先、死ぬ時は死ぬし、死なない時には死なない」と考えることになり、「現在と未来のあいだに繋がりはなく、今現在の時点で未

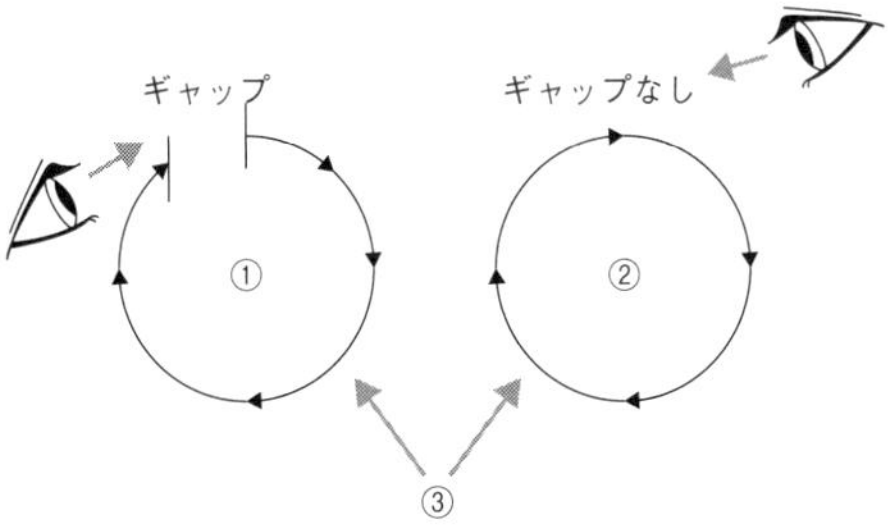

来のことを思い煩っても仕方がない」という態度を取る。[7] これもまた、運命論の一つの姿なのである。

「なるようになる」という表現は、「一様であることの必然性」を表すと解釈することもできたが（一七二頁参照）、むしろ真逆の「（現在から未来への）絶対的な無関係性」をそのまま受け入れ、受け流す態度を表すと解釈することもできる。「なるようになる」とは、その正反対にも思える両者を一挙に表す表現である（と私は考えている）。どちらにしても（一様さであれ、無関係性であれ）、「（現在から影響を及ぼすことで）未来を変える」という反運命論的な（常識的な）発想は失効する。そういう徹底的に無関与な仕方で、「時は流れる」のであり「未来は無でさえない」のである。

この矛盾する二要因（一様性と無関係性）は、時間にとって決定的に重要である。その矛盾的な同居は、第1章の円環モデルの上でも現れていたことを、確認しておこう（右に五〇頁の図を再掲しておく）。①のように謎として残る「ギャップ」「断絶」が、未来の「なさ（無関係性）」に相当するし、②のようにベタに繋がっていることが、時間推移の「一様性」に相当する。そして、③（①と②が重なっていること）が、「未来」が持たざるを得ない二重性――一様性と無関係性の矛盾的な同居――に相当する。この図に即して、「切れ目の入ったリングが高速回転しているために、完全なリングに見えているかのようである」と私は比喩的に述べた。あるいは、①②③をまとめて表現して、「未来の未来性とは、けっして届かないものが、必ず到来するという矛盾が、棚上げされ続けることである」とも述べた。この言い方は、「なるようになる」の一種の言い換えでもある。

さらに、その「未来の未来性」が「現在（今）の現在性」と紙一重であることも、円環モデルの「始発点」のところで確認しておこう。円環モデルの始発点とは、「（何であれ）何かが起こった（起こっている）」という初発の現実――実現・生起――のことであった。その始発点は、時制的には「現在」（アスペクト的には完了や進行）である。始発点は「現在完了形」および「現在進行形」の形をしている。この「（何であれ）何かが起こった（起こっている）」という現在にも、二重性――一回性と反復――がある。その二重性は、未来の二重性――無関係性と一様性――と表裏の関係にある。(8) 対応関係はこうである。

未来の「なさ」（無関係性）――現在の「一回性」（忽然性）
未来の「到来」（一様性・関係性）――現在の「反復性」（常態性）

「（何であれ）何かが起こった（起こっている）」という現在は、円環の（アナログ時計で言えば）一二時のポジションに位置づけられた。しかしその始発点は、一二時以前の側からは、ギャップがあっ

（7）前掲拙著『あるようにあり、なるようになる　運命論の運命』の第22章「「ロンドン空襲」の議論」を参照。
（8）「現在」の二重性は、「一回性（忽然性）自体が反復する（常態化する）」という矛盾的な事態である。「一回性と反復」については、拙著『足の裏に影はあるか？ないか？　哲学随想』（朝日出版社、二〇〇九年）一〇四―一〇九頁も参照。

てけっして辿り着くことのできない無関係のポジションであり、一二時以後の側からは、全ての源泉となる「始まり」のポジションである。

「無でさえない未来」は絶対的に無関係であるけれども、そこに何かが出現・生起する（現在になる）とするならば、それは、「忽然と」であり「最初で最後でそれっきり」の出現・生起のはずである。始発点（実現・生起）が始動するということは、無根拠で・根源的に偶然のジャンプ（飛躍）が生じたということである。そのジャンプ（飛躍）を「現在（実現・生起）」の側から表現すると、「（現在が）なぜか忽然と湧き出した」となる。その「唐突さ」は、初めてで最後で一回きりということ（一回性）を表す。

しかし、いったん始まってしまえば（何かが起こってしまえば）、話は別である。（第1章で）円環モデルを時計回りに辿って確かめたように、その始発点（現在性）からは、一定の原理に則って、可能性も潜在性も、未来性も過去性も、偶然性も必然性も、すべて芋づる式に引き出されてくる。その円環のプロセスが回り始め、回り続ける限りは、「ギャップ」も「ジャンプ」も無かったかのように進行する。「何かが起こった（起こっている）」という初発の一回性もまた、そのプロセスの中では、その一回性自体が何度でも繰り返されるという仕方で、反復性へと転化する。すなわち、「忽然性」「唐突さ」自体が常態化することによって、初発の現実のインパクトは、反復する現在の内で均されてしまう。「何かが起こった（起こっている）」ことは、奇跡的に偶然である始発点というあり方から、日常的に必然である任意の点というあり方へと転落する。「現在」が、（単に湧き出すだけでなく）湧き出し続けることができるようになるのは、そうやって忽然性・唐突性が均されてしまうことによってである。そして、「現在が湧き出し続ける」というイメージは、時間推移のベタな連続性の内へと回収されそうにもなる（が、ここにもギャップは残る）[9]。

こうして、「現在」もまた、「未来」と同様に、矛盾的な二重性を伴って成立していることが分かる。「未来」は、特殊な仕方で「ない」ままに必ず「到来」するという矛盾的な二重性を持っているし、「現在」は、一回だけ忽然と現れることを何度も繰り返し続けるという矛盾的な二重性を持っている。

この矛盾的な二重性こそが、「運命（「定まり」や「変えようのなさ」）」を生み出す源泉であったことになる。というのも、この二重性を構成する二要因（関係性と無関係性）を、それぞれに極端化するならば、「時間推移の完全なベタ化」と「無でさえない未来」が導かれて、どちらの極端も「運命」へと繋がっていたからである。また、極端化せずに二要因を適度に組み合わせるならば、「あらかじめ」という捉え方が導かれて、これもまた「運命」へと繋がっていたからである。いずれにしても、運命論的な結論へと導かれる。

「未来」の二重性との関係で、「現在がなぜか忽然と湧き出す」という表現を私はした。時間を論じる場面で、森岡正博も「湧き上がる」という言い方をしている。ただし森岡の場合には、「湧き上がる」のは現在（いま）ではなくて、「過去―現在―未来」の観念であるけれども。次の箇所に注目して、私の見解との違いを浮かび上がらせておこう。

「いま」の土俵があってはじめて、「過去―現在―未来」の観念が湧き上がってくる。「過去―現在―未来」の観念があってはじめて、「いま湧き上がる過去」と「いまの土俵」と

（9） 本書第4章「現実の現実性と時間の動性」の第2節「時間の動性について」を参照。

「いま湧き上がる未来」という3点セットを把握することができる[10]。

森岡は、同書の中で、丸い土俵のような絵を描いて、「いま」の土俵と名付けている。その「いま」の土俵から、「いま湧き上がる過去」と「いま湧き上がる未来」が飛び出してくる絵が描かれている。同書四六頁の図を、引用しておこう。

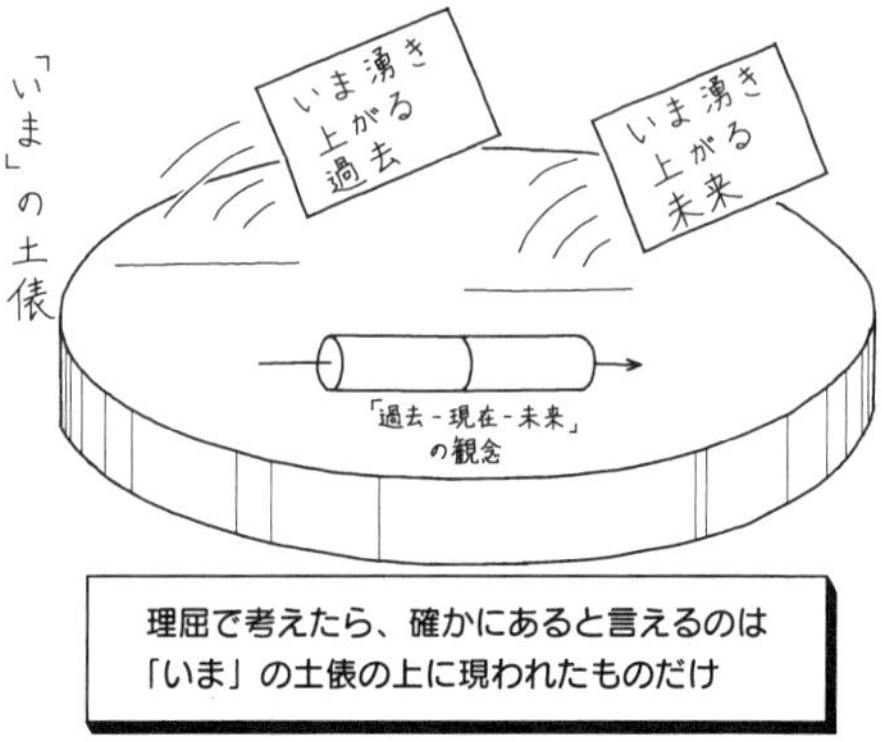

絶対的な「いま」とその内で生成してくる「過去」と「未来」。そういう存在論的な時間図式が採用されている。もう一つそれとは別に、その土俵からはみ出る（？）「過去―現在―未来」それ自体という実感的・確信的・生命論的な時間図式もあって、その二つの時間図式が、対立しつつ相補的に働いていると、森岡は考えているようである（同書五五頁参照）。

ところで、私が述べた方の「忽然と湧き出す」は、むしろ（過去や未来ではなくて）「現在（いま）」に対して言われている。いわば、森岡の「いまの土俵」そのものが忽然と湧き出すと、私のほうは言っていることに等しい。「いまの土俵」そのものが忽然と湧き出すことは、第1章の円環モデルで言うならば、「始発点（そもそもの始まり）」が始動することに相当する。

また（私のほうの考え方では）、「現在（いま）」――いまの土俵――こそが「忽然と湧き出す」のであって、「未来」は湧き出すのではない。「未来」は、「現在」の湧き出しと一蓮托生であって、一緒に引きずり出されてしまうか、あるいは、その「現在」の湧き出しとはまったく無関係の「なさ」であるかのどちらかである。前者が「時間推移上の区分としての未来」であり、後者が「無でさえない未来」である。いずれにしても、(森岡の言うような)「いま湧き上がる」ものではない。むしろ未来は、あらかじめ「在る」ことになってしまうか、そもそも「ない以上にない」か、そのどちらかである。[11]

3 無視点性

森岡正博は、私との共著『運命論を哲学する』(明石書店、二〇一九年)の中で、私の運命論・現実性論に対して、いくつかの疑問点を提示している。その中の一つに、「『現実』はどこから語られているか?」という問いがある。[12]

(10) 森岡正博+寺田にゃんこふ『まんが 哲学入門 生きるって何だろう?』(講談社現代新書、二〇一三年)四一頁。ちなみに、引用した二箇所は、「いま」の土俵の存在論的な優位性と、「過去—現在—未来」の観念の認識論的な優位性と、その両者の絡み合いを表現していることになる。

(11) それでも(私のほうの考え方でも)、「未来が湧き出す」と言えるとすれば、それは、未来についての予想や期待や計画などが、突然に閃いたり、思い浮んだりすることに相当する。しかしそれは、「未来が湧き出す」というよりも、「未来についての思念が湧き出す」ことである。

また、本章では「過去」については主題的に論じていないが、私自身の「過去論」については、拙著『あるようにあり、なるようになる 運命論の運命』(講談社、二〇一五年)の第17章「過去の深さ」を参照。そこでは、「過去」を「想起過去」「想起逸脱過去」「想起阻却過去」という三水準の絡み合いとして論じた。

［…］私の一番大きな疑問は、「この現実はどこから語られているのか」ということですね。つまりこの現実は、やっぱり入不二さんの視点から語られているんじゃないのかという疑問が拭えないんですね。だってこの唯一性、全一性っていう現実は、誰の現実なんですか？［…］私がこうやって説明していること自体が私の現実なんであって、入不二さんの現実とは違うんじゃないですか。

この疑問に対する私の端的な答え方は、「どこからでもない」「現実自身が（局所化・受肉化を通じて）現実を語っている」である。要するに、「現実の現実性は、無視点である」というのが、私の答えである。

しかし、もう少し丁寧に解きほぐして答える必要があって、答え方にはいくつかの手順が必要である。引用箇所の中に限っても、まず、「入不二の」という固有名詞的な視点が付いた現実と、「私の」という指標詞的な視点が付いた現実が一緒に扱われているが、固有名詞的な現実と指標詞的な現実は、その視点性において同じではない。[13] そこで私のほうは、固有名詞的な現実と指標詞的な現実を区別した上で、さらに「力としての現実（絶対現実）」も区別する必要がある。「力としての現実（絶対現実）」には、固有名詞的な（入不二の）視点もなければ、指標詞的な（私の）視点もない、と答える必要がある。

また、森岡は「唯一性、全一性っていう現実は［…］」と述べているけれども、唯一的な現実と全一的な現実も、その視点性において同じではない。唯一性は、排中律の選言肢の「片方のみ（が現実である)」という唯一性のこともあれば、「私だけの現実」という唯一性のこともありうる。そこで、唯一性に関しては、指標詞的な視点性（私の視点）が関与することがありうる。しかし、全一性の「一」は、唯一性のような「絞り込み」「限定」をいっさい持たず、むしろ汎通的で遍在的な「一」であるため、視点性（相対性）を端から持つことができない。

いずれにしても、「どこからでもない」「現実が現実を語る」「無視点である」と端的に言うことができるのは、全一的な絶対現実に対してのみである。逆に言えば、固有名詞的な現実や指標詞的な現実や唯一的な現実は、それぞれの仕方で視点性（相対性）を持つ。

純粋に「無視点」であるのは「力としての現実（絶対現実）」だけであるとしても、その「無視点」性の効果は、それ以外の相対現実へも及ぶ。絶対現実の「無様相」性が、様相の乱れや潰れとして、相対現実においても、その効果を示すのと同様である。あるいは、円環モデルで言えば、垂直に射し

(12) 同書第2章の「森岡正博のコメント」の部分を参照。以下の引用は、二二五頁より。

(13) 固有名詞的な現実は、（クリプキ的な意味で）固定指示された定点（準拠点）として働いて、共通の外的世界（客観世界）へと向かうベクトルを持つと考えることができる。また、指標詞的な現実は、状況・文脈に依存した不動の動点として働いて、各発話者ごとの内的世界（私秘的世界）へと向かうベクトルを持つと考えることができる。実際には、両ベクトルは合成されて「和」として働く。

あるいはまた、固有名詞的現実と指標詞的な現実の対照を、クリプキ的な現実とルイス的な現実の対照として考えることもできる。Saul A. Kripke, *Naming and Neccesity*, Harvard University Press, 1980.／ソール・A・クリプキ『名指しと必然性』（八木沢敬、野家啓一訳、産業図書、一九八五年）。David Lewis, *On the Plurality of Worlds*, Basil Blackwell, 1986.／デイヴィッド・ルイス『世界の複数性について』（出口康夫監訳、名古屋大学出版会、二〇一六年）。

込む高次の矢印（回す力としての現実）が、円環内の「回る現実」の中でも、肯定／否定の非対称性や全域化⇅局所化の運動を通して、その効果を及ぼすのと同様である。

人称や指示――「私」「あなた」「それ」「これ」……――の場面で、「無視点」性の効果を読み取ろうとすると、どうなるだろうか。それらの言葉の使用が、通常の安定した人称代名詞・指示代名詞としての使い方から外れていって、不安定で崩れた使い方へと接近していく場面を見ればよい。その人称性・指示性の「崩れ」の内に、絶対現実の「無視点」性への漸近を読み取ることができる。

たとえば、「私」という人称代名詞は、発話者各自を表すので、「私だけの現実」という真の唯一性を捕捉できない。そこで、「この私」という言い方によって、真の唯一性を捕捉しようとする。しかし、「この私」という指示＋人称もまた、発話者各自の「この私」性を表すので、唯一性自体が複数化して「真の唯一性」は失われてしまう。それでもなお、複数化しない唯一性を捕捉し続けようとすると、「このこのこの……私」という無限背進が生じる。この無限背進（空回り）は、人称性・指示性の安定性の「崩れ」を表している。

あるいは、「私は私である」「これはこれである」という一見トートロジー的な表現や、その逆の「私は私ではない」という矛盾的な表現も、その「崩れ」の一例になりうる。「私は私である」が、「XはXである」という形式の一例としてではなく、また固有のアイデンティティや自己主張の強さを主張する文としてでもなく、「私は端的に私である」を表そうとするときには、通常の安定した人称性は崩れかけている。また、「私は私ではない」も、「私は「私」が表すような人物（という個体）でもないし自己意識（という形式）でもない」を表そうとするときには、通常の安定した人称性から逸脱しかけている。そうやってトートロジーや矛盾の見かけを借りて、「歪む」ことによってしか表せない「私《ヽ》だ《ヽ》け《ヽ》の《ヽ》現実性」を捉えようとしている。

さらにまた、「これ」「この」という指示代名詞（形容詞）を、安定した近傍的な使い方――「この（目の前の）コップ」――から逸脱して、極端に収斂化（中心化）したり――「このこれ！」――、極端に全域化（発散）したりすること――「すべてがこれだ！」――もまた、通常の安定した指示性の崩れへと通じている。[14] 哲学史上で言えば、「このもの主義（haecceitism）」「この性（haecceity）」と呼ばれる考え方もまた、通常の安定した指示性が崩れていく場面（無視点性へと漸近する場面）と深く関係していると私は考えている。[15]

或る高次の真理を表現しようとして、通常の人称・指示表現の使い方が「歪む」「失われる」事例として、しかも伝統的・正統的な事例として、次のような根本命題を挙げることができる。

「我はそれなり、汝はそれなり、全てはそれなり[16]」

(14) 「この（これ）」の逸脱的な用法については、第4章「現実の現実性」における中心指向的（収斂的）な「これ」と全域指向的（発散的）な「これ」を対照する議論も参照。また、第7章「無内包・脱内包・マイナス内包」の第5節「無内包・脱内包とこれ性」も参照。

(15) 「このもの主義（haecceitism）」についてはCowling, Sam, "Haecceitism", The Stanford Encyclopedia of Philosophy (Fall 2016 Edition), Edward N. Zalta (ed.), URL = 〈https://plato.stanford.edu/archives/fall2016/entries/haecceitism/〉.を参照。また、私なりの「このもの主義」解釈を、次の第6章「無関係・力・これ性」の第4節「「このもの主義」を別様に考える」で提示する。

(16) ウパニシャッドの伝統を受け継ぐヴェーダーンタ学派においては、根本命題として知られている。ウパニシャッド哲学については、岩本裕『原典訳 ウパニシャッド』（ちくま学芸文庫、二〇一三年）も参照。

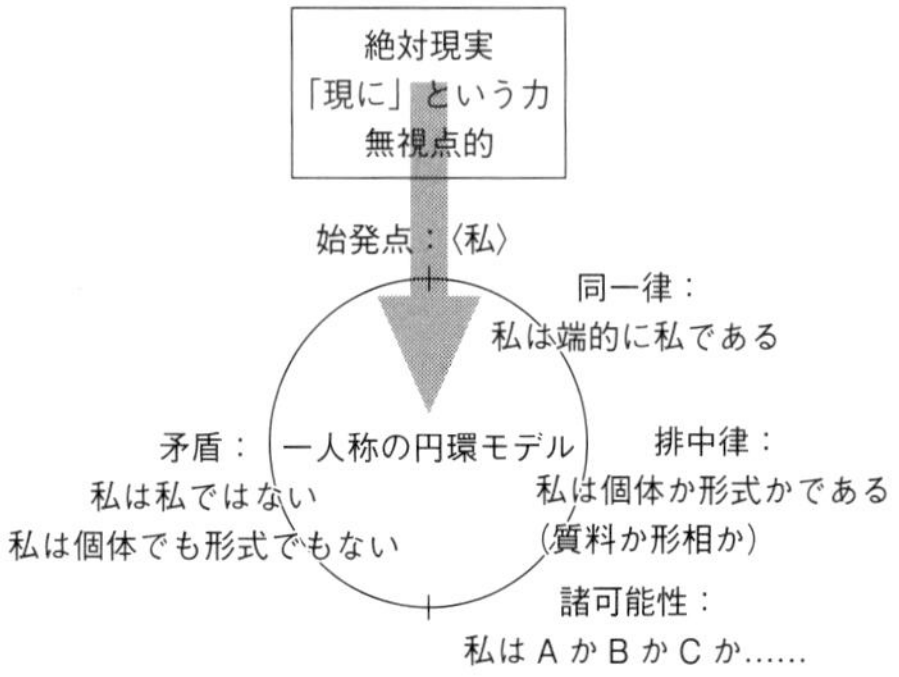

この命題では、一人称・二人称・三人称が等置されて潰れてしまっている。この伝統の延長線上に、森岡正博『まんが 哲学入門』の白眉である「あなたなのです!!」から「プギャー!!」への移行（一六七頁）を位置づけてみることもできる。[17]「あなたなのです!!」という特別な（絵の中からこちらへと迫ってくる）二人称的な指し示しは、「このこのこの……私」の生成と一体化しているし、「プギャー!!」に至っては、一人称と二人称の区別も消失する。森岡の「プギャー!!」は、引用した根本命題の「それ」という三人称（あるいは非人称）に近いものが感じられる。

　これらの「逸脱」「乱れ」「歪み」等は、すべて絶対現実の「無視点性」による効果であり、その痕跡である（と私は考えている）。[18]

したがって、「「現実」はどこから語られているか?」という森岡の問いに対しては、その「どこから」という人称的・指示的な視点が失効していく極点（絶対現実）のほうから語られている、と答えることができる。

（論理・様相・時制に加えて）人称・指示もまた、円環モデルの上に位置づけておこう。右上の図（一人称の円環モデル）を参照。概観的に言えば、（1）〜（6）の六つの水準に分けておくことができる。

（1）「絶対現実」の無視点的な水準
（2）始発点としての端的な事実（＝〈私〉）
（3）同一律に対応する水準：私は端的に私である
（4）排中律に対応する水準：私は人物個体か自己意識という形式かである
（5）諸可能性に対応する水準：私（の属性）はAかBかCか……
（6）矛盾に対応する水準：私は個体でも形式でもない／私は私ではない

4　様相の潰れから無様相へ

ここで再び、1－3で考察した現実と様相の問題に戻っておこう。運命とは必然と偶然の交錯であったが、「現実＋論理」によって「運命」を導く場合には、その交錯はどのようなものであったか？　それは「現実は必然でも偶然でもある」という仕方での交錯であった。現実を蝶番のようにして、必然と偶然は相互に転化したり、必然性が偶然化したり、偶然性が必然化したり、複数のやり方で、必然と偶然は交錯した。

（17）　この「あなたなのです!!」から「プギャー!!」への移行については、第6章「無関係・力・これ性」の第5節でもふれる。
（18）　永井均による〈私〉という表記法は、これらの逸脱的な人称使用の中で、もっとも洗練されたエレガントなものとして位置づけることができる。永井的な〈私〉に関しての私の見解については、第4章「現実の現実性と時間の動性」と第7章「無内包・脱内包・マイナス内包」を参照。

その交錯の仕方を（さらに増やして）整理するならば、次のようになるだろう。各選択肢は、必ずしも排他的なものではないが、それぞれに固有の特徴があって、強調点が違う。

（1）現実は、ある観点から必然であり、別の観点から偶然である。
（2）現実が必然であること自体は、偶然である。
（3）現実が偶然であること自体は、必然である。
（4）現実は、必然かつ偶然である。
（5）現実は、そもそも必然でも偶然でもない。

まず大雑把に一括《くく》りにすると、「必然でも偶然でもある」という仕方で、つまり二様相のどちらも肯定するという点で共通しているのが、選択肢（1）〜（4）である。それに対して、（5）だけは、どちらも否定するという選択肢である。（1）〜（4）は、それぞれ違う仕方ではあるが、現実に対して両様相（必然と偶然）を認めている。しかし、（5）だけは両様相とも認めない。ということは、（5）は、現実に対してそもそも様相（必然＋偶然＝可能性）の適用を拒否していることになる。（5）では、現実は様相を持たない。

さらに、（1）〜（4）について言えば、（1）は観点を複数化しているので矛盾には陥らないが、（4）は「かつ」で並べられていて矛盾するという違いがある。また（2）と（3）は、観点ではなく階層（レベル）を分けることで、つまり（2）は偶然性の高階化によって、（3）は必然性の高階化によって、両様相を共に肯定しようとしている。（2）は必然性の偶然化（高階の偶然性）であり、

（3）は偶然性の必然化（高階の必然性）である。[19] それは、二つの水準を跨ぐことで「必然でも偶然でもある」という考え方（両肯定）をしている。

それでは、私自身の考え方はどの選択肢に当たるのか。私自身は、（4）と（5）の両方を認めることによって、現実と様相の関係性を、「様相の潰れ」から「無様相」へと向かうところで考えようとしている。私は（4）を「様相の潰れ」の兆候として捉え、（5）を「無様相」の一表現として捉える。要するに、現実は、そもそも様相とは無関係なものだからこそ、無理やり様相のシステム（必然や偶然のネットワーク）の中に押し込めようとすると、その場に攪乱を引き起こす。その攪乱の表れが「様相の潰れ」である。そして、究極的には、現実は「無様相」である。

私は、（4）を「様相の潰れ」の兆候として、（5）を「無様相」の一表現として捉える。「様相の潰れ」とは、様相区分がその輪郭を放棄して自壊する様子であり、「無様相」とは、そもそも様相の区分とは無関係ということである。「様相の潰れ」は、様相とは無関係である「絶対現実」を、無理やり「様相」の内に埋め込んで相対化してしまうことによって生じるクラッシュである。その時に生まれる「摩擦熱」のようなものが、必然と偶然の交錯としての「運命」である。

現実の現実性（「現に」という力）は、一番外側で透明に（円環モデルで言えば垂直方向に外から）働くので、そこに否定の働く余地はない（円環モデルで言えば「否定」は円環内の一部でのみ働く）。ゆえに、現実の現実性（「現に」という力）は、そもそも可能性という相の下にはない。可能性とい

（19）森岡正博は前掲書『まんが 哲学入門』の中で、「世界の存在の必然性が、偶然に選ばれた」（一〇六頁）「「世界が存在する」という奇跡が、必然的に選ばれた」（一〇七頁）と述べている。この考え方は、この（2）と（3）の両方を認めることに相当する。

う様相の下になければ、必然でも偶然でもあり得ない。

現実の現実性は、「どのようであるか」という現実内容とは無関係に、唯々《ただただ》「現に」というだけであって、他なる可能性（様相）を持つことができない。「内容と否定なくして様相なし」である。現実はそのように無様相であるから、そもそも「必然である」のでもないし「偶然である」のでもない。必然でも偶然でもないということは、可能性（＝必然＋偶然）という様相のベースが、現実に対してはそもそも効力を持たないということである。（5）の「現実は、そもそも必然でも偶然でもない」は、そのような「無様相」の一表現である。

究極的にはそうなるとしても、「現に」というあり方（現実）は、特定の内容で満たされてしまうというのも、また事実である。「現にかくかくしかじかである」というわけである。そのように内容によって満たされた現実が（あるいは現実の内容的な側面が）、「相対現実」と呼ばれる。「現にかくかくしかじかである」ことは、その「かくかくしかじか」の部分（内容）を通じて、否定や他の可能性へと開かれる。「内容と否定が様相を開く」のである。円環モデルで言えば、一二時の位置からスタートしてすぐに、最小様相へと開かれて、反実仮想へと進んでいくが、その辺りに相当するのが「様相の開け」である。「相対現実」とは、特定の内容を持ち、様相の下に置かれた（別様であることも可能な）現実である。

こうして、「かくかくしかじかである」こと（肯定）が、「かくかくしかじかではない」こと（否定）を対比相手として持つようになって、そこに必然性と偶然性の交錯が入り込む余地も開ける。「である」は、（内容「かくかくしかじか」を経由して）否定が可能であるという意味での「偶然性」を帯びる。「かくかくしかじかではなかった」かもしれないのに、なぜだか偶々《たまたま》「かくかくしかじかである」というわけである。

しかし、実際にそのように成立してしまっていること（現に真であること）は、それを否定できることに先立たざるを得ない（否定は遅れざるを得ない）。その「ざるを得ない」（先立つ肯定性は否定不可能）によって、「である」は「必然性」を帯びる。

こうして、「である」において、偶然性と必然性が交錯する。必然性と偶然性がいっしょに（同時に）働かざるを得ないのが、「事実性の水準」（現にかくかくしかじかであること）である。この「事実性の水準」が、（4）の「現実は、必然かつ偶然である」（様相の潰れ）に相当する。[20]（4）の「事実性の水準」と（5）の「現実性の水準」の違いは、円環モデルで言えば、始発点（何かの実現・生起）と垂直に射し込む矢印（「現に」という力）の違いに相当する。

様相区分としては正反対のはずの偶然性と必然性（否定が可能と否定が不可能）が、「事実性の水準」においては、いっしょに（同時に）働く。様相どうしの安定した秩序・領域区分（可能性＝必然性＋偶然性）が、乱れて歪んでいる。さらに、いま「現にかくかくしかじかである」ときに、その「かくかくしかじかである」ことが、可能性の全てでもあると（メガラ派のように[21]）考えるとすれば、現実と可能の範囲もピッタリ一致することになる。現実が可能なものの全てであり、その現実は必然でも偶然でもあるということになると、「現実＝可能＝必然＝偶然」となって、「様相は潰れる」。

(20) 事実性の水準については、第3章「事実性と様相の潰れと賭け」において考察した。

(21) メガラ派の主張は、「現実的なものだけが可能である」「現実ではない可能性など存在しない」「可能性は現実性と一致する」というものである。メガラ派の考え方については、第2章「現実性と潜在性」の後半（第2節「潜在性について」）を参照。

（4）はそのような「様相の潰れ」の兆候なのである。

「様相の歪み」や「様相の潰れ」は、（様相内から眺めると）無様相の現実へ向かう途上の現象である。それらは無様相そのものではないけれども、様相の秩序が安定的には作動しない段階へと至っている。そのような「歪み」や「潰れ」は、絶対現実（無様相の現実）と様相システムの中間で生じている軋轢であり、絶対現実と様相システムの「際《きわ》」を指し示している。

「（4）→（5）→絶対現実（無様相）」という方向のベクトルと、「（3）→（2）→（1）→純粋な様相システム」という逆方向のベクトルが、拮抗し合い綱引きをしながら働いている。「運命」とは、その拮抗中間的な場に対する別名である。

5 潜在性

本章の最後に確認しておきたいのは、次の各ペアどうしの違いや重なりについてである。[22] 四つのペアにおいて、上の項と下の項の関係はどうなっていて、各ペア相互の関係はどうなっているのか。

- 顕在と潜在
- 現実と潜在
- 潜在と可能
- 記述可能と記述不可能

まず重要なことは、「顕在と潜在」と「現実と潜在」というペアどうしを混同したり、「現実＝顕在＋潜在」という図式で考えないことである。この混同や図式は、根本的な錯誤を含んでいるからである。

「顕在と潜在」というペアは、「現れていることと現れていないこと」「現前しているものと現前していないもの」というペアに等しい。つまり、上の項と下の項の対立は、認識論的な水準（現れ・現前の水準）での肯定と否定の対立である。しかし、「現実と潜在」というペアは、認識論的な水準にはないし、肯定と否定の関係にもない。「現実と潜在」の場合には、上の項も下の項もどちらも、認識とは無関係に（認識されようがされまいが）働く存在論的な項であり、否定の働きが及ばない（肯定のみである）ことを特徴としている。

図式的に「現実＝顕在＋潜在」と考えることは、ミスリーディングである。この図式は、現実という領域があって、その半分が顕在的な（現れた）領域で、もう半分が潜在的な（隠れた）領域であり、その二領域の「和」が現実であると思わせてしまう。しかし、実情はそうではない。「現にかくかくしかじかである」「現に何かが起こった（起こっている）」が顕在的な現実であり、「現に何かが潜在的に働いている」が潜在的な現実である。ということは、現実は、二領域の「和」なのではなくて、領域の違いを超えて働く一つの「力」である。また、顕在的な現実と潜在的な現実の関係も、独立する別領域どうしの単純な「和」の関係ではない。顕在的な現実と潜在的な現実は、「一つの現実」の二つの局面（相）の違いであると言うべきである。しかも、その二局面（相）は対等ではなく、顕在

（22）第2章「現実性と潜在性」、特に後半の「潜在性について」を参照。

的な現実は、必ず潜在的な現実という局面（相）を伴うが、逆は言えない。つまり、潜在的な現実は、必ずしも顕在的な現実という局面（相）を伴う必要はない（ただ潜在しているだけの現実がありうる）。

「現実と潜在」というペアは特別な関係にあって、他の三つとは違って対立・排反関係にはない。その点は、「潜在」とは「現に潜在していること」なのだから、明らかであろう。潜在していること自体が現実なのであり、潜在性の裏には、現実性がぴったり貼り付いている。すなわち「潜在性はどこまでも現実的である」。しかも、その一体となった表裏はひっくり返りもする。すなわち「現実性はどこまでも潜在的である」。「現に」「現実である」という現実性は、純粋な力としては、副詞句や述語として顕在化されることもなく、透明なまま遍在的に・汎通的に働く。ということは、「現に」という力は、純度が高ければ高いほど、可視化されないまま潜在的に働くということである。この裏返る一体性＝「現実性はどこまでも潜在的であり、潜在性はどこまでも現実的である」を、第2章では「メビウスの輪」（表を辿っていくと裏になり、裏を辿っていくと表になる輪）に擬えた。

潜在は、現実と表裏一体化している。すなわち、潜在性は現実性に満ちている。それに対して、（様相のベースとしての）可能は、現実を自らの一部分（局所）として相対化して、現実の力を弱めようとする。無限の諸可能性の中に置かれると、現実はその小さな一部分にしか過ぎなくなる。ゆえに、「潜在と可能」というペアは、それぞれ「現実」に対しての関係の仕方が、正反対であると言うことができる。「潜在」は「現実」を最大限に開放しようとするが、「可能」は「現実」を最小限の内に閉じ込めようとする。この点を、円環モデルに即して言えば、次のようになる。第1章から、該当箇所を再掲しておく。

> 円環の右半円部の上↓下では、現実が「全面性」（始発点としての圧倒性）を後退させていって、逆に諸可能性のほうが「全面化」していった（＝現実が局所化した）。しかし左半円部の下↓上では、こんどは現実が「全面性」を回復していくことになり、逆に諸可能性（の複数性）のほうが、後退していく。（三二頁）

この「左半円部の下↓上」が、潜在性の深まりに相当するが、その深部にまで遍く現実性は浸透している。

「記述可能と記述不可能」というペアについてはどうだろうか。ここでも、「顕在的なもの」「現実的なもの」を「記述可能」として捉え、「潜在的なもの」を「記述不可能」として捉えるというような、誤解をしないように注意したい。

まず、「顕在と潜在」という認識論的な水準の対立（現れと隠れ）は、「記述可能と記述不可能」という言語的な水準の対立とは別物であることに注意しよう。「記述不可能ではあるがありありと現れている」ということも、「記述不可能なものが現前している」ということも、十分に可能である。また逆に、「記述可能ではあっても現前していない」ということも、「記述可能なものが隠れている」ということも、十分に可能である。ということは、「顕在と潜在」というペアと「記述可能と記述不可能」というペアは、互いに独立である。

さらに、「現実と潜在」というペアと「記述可能と記述不可能」というペアを比較すると、どうなるだろうか。もちろん、「現実が記述可能」で「潜在が記述不可能」である、とはならない。むしろ、

「現実も潜在も、どちらも記述不可能である」となる。それと対照して言えば、（現実でも潜在でもなく）可能的なものこそが、記述可能に対応する。

「現実も潜在も、どちらも記述不可能である」のはなぜだろうか？　その理由にも注意が必要である。理由は、現実と潜在が、ことばでは言い尽くせないほど繊細で豊穣な内容を持っているからではない。むしろ、逆である。記述（ことば）にとっては本質的であるような「特定の分節的な内容（差異）」を、現実も潜在も一切持っていないことによって、共に記述不可能なのである。

　現実と潜在の記述不可能性は、現実が「無内包」であり、潜在が「無限内包」であることに基づいている。すなわち、「現実」が記述不可能なのは、その内容が言葉にのらないほど細やかだからではなく、そもそも内容とは無関係の「力」だからであり、「潜在」が記述不可能なのは、その内容が言葉にのらないほど細やかだからではなく、そもそも区別の手前にあって、無限の区別がそこから出てくる手前の「産出力」だからである。[23]

「（現実でも潜在でもなく）可能的なものこそが、記述可能に対応する」という場合の「可能的なもの」とは、円環モデルで言えば、「右の半円部分」に相当する。垂直に射し込む矢印と、一回こっきりの（反復されない）始発点の実現・生起は、「現実（の現実性）」に対応する。それから先の「右半円部分」が「可能的なもの」の領域であり、その領域では「現実」は力を削がれて局所化する。そして「左の半円部」が「潜在」に対応し、その深まりに応じて「現実」は力を回復して全域化する。

　この「（現実と潜在に挟まれた）可能的なもの」の領域のみが、「記述可能」と対応している。その領域のみが、「否定」という言語のコアが効果を発揮する領域であることと、「記述可能である」こととは、同じ一つのことである。もちろん、「現実と潜在」のどちらも、そうではない（否定が働かない）からこそ、「記述不可能」と対応する。

森岡は、前掲共著『運命論を哲学する』において「入不二さんのおっしゃるような現実というのは実は記述できないんじゃないかっていう直観があって、何を記述してもそれは全部可能世界になっちゃうんじゃないか」（一二三頁）と発言している。

この発言には、私も（私なりの理由で）賛成することができる。というのも、「現実と潜在」は「記述不可能」に対応し、「可能的なもの」の領域のみが「記述可能」に対応するからであるし、また「記述する」とは、否定の可能性へと開けた言語システムの中に位置づけることであり、そのシステム内に押し込めようとすると、「現実と潜在」はどちらも「可能的なもの」へと変質してしまうからである。

(23) 無内包および無限内包（マイナス内包）については、第2章「現実性と潜在性」、第7章「無内包・脱内包・マイナス内包」を参照。

第6章　無関係・力・これ性

第5章「時間・様相・視点」で提示した私の諸々の論点について、森岡正博は前掲共著の中で、批判的に検討している。[1] 森岡が扱う論点は、(目次として) 次のように列挙されている。

1　「無でさえない未来」の概念をなぜ持ちうるのか？
2　「いま」の土俵と「現実性」
3　九鬼周造と「偶然性」
4　「現実性」と「これ性」
5　「現実世界の開け」と「存在世界の開け」

1では、第5章「時間・様相・視点」で提示した「未来」の二つのエレメント——ベタな時間推移

(1)　入不二基義・森岡正博『運命論を哲学する』(明石書店、二〇一九年) の第4章「運命と現実についてもういちど考えてみる」を参照。

と無でさえない未来――のうち、後者の概念が採り上げられて批判的に検討されている。「無でさえない未来」の概念には、根本的な「言えなさ」という困難な問題（アポリア）があることを、森岡は指摘している。一方、この第6章において私は、その根本的な「言えなさ」を無関係性による不可能として捉え直した上で、根本的な「言えなさ」を、アポリアではなくて好ましいものと見なすことになる。

2では、森岡は次の点を私に向けて問い返している。（私が第5章でそう考えているように）「いま」の土俵そのものが忽然と湧き出すと考えてしまうと、「忽然と湧き出す」よりも前は、いったいどうなっているのか？　という問題が生じてしまう。その点を、森岡は問い詰める。一方、この第6章において私は、「よりも前（は、どうなっているか）」という問いは関係性に基づく点を指摘する。そして、（関係性ではなくて）無関係性を優先することによって、その問い自体を退ける道を探る。1と2の論点においては、私の応答のポイントは、どちらも「無関係性」である。

3では、九鬼周造の様相論と入不二の様相論との比較対照を、明快な仕方で森岡は提示している。その比較対照によって、入不二のポイントがより明確な輪郭を伴って浮かび上がっている。一方、この第6章において私は、森岡による比較論を参考にしながら、九鬼の様相論の「力動性」に注目する。異なる様相間の変転・変容を貫く「力」にこそ「現実の現実性」を見るべきであるという私自身の主張を、その論との差異によって、より際立たせる。

4では、森岡は、（現実についての）可能主義・現実主義・このもの主義という三種類の考え方を考察しまとめた上で、入不二の現実性論を、このもの主義に近いものとして解釈している。一方、この第6章において私は、「このもの主義」を（一般的な理解とは）別様に解釈することを試みる。「これ性」に含まれる内在性と外在性の反転・変転・循環を取り出すことによって、「これ性」を「この私―このもの―この世界」を貫く「力（の流れ）」として捉え直す。3と4の論点においては、私の応答のポイントは、どちらも「力」である。なお、「これ性」を「力の循環」として別様に解釈するという方向は、人称性の問題にも変容をもたらす。第一・第二・第三人称は、「これ性」が循環する際の局面の変転として捉え直されることになる。

5では、森岡は「現実世界」を「存在物」の一部分である（存在は現実よりも大きな領域である）と考える。つまり、「存在世界の開け」が「現実世界の開け」に優先すると、森岡は考える。これはちょうど、入不二と逆になっている（入不二の場合には、むしろ現実性は存在（物）の世界を超えて働く力である）。一方、この第6章において私は、次のような考察を行う。（私が「このもの主義」を別様に解釈することによって抽出する）「これ性」の波及・還流、あるいは力の循環としての「これ性」を、森岡自身の論の中にも見出すことができると、私は考えている。この点においては、森岡と私の議論のあいだの距離を縮めることができる。しかしそれでもなお、「現実（性）」と「存在（物）」のあいだの関係性を巡っては、根本的な違いが残り続ける。私のほうは森岡とは逆に、「現実（性）」が、存在／非存在の境界を跨いで働く力だと考える。

1「無でさえない未来」と「無関係性」

森岡は、「無でさえない未来」という概念に、次のように疑義を呈している。(2)

［…］私たちが「無でさえない未来」という概念をもってしまったそのときに、それはまさに現在そのような観念を持ってしまった私たちによって、「現在の有」へと結びつけられてしまったと言えるはずである。すなわち、「無でさえない未来」という概念によっては、「無でさえない未来」という概念の導入によって本来言いたかったことを言うことができないのである。（二〇七頁）

しかしながら、面白いことに、それがそもそも言えないということを主張する私の言明もまた、私が真に言いたいことを正しく表現できてはいない、という点にも注目すべきである。なぜなら、私はいま「何が言えないか」という内容を言ってしまっているが、しかし本来その内容は言葉によって言えてはならないはずのものだからである。（二〇七頁）

したがって、「無でさえない未来」という概念によって本来言いたかったことは、言えているとも、言えてないとも言えないという結論になるはずである。私たちは、言語のある種の極限状況にまで来ている。（二〇七―二〇八頁）

この「究極の言えなさ」問題に対する私の応答は、これはアポリア（解けない難問）のように見えるが、実はすでに解けていて、アポリアにはならない、というものになる。

まず、「究極の言えなさ」問題が、どういう手順で出来するかを確認しよう。基本的には、現在の「有」と未来の「無」と未来の「無でさえなさ」という三つの項が、問題を作り出す。

①　第3項の「無でさえない未来」を、私たちが概念として持ち得ているとするならば、その概念を持つ現在の私たち（すなわち現在の「有」という第1項）と結びついていることになる。そして、第1項の現在と結びつく未来とは、第2項の未来概念「無としての未来」である。ゆえに、未来概念として持つことができるのは、第2項の未来概念であって第3項の未来概念ではない。ゆえに、「本来言いたかったこと（第3項の未来）」は言えていない。

②　しかし、そもそも第3項の未来概念を持つことができていないのだから、①で「言えていない」と結論づけられている当のもの（本来言いたかったこと）が、「何であるのか」も、そもそも言えていない。ゆえに、何が言えていないのかも、言えていないことになる。こうして、第3項の「無でさえない未来」という概念は、単に言えないだけでなく、言えないとも言えないという「究極の言えなさ」にはまり込むことになる。

「究極の言えなさ」問題を作り出しているのが、三つの項の間の関係であることが分かる。この問題は、相関概念（対概念）である第1項と第2項と、その外部（手前）である第3項という形式を持っている。「現在（有）」と「未来（無）」が相関概念（対概念）で、「無でさえない未来」がその外部（手前）である。他にも、「認識作用と認識対象」という相関概念（対概念）と「物自体」という外部や、「自己と他者」という相関概念（対概念）と「大他者」という外部など、同形式の事例は他にも

（2）　以下に引用する森岡の文章はすべて、前掲共著『運命論を哲学する』からのものである。

ありうる。

この三つの項の関係は、「回収か無限後退か」というジレンマを作り出すように見える。

第3項といっても、結局は第2項にすぎないことになる、すなわち「無でさえない」といっても、結局は「無」と違わない（「有」との相関にすぎない）ことになるのが「回収」である。「大他者」といっても、結局は「他者」の強調・延長にすぎないことになるのが「回収」である。

また、その「回収」を逃れようとするならば、「無限後退」が発生する。第3項とは、単なる三番目なのではなくて、「回収」に抗してその外へ外へと無限に退いていく項のことであると考える。「無でさえない」というのは、「有との相関の内へと回収される無」でさえないということであり、回収されるたびごとに、「そうでさえない」も無限に繰り返される。その無限の繰り返しの一歩目が第3項である、というのが「無限後退」である。

いずれにしても（回収にしても無限後退にしても）、言おうとした外部性（手前性）は、言えていないことになる。「回収」されて終わるということは、そこは外部ではなかった（＝内部に回収された）ことが判明することである。また、「無限後退」が続くということは、外部に出られた！（＝内部ではなかった！）ことがいつまでも判明完了しないということである。言おうとした外部性（手前性）は、端的に消えてしまうか（回収の場合）、どこまでも棚上げされ続けて、手にすることができない（無限後退の場合）かのどちらかであって、それを言うことはできていない。しかも、言うことができていない「それ」（無でさえない未来）が一体何であるのかさえ、言うことはできていない。こうして、「言えなさ」は深まる。

たしかに、このように考えてくると、これはアポリア（解けない難問）であるかのようにも見える。

しかし私は、それは見かけであって、以下に述べるような「抜け道」があると考えている。

その「抜け道」とは、「無でさえない」という概念を、二回の否定によって元の肯定（とその相関）へと戻る概念とも考えず、否定を重ねて「相関」を拒否し続ける概念とも考えない方向である。「二回の否定によって元の肯定（とその相関）に戻る」というのが「回収」に相当するし、「否定を重ねて「相関」を拒否し続ける」というのが「無限後退」に相当する。「無でさえない」は、そのどちらでもなく（相関内に収まることでも、それを拒否し続けることでもなく）、むしろ相関（対）以前の端的な肯定へと戻ろうとすることである。その意味で、「無でさえない」は、否定ではなく、絶対的な（＝非‐相関的な）肯定である。そのように考える方向が、「抜け道」である。

図式的に言えば（左の図参照）、「無でさえない」は、③‐1の方向で「回収的に」働くのでもなく、③‐2の方向で「無限後退的に」働くのでもなく、③‐3のように肯定以前の肯定（否定と対にならない肯定）へと差し戻すように働く。

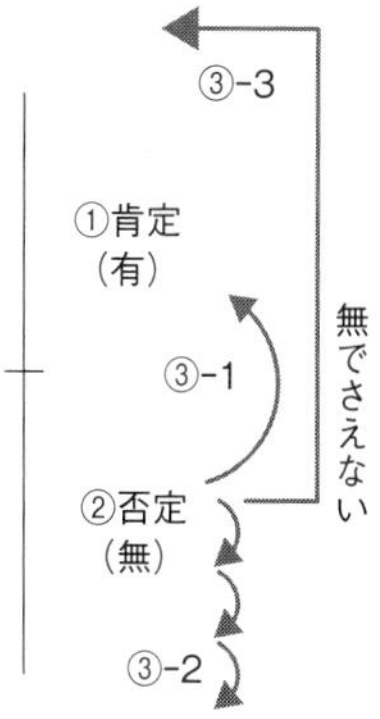

「無でさえない未来」は、絶対的に肯定であるような未来のことである。「絶対的に肯定である」とは、「否定との相関関係に入る前の肯定である」ということであり、それは「無関係的である」ということに等しい。ゆえに、「無でさえない未来」は、「無関係的な未来」と言い換えることもできる。

「絶対的な肯定性＝無関係性」という考え方について、補足しておこう。私は「無関係という関係」と題したエッセイで、（1）関係と（2）切断的な無関係と（3）端的な無関係の三者の絡み合いについて考察したことがある。[3] その三者は、（1）関係と

（2）無関係という関係と（3）「無関係という関係」でさえない無関係と表現することもできる。

（1）関係
（2）切断的な無関係（無関係という関係）
（3）端的な無関係（「無関係という関係」でさえない無関係）

それは、おおよそ次のような話であった。

「酒を飲む人」の視線のもとで、「酒を飲まない人」が「（酒という楽しみの）欠如」として位置づけられるならば、それは両者の「関係」、すなわち（1）に相当する。

一方、「酒を飲まない人」は、その「酒を飲む人」からの不当な位置づけ（＝欠如）に対して異議申し立てをして、その視線から逃れる（関係を切断する）ことができる。たとえば、次のようにして。「酒を飲まない自分にとって、「酒を飲まない」ことは「欠如」でもなんでもないし、酒など焦点になることすらない。自分は酒飲みの視線とは無関係に「ただ単に飲むものを飲み、飲まないものを飲まない」だけなのだから、巻き込まないで（関係を迫らないで）もらいたい。ほっといてくれ！」と。

これは、（2）の「切断的な無関係」に相当する。

しかしそもそもは、そのような異議申し立て（関係の切断）すら不必要なほどに、すなわち「放っておく」という関係（無関係という関係）すら生じないほどに、酒飲み（の世界）と非-酒飲み（の世界）とは「端的に無関係」なのである。いわば、両世界とも無関係的に自足・充足しているだけの即自態である。その端的な無関係（それぞれの即自態）こそが「そもそも」なのであって、関係や切断的な無関係によって「汚染」されてしまうのは、「あとから」にすぎない。その「あとから」の無関係（＝（２））ではなく、「そもそも」の即自態が（３）の端的な無関係である。

たとえ、認識の順序はその逆である（（３）の無関係性が「あとから」気づかれる）としても、存在論的には（＝唯々そうであるという水準では）（３）の「無関係」のほうが（１）や（２）に先立つ。また、酒飲みと非‐酒飲みが同席する場合には、愚かなやり取りを避けるために「寛容」や「マナー」という対処法は有効である。しかし、それはデフォルトの（３）「無関係」からはすでに転落していて、（１）「関係」と（２）「切断」のあいだでの調整（という関係）になる。「寛容」や「マナー」は、「端的な無関係」に遅れてやって来るしかない「次善の策」なのである。

「絶対的な肯定」とは、この「端的に無関係的な即自態」のことである。「酒を飲まない人」「非‐酒飲み」は、その表記に反して「否定」ではなく、また「酒飲みと相関・並立するもう一つ別の肯定」でもなくて、そもそもは、（飲み物に関して）唯々そうであるというだけの「絶対的な肯定」である。「非‐酒飲みは、酒飲みの快楽の欠如ではない」のと同様に、「無でさえない未来」もまた「何かの欠如ではない」し、「非‐酒飲みは、酒飲みとの相関項ではない」のと同様に、「無でさえない未来」も「過去・現在との相関項ではない」。それが、「絶対的に肯定であるような未来」「端的に無関係的な即自態としての未来」ということである。酒飲みに対して非‐酒飲みが「無関係」であるように、過去・現在に対して未来もまた「無関係」なのである。

もちろん、酒飲みの視線からは、非‐酒飲みの「端的な無関係性」が「言えない」のと同様に、現

（３）拙著『足の裏に影はあるか？ないか？ 哲学随想』（朝日出版社、二〇〇九年）、三八―四二頁。

在の視線からは、無でさえない未来の「端的な無関係性」は「言えない」。
ただし、その「言えなさ」は、酒飲みと非‐酒飲みの距離が無限に大きいから「言えない」のでもないし、「言ってしまう」と有限の距離になってしまって、無限の距離の純粋さが保てないから「言えない」のでもない。同様に、無でさえない未来も、現在から無限に遠いから「言えない」のでもないし、現在から捉えると有限の近さになってしまうから「言えない」のでもない。「端的な無関係性」とは、距離の大きさの問題（無限か有限か）ではなくて、「距離」「離れている」という関係性がそもそも「ない」ことだからである。「言える／言えない」は、「有限の距離／無限の距離」に対応するのではなくて、「距離という関係の成立／未成立」に対応する。[4]
そこで、「言えない」はずのところで「言ってしまう」ことは、「関係の未成立」が「関係の成立」に変質（転落）してしまうことに対応する。酒飲み問題の場合には、酒飲みと非‐酒飲みが同席して、「寛容」や「マナー」によって適度な距離を保つこと（次善の策）は、「関係の未成立」から「無関係という関係」への変質（転落）である。それと同様に、「無でさえない未来」を、「現在からの関係的な視線に対して無限に退いていく未来」のように捉えてしまうことは、「言えない」はずのところで「言ってしまう」ことに相当するし、それが「関係の未成立」から「無関係という関係」への変質（転落）である。
そのような「言えなさ」と「（言えないのに）言ってしまって変質（転落）する」ことは、アポリアであるどころか、むしろ「端的な無関係性」にとっては好ましいことである。なぜならば、このような仕方で「言えない」「変質（転落）する」ということは、（言っているかのように見えても）実は「言っていない」ということの遂行だからである。実は「言っていない」という不作為（無為）の遂行のほうが、うまく適度に「言える」こと（次善の策に相当？）よりも、そもそもの「端的な無関係性」により近い。

「不作為（無為）」も「無関係性」も字面に反して否定形ではないことに注意しよう。すなわち、「失敗」し続けることがそのまま「成功」であって、「転落」し続けることがそのまま「高さの保持」でもあるような事態が、ここには出来している。「無でさえない未来」という概念は、そのように「言えない」「変質（転落）する」ことによって、無関係性を遂行的に保持できる非‐概念なのである。「現在からの視線」と「無でさえない未来」は、「酒飲み」と「非‐酒飲み」の場合と同様に、充実と欠如の関係にあるのでもないし、相関的な並立の関係にあるのでもない。そもそも端的に無関係なのである。

しかし、「無でさえない未来」という概念（非‐概念）は、一般的な「無関係性」の一例になっているだけではなく、時間上の無関係性という問題を含んでいる。無関係性が、時間上の無関係性であるというのは、さらにどういうことが加わるのだろうか？

「酒飲み」と「非‐酒飲み」の無関係性自体は、特に時間上のものではない。だからこそ、先ほどは「酒飲み」：「非‐酒飲み」の無関係性を、「現在」：「未来」の無関係性のアナロジーとしたけれども、その逆の「非‐酒飲み」：「酒飲み」の無関係性を、同じ「現在」：「未来」の無関係性のアナロジーと見なすこともできる。そこに時間特有のものが加わるということは、時間推移の「なる」が介入する

（4）関係としての有限と無限とは、有限と無際限に相当する。「端的に無関係であること」は、（無際限とは別の）実無限に相当すると考えることもできる。その場合には、「切断としての無関係」：「端的な無関係」＝「無際限」：「実無限」ということになる。

ということである。すなわち、（時間が推移して）「非‐酒飲み」が「酒飲み」になる（あるいはその逆）について考える場合が、時間特有の無関係性（現在と未来の無関係性）となる。しかし、時間推移の「なる」は、「ベタな連続」なのだから、「無関係性」の対極であり、連続以上の連続になってしまうのではないか？　そう思われるかもしれない。

　時間推移の「なる」だけに焦点を絞ればそうであるが、ここでは、そうではない。というのも、ただ時間が推移するのではなく、（時間が推移して）「非‐酒飲み」が「酒飲み」になる（あるいはその逆になる）からである。「端的に無関係」な両者が、その推移に乗っているということが、重要である。「端的な無関係性」を失うことなしに、しかも時間は推移する。それはどういう事態だろうか？

　それが「変容」である。「端的に無関係な即自態」から、異なる「端的に無関係な即自態」へのジャンプが生じる。無関係的に肯定的である即自態（非‐酒飲み）から、それとは異なる無関係的に肯定的である即自態（大酒飲み）へのジャンプが生じて、ただ端的にそうなってしまうだけだというのが、「変容」である。「ただ端的にそうなるのみ」だからこそ、時間推移の「なる」においても、無関係性は失われるわけではない。

　もちろん、非‐酒飲みの世界が、大酒飲みの世界へと変容した後には、色々と関係づけをするだろう（たとえば、原因探求によって）。あるいは、変容する前には、その変容後を想定してみるだろう（たとえば、快楽の増加した世界として）。しかし、どちらにしても、それらは（後からの・前からの）「関係づけ」である。その「関係づけ」からは、肝心な無関係性は失われてしまう。つまり、無関係的に肯定的である即自態（非‐酒飲み）から、それとは異なる無関係的に肯定的である即自態（大酒飲み）へと、ただ端的にそうなる——変容それ自体——は消されて「連続的な変化」へと変質

(転落)してしまう。

「なるようになる」という表現は、時間が、このような(関係づけのあり得ない)無関係的なジャンプ、すなわち「変容」を含み込みながら推移することを表している。(5) その無関係的なジャンプは或る種の「無限の跳躍」ではあるけれども、無限の距離があるから行きつかないのではなくて、もっとも手前で(いつもすでに)起こっていて、時間推移の内にふつうに含まれている常態である。時間推移は、そのような無関係的なジャンプを含みつつ、それを塗りつぶすようにして(ベタに)進行する。(6)

相関概念(対概念)に対する「外部(手前)」は、相関概念(対概念)によっては到達できない「遠く」に位置しているから「言えない」のではない。むしろ、逆である。「ただ端的にそうであるし、そうなる」ことに含まれている無関係性によって、実はすでにふつうに「外部」に出ている。にもか

(5)「なるようになる」は、輻輳的で矛盾的な意味を担う表現である。第5章においても、「「なるようになる」という表現は、「一様であることの必然性」を表すと解釈することもできたが、むしろ真逆の「(現在から未来への)絶対的な無関係性」をそのまま受け入れ、受け流す態度を表すと解釈することもできる」と私は述べた(一七六頁)。「なるようになる」とは、その正反対にも思える両者を一挙に表す表現である。

(6) このようなジャンプとしての「変容」を、『荘子』「胡蝶の夢」の中にも読み取ることができることを、中島隆博『『荘子』――鶏となって時を告げよ』(岩波書店、二〇〇九年)から学んだ。荘周と蝶について、以下のように述べられている。「[…]一方で、荘周が荘周として、蝶が蝶として、それぞれの区分された世界とその現在において、絶対的に自己充足的に存在し、他の立場に無関心でありながら、他方で、その性が変化し、その世界そのものが変容するという事態である。ここでは、「物化」は、一つの世界の中での事物の変化にとどまらず、この世界そのものもまた変化することでもある」(同書、一五五頁)。また、中島の「物化」論の優れた紹介・解説として、千葉雅也『意味がない無意味』(河出書房新社、二〇一八年)の「エチカですらなく」も参照。

かわらず、その端的な現実を、相関概念（対概念）の内に押し込めようとするから「言えない」だけのことである。その意味では、相関概念（対概念）の「外」こそが、むしろ現実の端的さの「内」であって、相関概念（対概念）の「内」こそが、むしろ現実の端的さの「外」なのである。そのように反転することによって、「言えない」ことはアポリアではなくて、むしろ「好ましい」ことへと反転する。

2 「忽然と湧いている今」と「無関係性」

第5章で、未来の二重性――無関係と関係――と表裏一体のものとして、現在の二重性――一回性と反復――にふれた。それは、「(現在は)一回だけ忽然と現れることを何度も繰り返す」という、矛盾的な二重性であった。その二重性を踏まえて、私は「いま現在が忽然と湧き上がる」と言った。

より正確に言い直すならば、「忽然と一回だけ湧いている今が、瞬間的な現在として何度も反復されて湧き上がる」。二重性のうちの、忽然性・一回性のほうを「今」で表していて、瞬間性・反復性のほうを「現在」で表すことで、区別ができる。ちょうど、忽然性・一回性を表す「今」が「端的な無関係」に対応し、それが繰り返されること（反復する瞬間的な現在）が「無関係という関係」に対応する。そして、端的な無関係が、無関係という関係（切断としての無関係）へと変質（転落）せざるを得ないのと同様に、「忽然と湧いている今」は、「反復する瞬間的な現在」へと変質（転落）せざるを得ない。

忽然と湧いている今　‥　何度でも湧き上がる現在
＝　端的な無関係　‥　無関係という関係

「今」の土俵が「忽然と湧き上がる」とは、無関係的な即自態として、どこからともなく出現している端的な「今」が、「現在」として反復されるということである。[7]「今」が、端的で・無関係的で・即自的であり、どこからともなく出現していることは、「今」が、「いつ」「どこ」「誰に」「どれくらいの期間」等とは無関係であり、不定の時間的範囲を融通無碍に（広くも狭くも）カバーできることにも読み取ることができる。いつでも・どこでも・誰にでも・どんな長さであっても、「今」は「今」であって、「今」は数秒でもありうるし数世紀（にわたる時代）でもありうる。「今」自体は無時間的であるとさえ言える。

その「今」の無関係的な忽然性は、容易に「現在」の関係的な瞬間性へと変質（転落）する。点的な瞬間瞬間が繰り返されて行くことが、まるで端的で・無関係的で・即自的な「今」の出現であるかのように考えられるとき、この変質（転落）が生じている。次頁の図では、「端的な今」から「瞬間

（7）「どこからともなく出現する」は、「無からの出現」ではない。というのも、「無からの」というのは、出自という関係性を表しているので、ここで意図している「端的な無関係性」に反してしまうからである。「どこからともなく」は、無関係性の表現である。あえて言えば、それは「無からの出現」ではなく、「その出現が全てであるような出現」である。「どこからともなく出現する」は、円環モデルの「始発点」（まさに今、何かが起こった（起こっている）の「まさに今」に相当する。その「まさに今」は、時間性と非時間性の接触点でもある。

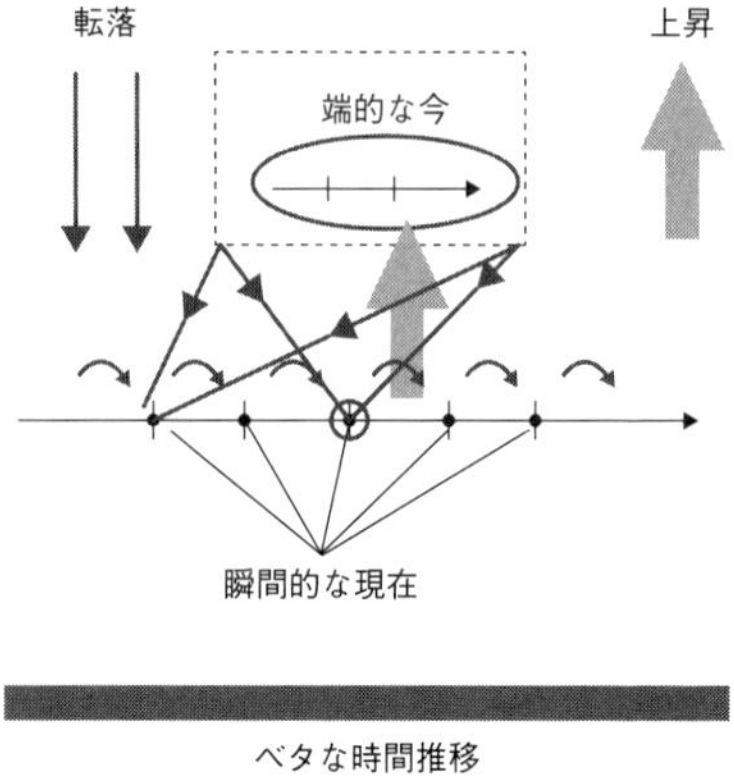

的な現在」へ向かう下向きの矢印が、その変質（転落）を表している。逆に、「瞬間」とは、ほんとうは反復できない非‐時間的なものではないかと考えるならば、それは「上昇」の矢印に相当する。

　この変質（転落）――瞬間的な現在――は、拮抗的な中間であり、必然的な次善策であるとも言える。それは、「無関係という関係（切断としての無関係）」が、「端的な無関係」と「関係」との拮抗的な中間であり、次善策（寛容やマナー）であることと類比的である。それはまた、「あらかじめ先取りされる未来（関係としての未来）」が、「無でさえない未来（無関係としての未来）」と「ベタな時間推移（関係以前の連続）」との拮抗的な中間であり、常識的な未来観であることとも類比的である。もちろん図のように、繰り返される「瞬間的な現在」が拮抗的な中間であるのは、無時間的でさえある「端的な今」と、絶対的な背景変化として働く「ベタな時間推移」とのあいだで成り立つ必然的な妥協態（常態性）だからである。

　さて、私は第5章で、森岡の考え方と対照することで「「いまの土俵」そのものが忽然と湧き出す」という言い方をした。森岡の場合には、「いまの土俵」は「湧き出す」ようなものではなく、未来や過去や、過去‐現在‐未来の観念が「湧き上がる」ための前提的な端的な存在である。森岡は次のように述べる。

私の経験は、つねに「いま」の土俵の上で起きる。時間が流れても、「いま」の土俵はどこへも行かない。それは時間の経過によってはびくともしない不動の土俵である。土俵の上に現われる出来事は時間の経過にともなってどんどん流れ去っていくが、土俵そのものはどこへも行かない。そして「いま」の土俵の上に、「かつてそれが起きたという圧倒的な迫力」としての「過去」が湧き上がってくる。これは「いま」の土俵の上に現われる「過去」である。同様にして、「いま」の土俵の上に、「今後それが起きるという圧倒的な迫力」としての「未来」が湧き上がってくる。これは「いま」の土俵の上に現われる「未来」である。[…]（前掲共著、二一二頁）

森岡はそう考えるからこそ、私のように「「いま」の土俵そのものが忽然と湧く」という言い方をすることに対して、次のように問い返すことになる。「いま」の土俵自体が「忽然と湧く」のだとすると、「忽然と湧くその前」とは、いったい何なのか？　それは「無」なのか？　あるいは「無でさえない」のような「なさ」なのか？　あるいは、そもそも想定する必要がないのか、想定され得ないのか？……。

このような問いに対する私の応答は、その二重性――「忽然と一回だけ湧いている今が、瞬間的な現在として何度も反復されて湧き上がる」という矛盾的な二重性――ゆえに、二つのことを合わせたものにならざるを得ない。

「「忽然と湧くその前」とは、いったい何なのか？」という問いの発生は、「今」の「現在」化――（図の）転落の矢印――に基づいている。「端的な今」自体には、そのような問い（その前は？　何から生じたか？）は生じない。「その前」や「何から」等はすべて関係性の問いであり、そのような関係性が端的にないことが、「端的な今」の端的さに他ならないからである。にもかかわらず、そのような問いが発生してしまうのは、「今」が「現在」へと転落することによる。「端的な今」が、時間推移の内に埋め込まれて表象されるとき、点的な「瞬間」のイメージを纏って「現在」となり、その瞬間的な現在が、時間推移の内で明滅的に進行していくかのような「反復」のイメージも生まれる。そのような描像の中では、「その前」や「何から」等の関係性の問いも、(うまく答えられないとしても)最小限の意味は持つようになる。というのも、「前の」瞬間や「次の」瞬間が成立するし、各瞬間は時間推移の内にあって、「そこから(時間推移の中から)」生まれ出てくるようにも思えるからである。つまり、転落によって関係性が成立することが、問いに意味を供給している。

ただし、「瞬間としての現在」には、(転落とは逆方向の)関係性の拒否——(図の)上昇の矢印——もまた働いていることを、付け加えておかなければならない。それこそが、「現在の二重性」だからである。

「瞬間としての現在」は、極小の持続時間のことでもないし、幅を持たない数学的な点でもない(要するに、持続するのでも持続しないのでもない)。また、次々と受け渡されていくような同一性を持つ実体のようなものでもない。そのようにして、「瞬間としての現在」から、纏わり付いてくるイメージを剝ぎ取っていくことが、「瞬間」性から「端的な今」性への遡りになる。この方向性(上昇)は、無関係という関係(切断としての無関係)である寛容やマナー(次善策)という関係をも剝ぎ取って、端的に無関係な即自態(関係性の成立以前)を考えることに似ている。この方向性(上昇)においては、「その前」や「何から」等の関係性の問いもまた、削ぎ落とされることになる。

結局、「端的な今」は「瞬間としての現在」へと転落するし、「瞬間としての現在」は「端的な今」

へと上昇する。この転落と上昇の両方、あるいは「一回性が反復する」と「反復し得ない一回性が忽然と湧く」の両方を合わせたものが、「「いまの土俵」そのものが忽然と湧き出す」ことである（と私は考えている）。すなわち、「土俵の中で（何かが）湧き上がる」ことと、「土俵そのものが湧き出す」こととは、その垂直運動（転落と上昇）を通じて、連動しているのだと、私は応答していることになる。そして、時間推移や瞬間の明滅的進行という水平的に見える時間の動きの中にも、そのような（上昇・転落の）垂直的な反復が畳み込まれていると、私は主張していることになる。[8]

3 「力」としての現実性

森岡は前掲共著の中で、九鬼周造の様相論（偶然論）と私のそれを明快に比較考察してくれていて、その中で「力動性」に言及している箇所がある。引用しておこう。

また九鬼は、「偶然性」の中に生産的な「力」を見ており、その「力」によって「偶然性」が「必然性」へと自己展開していくという動的な見取り図を提案している。これは「現実性」と「可能性」のあいだの果てしないせめぎ合いに真理を見ようとする入不二と似たような発想であると見ることもできる。（二二三頁）

（8） この事態（水平の内に折り畳まれた垂直）は、順序数（0, 1, 2, 3, ...）の水平的な生成の内では、空集合を始発点とするオブジェクトレベルとメタレベルの垂直的な運動が働いていることに似ている（時間と数は親しい）。拙著『相対主義の極北』（ちくま学芸文庫、二〇〇九年）の第7章を参照。

九鬼周造は『偶然性の問題』の第三章の中で、特に「必然性」と「偶然性」という二つの様相に絡めて「現実性」を扱っていて、次のように述べている。(9)

現実性は「展開した現実性」としての必然性と、産み落とされた現実性としての偶然性とに共通の性格である。さうして誕生に於いて産声を聞く如く現実性は偶然性に於て大声に叫んで自己を言明するのである。偶然性が虚無性にも拘わらず現実性を有つてゐることは著しい性格である。それに反して可能性は非現実の中にありながら、自己の正当なる実在性の権利に基いて現実への通路に憧れてゐるものである。非現実と虚無との中に永遠に死んでゐる不可能性をして現実に向つて飛躍せしめるのは、偶然性の有つ神通力である。

現実性は、必然性と偶然性の両方に跨がる仕方で働いている。現実性が、不可能性と可能性が接触する一点において（あるいは無から有が生まれる一点において）原初的に働くときには、偶然性という様相を持つ。(10)他方、その生まれ出た現実性は、まだ実現していない可能性を十全に展開していくことによって、必然性へと接近していく。

「展開した」「産み落とされた」「誕生に於いて」「永遠に死んでゐる不可能性をして現実に向つて飛躍せしめる」「神通力」などの表現には、たしかに「力動性」が読み取れる。(11)「未生→誕生→展開（成長）」という比喩は、現実性と様相の動的な関係を表そうとしている。

九鬼はまた、四つの様相（可能・必然・偶然・不可能）間の動的なサイクルについても、太極図

（本書二二〇頁参照）を利用しながら、次のように考えている（九鬼前掲書、二一三頁）。

- ●不可能性が否定によって可能へと転化
- ●可能性が増大して、その極限において必然性へと転化
- ●必然性が否定によって偶然性へと転化
- ●偶然性が増大して、その極限において不可能性へと転化
- ●以下、最初に戻って循環が続く

森岡の先ほどの引用では、偶然性に「力」（生産力）を認めていて、その力の自己展開として様相の変転を考えている。たしかに九鬼は、「現実に向つて飛躍せしめるのは、偶然性の有つ神通力である」（傍点は引用者）「不可能性をして現実に向つて飛躍せしめる」（傍点は引用者）と述べている。つ

（9）　九鬼周造『偶然性の問題』（岩波書店、一九三五年）、二三七頁。

（10）　虚無を背景に持つ一点に対して、現実性が働く原初の姿を「偶然」と呼ぶならば、その「偶然」もまた「原始偶然」と称するのに相応しい。この考え方は、因果系列を背景としない「瞬間的な現在」を「原始偶然」として見ることを可能にする。因果系列を遡って理念的な「最古」として見出される過去的な「原始偶然」だけではなく、現在的な「原始偶然」も問題にできるということである。拙著『あるようにあり、なるようになる　運命論の運命』（講談社、二〇一五年）の第24章註3も参照。

（11）　九鬼自身の表現は「永遠に死んでゐる」であるけれども、「永遠に生まれない」と考える方がいいだろう。「誕生と死」ではなく「誕生と未生」という対の方がいい（と私は考える）。つまり、「虚無」は「死の無」ではなく「未生の無」であり、何かがあった後の「消滅の無」ではなく、「そもそも在る前の無」である。

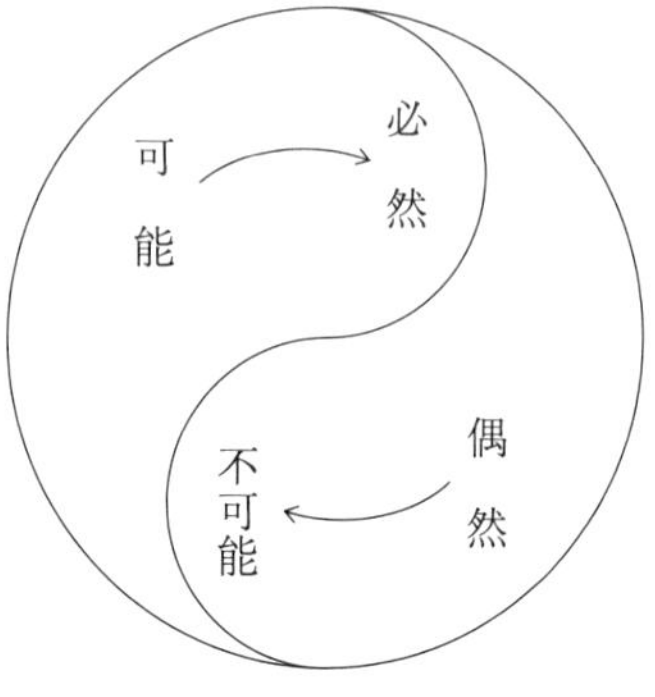

まり、偶然性が「力（神的な生産力）」を持っていて、その力によって向かうべき先（あるいは産出される領域）が、現実であると考えられている。つまり、現実とは「可能性の内で実現が目指される領域」であり、「不可能性がそこに向かって飛躍する目標」であって、それを「生み出す力」を、偶然性が持っているのだと捉えられている。「産出力」は偶然性が持ち、その結果が現実である。

しかし、「偶然性＝産出力」「現実＝産出物」という捉え方に対して、むしろ逆に、現実のほうに「力」を割り当てて、「現実＝力」「偶然性＝力の一局面」という捉え方も、九鬼はしているように見える。そのように（逆の割り当ても加えて）、現実を「力」でもあるし、「力による産出物（特定領域）」でもあると捉えるならば、九鬼の様相論と私の様相論をいっそう接近させることができる。現実を（産出物・特定領域としてだけではなく）力としても捉えているように見えるのは、次のような一文である。次頁に引用する図も参照。

［…］偶然性は自己が生産点たることを自覚するや極微的可能性より出発して曲線を連続的に充実し、遂に可能性を必然性の円周にまで展開し得る現実の力である。（九鬼前掲書、二三五頁、傍点は引用者）

「現実の力」という表現に注目しよう。この箇所に添えられている図では、円と接点Sで接する接線

Tが、そのSを中心にして回転することによって、円周上を（点S'が）連続的に通過していく様子が描かれている。ということは、「遂に可能性を必然性の円周にまで展開し得る現実の力」とは、この「回転」ということになる。その回転は、円周上の点S'を産み出し続ける「力」ではあるけれども、偶然性（接点S）そのものではない。「現実の力（＝回転すること）」は、偶然性（接点S）から出発するとしても、必然性（円周全体を辿り尽くすこと）も生み出す「力」である。現実の力は、偶然性と必然性を共に生み出している。

「回転」においては、「偶然性（の持つ力）によって「現実」が産み出される」のではなくて、むしろ逆に、「現実の力（＝回転すること）」が、偶然や必然などの様相を（その回転の一局面として）生み出している。「産出力」は現実性が持ち、その結果が偶然性であり、必然性である。

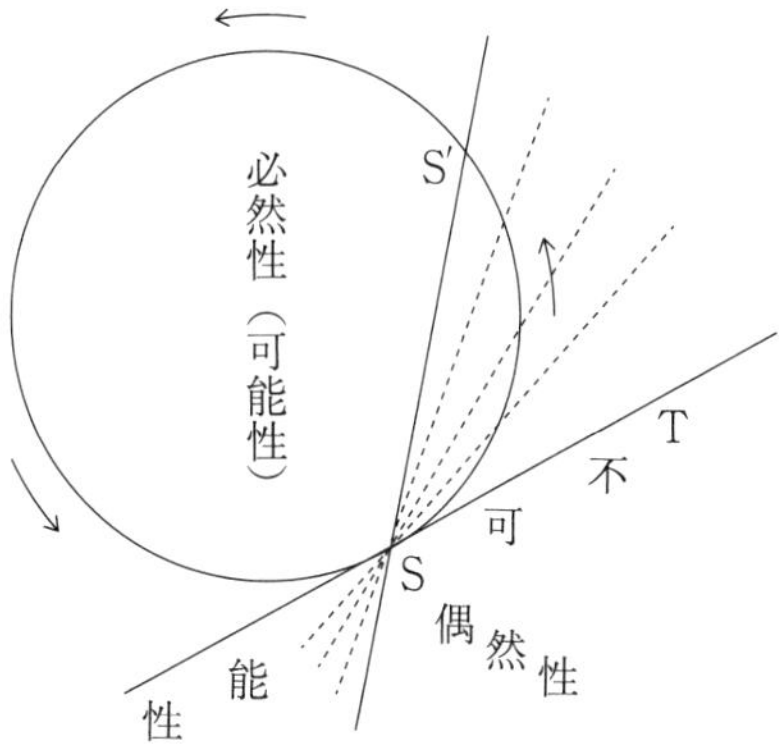

この後者の側面——現実性が力であり、偶然性は一局面である——を九鬼にも読み込んでよいならば、私自身の「現実性論」といっそう近しくなり、比較もしやすくなる。互いを接近させた上で、なお残る差異に注目した方が、互いの論の輪郭をより際立たせることができる。まず、パラレルに考えうる点から始めると、次のようになる。

九鬼：　力としての現実／実現される領域としての現実
入不二：絶対現実（現実性という力）／相対現実（様相や内容を持つ現実）
九鬼：　様相の一領域としての偶然性／接点としての偶然性（の産出力）
入不二：様相のネットワーク／様相の潰れ

九鬼も入不二も、「現実（性）」を、「働く力自体とその特定局面」の二重性を持つものとして、あるいは「産出力側と産出物側」の二重性を持つものとして考える。また九鬼も入不二も、「様相」を、安定した秩序（論理）としても、秩序（論理）が危うくなる特異点としても考えている。特異点とは、九鬼の場合には「接点S」であり、入不二の場合には「様相の潰れ」である。「様相」を秩序でも特異点でもありうるという二重性において考える点でも、九鬼と入不二は近づきうる。

次に、違いを際立たせよう。

九鬼の場合には、「力（産出力）」を、偶然性が有する力としても語るし、また現実性が有する力としても語る。偶然性と現実性のどちらもが、同じ「力」を持つように扱えるのは、九鬼が偶然性と現実性を一つに重ねて考えているからだろう。たとえば、先ほどの円と接線の図においても、円と直線が接する接点Sは、偶然性を表すと同時に、（産声を上げて誕生したばかりの）現実でもある。偶然性と現実は、九鬼において一体である。

もちろん、九鬼の論は動的であるから、偶然性＝現実の重なりは、この一点（接点）においてもっとも際立つとしても、そのあとは、現実は可能性（直線と弧が作る領域）の拡大に重ねられるし、最後には必然性（円全体）と重ねられる。この最後は、「展開した現実性」としての必然性とも呼ばれていた。現実性は、誕生において偶然性に重ねられ、成長において可能性に重ねられ、完成において必然性に重ねられている（それでもなお、偶然性と現実との重なりは、九鬼の論にとって特別な重要性を持つけれども）。いずれにしても、九鬼の場合には、現実性は（様相を変えつつも）常に様相を持っている。言い換えれば、九鬼の場合には、様相を持たない現実性は、考えられていない。

一方、私（入不二）は、現実性という力自体は様相を持たない（無様相である）と考えている。あえて九鬼の「円と直線の図」を利用して言うならば、こうなる。回転する直線Tは、その回転の局面ごとに、不可能性・偶然性・可能性・必然性のすべての様相を纏っていく。しかし、その「直線Tが回転すること」自体、あるいは「回転力」は様相を持たない（無様相である）。いわば、九鬼自身の論構成の内にさえ、様相で覆われることのない「力」が働いていると考えることができる。しかし九鬼の様相論においては、「回転（力）」は、（図に書き込まれてはいても）それ自体としては考察が及んでいない。「直線Tの回転」だけでなく、太極図などの図に読み込まれるべき運動（動き）についてもまた、同様である。その運動（動き）こそが、「無様相の力」の次元である。

結局、九鬼と私（入不二）の違いは、力として働く「現実性」の位置づけの違い——有様相か無様相か——であり、それは、二人の基本構図が二元性（九鬼）と三元性（入不二）という仕方で異なることの効果である、と考えることもできる。

九鬼の基本構図の二元性は、太極図にも表れているし、「独立の二元の邂逅」という考え方からも、「必然と偶然」や「論理と実存」などの相克からも読み取ることができる。さらに比喩の水準で言うならば、「円と直線の図」において、「直線Tが回転すること」が、その図の二次元性から解放されないまま、点と平面（領域）の内に回収されて、特定の様相を割り振られてしまう。このこともまた、二元性（二次元性）の象徴である。この二元性（二次元性）のもとでは、現実性もまた様相内（平面内）に位置づけられてしまうのも、もっともなことである。

しかし、私（入不二）のほうは、現実性という力（絶対現実）を、円環内を巡るもの（二次元的なもの）としてではなく、上から射し込んでくる垂直方向の矢印（三次元的なもの）によって表した。これは、「現に」という力の働く水準が、円環内を巡るもの（様相・論理・時制・人称など）の水準とは異なることを、次元の違いを借りて表すためであった。さらに私のほうは、「現実性と様相」という問題を考える際に「無様相――様相の潰れ――様相の秩序」という三元性を基本構図としている。

このような、二元性と三元性の違いを重視するならば、最初に「パラレル」に考えうるとした点も、実はズレが含まれていることが分かる。そこで、次のように修正する必要がある。

九鬼：　　　　　　　　　　力としての現実／領域としての現実
入不二：　絶対現実（現実性という力）／相対現実（様相や内容を持つ現実）

九鬼：　　偶然性　　　　　／原始偶然と形而上学的必然の同一
入不二：　様相のネットワーク　／様相の潰れ

九鬼の場合に想定できる「力としての現実と領域としての現実」の区別は、私の場合の「絶対現実と相対現実」にパラレルなのではなくて、むしろ「相対現実」の水準へと回収される相対的な区別となる。また、九鬼の場合の偶然性の話はすべて、私の場合には様相のネットワーク内へと位置づけられる話となる。それでもなお、様相の潰れに対応するものを、九鬼の中に見出そうとするならば、「原始偶然と絶対的形而上学的必然とが同一のものであり、一者の両面にすぎない」という考え方を、引っ張り出さざるを得ないだろう。

もう一点だけ、九鬼と私（入不二）の違いを加えておくならば、「産出力」についての考え方の違いを挙げることができる。それは「潜在性」の問題でもある。九鬼の場合には、偶然性の中にこそ、産出する力を見出している。その力は、「現実へと向けて飛躍させる神通力」とも言われる。しかし私の場合には、「産出力」を言うとすれば、その力は「潜在性」に対して割り当てたい。「潜在性」は（その深度の違いに応じて）無限に何かを産み出しうる力である。[12] そしてまた、潜在性は「現に潜在している」ことなのだから、「現実性の力」のメビウスの帯的な裏面でもある。

4 「このもの主義」を別様に考える

まず、可能主義（possibilism）と現実主義（actualism）とこのもの主義（haecceitism）を概観することから始めよう。この三者は、「現実」をどのようなものとして考えるかという点において、見解を異にする。

前二者——可能主義と現実主義——の対立は、第2章「現実性と潜在性」冒頭の三区分における

(12) 「潜在性」については、第1章「円環モデルによる概観」、第2章「現実性と潜在性」も参照。

（3）と（2）の対立に相当する。（1）は、別様に考えられた「このもの主義」に相当するが、それは私固有の考え方なので、ひとまず置いておく。

（1）様相とは無関係に働く水準
（2）様相に外的に関係する水準　→　現実主義（actualism）
（3）様相に内的に関係する水準　→　可能主義（possibilism）

（3）に対応する（D・ルイス的な）「可能主義」について、私は次のように述べた。

> 様相を論じるのに「可能世界」という道具立てを利用するならば、現実（性）は「現実世界」として導入される。現実世界の現実性を、D・ルイスのように指標詞的に捉えるならば、「どんな可能世界wにとっても、その世界wは、それ自身にとっての現実世界である」ことになる。[13] その場合には、現実性は諸可能世界に相対化されていて、諸可能世界の内に再帰的な仕方で埋め込まれている。（五八頁）

可能主義によれば、「他の世界は非常にたくさんあるので、あるひとつの世界の可能なあり方のおのおのに対して、なんらかの世界の現実のあり方が必ず対応している」（註13の邦訳二頁）。言い換えれば、ただ一つの絶対的な現実世界の存在を、可能主義は認めない。現実は、原理的に（指標的な）相対性を免れないのである。D・ルイス自身は次のように述べて、現実の絶対性（唯一性）を退ける。

> 仮にただひとつの世界だけが絶対的に現実であるとしよう。このとき、そのただひとつの世界だけがもつ——その世界の住人やそれ以外の何かと相対的にもつのではなく、端的にもつ——何かしら特別な差異が存在することになる。この絶対的な差異だとされるものをどのように理解したら良いか、私には分からない［…］。（註13の邦訳一〇二―一〇三頁）

一方、現実主義（たとえばR・アダムス）は、可能主義を批判して「ルイス的な可能主義は、現実の絶対性を捉え損なっている」と考える。[14] 可能主義では、可能世界ごとに諸現実が考えられるのに対して、現実主義では、特別な唯一の現実（この現実世界）を認めようとする。可能主義では、諸可能世界（諸可能性）が現実世界（現実性）に優先するのに対して、現実主義では、特別な唯一の現実世界（現実性）が諸可能世界（諸可能性）の想定（構築）に優先する。

（2）「様相に外的に関係する水準」に対応する「現実主義」について、私は次のように述べた。

> しかし、「どの可能世界であれ、その世界が、それ自身にとっての現実世界である」と言うだけでは、まだ不十分なのではないか。その各々にとっての現実世界のうちで、現に現実世界であ

（13）David Lewis, *On the Plurality of Worlds*, Basil Blackwell, 1986.／デイヴィド・ルイス『世界の複数性について』（出口康夫監訳、名古屋大学出版会、二〇一六年）。

（14）Robert M. Adams, "Theories of Actuality" (1974), in Michael J. Loux ed. *The Possible and the Actual*, Cornell University Press, 1979, pp. 190–209.

るのは、この現実だけではないだろうか。つまり、この傍点をつけた部分（現に・この）の「現実性」は、それぞれの世界に相対化することのできない絶対的な現実性であって、指標詞的な分析では掬い取れないのではないか。（五八頁）

では、諸可能世界（諸可能性）に対して「外から」与えられる絶対的な現実性は、どのようなもので、どうやって与えられるのか？

R・アダムスによれば、その答えは「命題（の集合体）が真であることによって」となるだろう。特別な唯一の現実世界とは、すべての真なる命題の集合体から成る世界のことである。言い換えれば、諸事実からなるこの世界が、とにかくまず成立していることが先決事項である。そこを起点にして、（真ではない）諸命題の集合体を言語的に想定（構築）することによって、諸可能世界（諸可能性）はあとから構築される。いわばアダムス的には、事実性（命題の真理性）が現実性を提供している。[15]

可能主義と現実主義は、このように対立している。対立しているからこそ、或る前提を共有している。それは、「諸可能世界と現実世界」という考え方の枠組みである。どちらの項が優先されるか（初発であるか）で対立しているということは、その二項（可能世界と現実世界）を焦点とする枠組みは、共有しているということになる。「諸可能世界と現実世界」という枠組みは、対立（競い合い）のためのルールのようなものとして働いている。

その点で、三番目の「このもの主義（haecceitism）」はどちらとも異なっていて、その「枠組み」の共有から始めてはいない。というのも、「このもの主義」は、「世界（全体）」――可能世界であれ現実世界であれ――から始めるのではなく、目の前の人やものを「これ」「この人」「このもの」と指

示することから始めるからである。「このもの主義」は、その直接指示の内に現実性の源泉を見ようとする考え方である。(16)

直接指示の「これ」は、〈どのような諸性質・関係を持てば同一性（アイデンティティ）を保つか〉というのとは違う別の水準で、この人・このものを固定する力を持つ。たとえ性質・関係上は区別ができなくて、まったく同じように思える人やものが複数あったとしても、「これ」と指示することによって、この人・このものを、他とは違う唯一的な存在として選び出すことができる。あるいは、この人・このものが、時間経過を経て大きく変貌して、諸性質・関係の水準では別様になったとしても、この人・このものは、（性質・関係は変化したとしても）同じこの人・同じこのものでありうる（固定は続きうる）。固定する力である「このもの性」が働くことによって、諸性質・関係によって同定されるのとは違った仕方で、「このもの」が同一の「このもの」となる。

(15) もちろん、私自身は「事実性が現実性を提供する」とは考えない。むしろ逆で、現実性が「受肉化」して転落していく中途にあるのが「事実性」である、と考えている。第2章と第3章を参照。

(16) 可能主義が、第2章「現実性と潜在性」の三番目の水準（(3) 現実性が様相に内的に関係する水準）に対応し、現実主義が二番目の水準（(2) 現実性が様相に外的に関係する水準）に対応すると述べた。では、「このもの主義」が一番目の水準（(1) 現実性が様相と無関係に働く水準）に対応するのか？ と思う人がいるだろう。しかし、答えは「（少なくとも単純には）そうではない」である。以下で考察するように、「このもの主義」自体ではなくて、その内に含まれている「これ性」という力が、直接指示する場面を超え出て循環することに、私は「様相とは無関係に働く水準の現実性」を見出すからである。その解釈を「「このもの主義」を別様に考える」と称している。「このもの主義」と「様相論」のハイブリッドは可能であり、私はS・クリプキの固定指示子の議論にそれを見出す。次の註17を参照。

この別の水準での「固定」に現実性の源泉を見ようとするのが、このもの主義である。その固定する力は、「目の前」という狭い範囲から出発するとしても、そこに留まっているわけではなくて、波及する。このもの主義によれば、目の前で発揮される指示の力（固定性）が、波及して働く場の全体が、「現実世界」である。このもの主義にとっての「現実性」は、世界内の局所（目の前のこの人・このもの）から発して、どこまでも及んでいく「これ性」という力なのである。[17] 可能主義の場合には、世界が持つ再帰的な形式（世界wにとってのそれ自身性）が「現実性」を提供し、現実主義の場合には、事実性（命題総体が真であること）が「現実性」を提供するのに対して、このもの主義の場合には、「これ性」が「現実性」を提供する。

ここまでは、可能主義（possibilism）・現実主義（actualism）・このもの主義（haecceitism）についての一般的な概観・比較である。ここから方向転換をして、この三者を、私自身の視座から位置づけ直す。すなわち、このもの主義を別様に解釈するという方針の下で、可能主義と現実主義をも含み込むものとして、このもの主義を捉え直す。言い換えれば、可能主義と現実主義とこのもの主義を並列的に捉えるのではなく、前二者の働きを組み込んだ高次のものとして、このもの主義を捉え直す。「これ（この）」の働き方を、以下のような三つの水準に分けることによって、「これ（この）」の働き方の違いと「三つの主義」を対応させることができる。「これ（この）」という指示が、内在的に働く場合と外在的に働く場合を区別し、複数性を強調する場合と単数性を強調する場合を区別して、その組み合わせを次のように考えてみる。

可能主義……「これ（この）」が内在的に働き、複数性を強調する水準

現実主義……「これ（この）」が外在的に働き、単数性を強調する水準
このもの主義……両水準が合体する水準

「これ（この）」が内在的に働き、複数性を強調する水準とは、指標詞が再帰的に働く水準（形式）のことを考えている。たとえば、私が「この本の中では、現実性の問題を論じる」とここに書き記すならば、「この本」の「この」は当の本の内部に含まれていながら、その本自身のことを再帰的に指し示す。しかも、同じ表現「この本の中では、現実性の問題を論じる」が、別の著者の別の本の中に記されている場合には、その別の著者の別の本を指し示す。指示対象が文脈に依存して変わることも、「この」の働きの一部である。自らを内側から再帰的に指示することは「形式」であって、その形式が当てはまる実例は、当然複数ありうる。その「ありうる」という点、つまり複数性・相対性を強調することが、可能主義との対応関係を表している。[18]

(17) S・A・クリプキの「固定指示子（rigid designator）」という考え方は、「このもの主義」と「現実主義」の両方に跨がっていると解釈することができる。固有名等による「固定」には、「このもの主義」の側面を読み取ることができる。同時に、固定指示されたものが反事実的状況を潜り抜けて同一性を保つことが、可能世界と現実世界という様相論理的な枠組み（装置）で論じられるという点では、「現実主義」の側面を読み取ることができる。要するに、「このもの主義」と「様相論」のハイブリッドを、クリプキから読み取ることができる。cf. Saul A. Kripke, *Naming and Necessity*, Harvard University Press, 1972, 1980.／S・A・クリプキ『名指しと必然性――様相の形而上学と心身問題』（八木沢敬・野家啓一訳、産業図書、一九八五年）。

(18) ちなみに、〈私が「この本の中では、現実性の問題を論じる」とここに書き記す〉における「私」や「ここに」についても、同様のことが当てはまる。

この働き方の場合には、自らの指示が自らに向かうという内在的で再帰的な側面と、その形式（あり方）は等価な仕方で複数ありうるという側面の両方が含まれている。「内在的に働き、複数性を強調する水準」とは、この両側面を合わせたものである。図式化しておけば、上図の右のようなイメージになる。

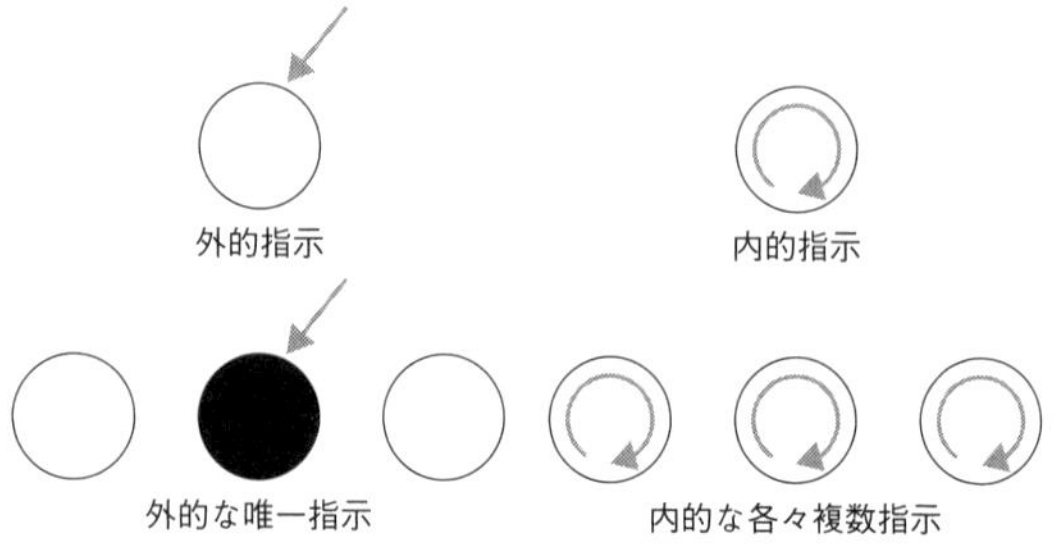

D・ルイス流の可能主義では、この世界が現実であるのは、そこに住んでいる私たちが、その内部から「この世界」と指標詞的に指示することによってである。別の世界に住んでいる別の者たちが、その世界の内部から自らの世界を「この世界」と指標詞的に指示するならば、彼らにとってはその世界が現実である。この考え方では、「これ（この）」が、世界に内在的に働き、しかも世界の複数性を強調する水準で使われている。

次に、「これ（この）」が外在的に働き、単数性を強調する水準とは、直接指示による唯一のものを選び出す場面を考えている。たとえば、書店にたくさんの本が陳列されている場面で、私が「この本には落丁がある」と言うならば、「この本」の「この」は（本の外側から）その一冊を選び出すように指示している。もちろん、その直接指示を、他の本に対しても使用しうるけれども、実際にいま特定の一冊を選び出しているという点、つまり単数性を強調することが、現実主義との対応関係を表している。

この働き方の場合には、指示は（自分以外の）他のものへと向かうという外在的な側面と、その指示によって複数ありうるものの中から、実際に一つのものが選び出されるという側面の両方が含まれ

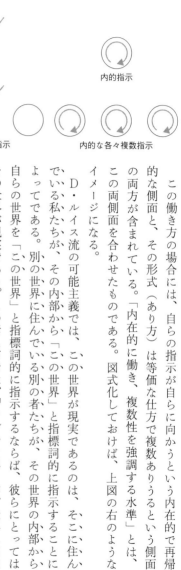

ている。「外在的に働き、単数性を強調する水準」とは、この両側面を合わせたものである。図式化しておけば、前頁上図の左のようなイメージになる。

現実主義では、可能主義とは違って、複数の可能世界（それぞれに指標詞的な現実性を持つ世界）の外側から、「唯一の現実世界」を指示するために「この世界」と言う。[19] この考え方では、「これ（この）」が、諸可能世界というシステムに対して外在的に働くという側面と、その働きは「唯一の真なる世界を指定する」という側面の両方を含んでいることになる。

それでは、そのどちらとも違って、どちらにも似ている「このもの主義」の「これ（この）」の働き方とは、どのようなものだろうか。このもの主義の「これ（この）」は、内在的に働いて複数性を強調する水準と、外在的に働いて単数性を強調する水準という二つの水準が、合体する地点で働いている。どういうことか？

「これ（この）」は、（指示する主体の）近傍にある特定の個体を直接指示して一つだけ選び出すことができる。その点では、「外在的に働き、単数性を強調する」現実主義的な「これ（この）」の働きと似ている。選び出すのは、「世界」ではなく、「世界」の中の「もの・個体」であるけれども。

しかし同時に、その唯一指示（固定する力）は、「もの・個体」の固定と共に定まっている「世界全体」へも波及する。「これ（このもの）」の力は、世界内の局所（このもの）を経由して、その世界全体を覆い尽くすようにも働く。逆に、その世界全体を覆う力が、局所（このもの）へと集中的に還流し

(19) 外側から働く「この」は、R・アダムスの場合と結びつければ、事実の総体（真なる命題の集合体）に支えられているということになる。註14参照。

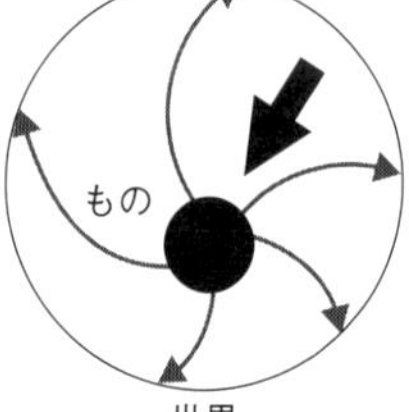

ているとも言える。その全体への「波及」、局所への「還流」という点では、世界の内側からその世界自身を再帰的に指示すると見ることができて、それは可能主義的な「これ（この）」の働きにも似ている。

とはいえ、どちらにも似ているが、どちらとも違う。それは、このもの主義の「これ（この）」の合体的な働きからは、「外在性」と「複数性」は共に消え去るからである。力の波及・還流の一断面・一局面（上図の⬇●の部分）だけを切り取ると、あたかも「外から（指示している）」かのように見えるだけであって、波及・還流全体（⟳）には「外」はない。つまり、ここには、ほんとうの意味での「外在性（外側からの指示）」は存在しない。また、この波及・還流は、複数の実例に適用されうる「（再帰性という）形式」なのではなくて、現に作動している「力の流れ」の遂行である。したがって、「複数の適用例がありうる」という意味での「複数性」は、ここでは成立し得ない。どのような「このもの」であろうと、その「力の流れ」の一断面・一局面である。

この力の波及・還流の一断面・一局面である「⬇●」には、必ず「指示する主体（♀）」が伴っている。「近傍にある特定の個体を直接指示して一つだけ選び出す」（⬇●）の背後には、必ず「近傍の中心」としての「指示する主体（♀）」が控えている。その局面だけを切り取るならば、指示主体（♀）が、力の流れの「起点」「原点」のように見える。指示主体（♀）から発する「力」が、指差し（⬇）などを通して、もの・個体（●）に及ぶことによって、もの・個体は「このもの」になる。その起点・原点としての指示主体が「この私」である。

唯一指示の起点・原点としての起点・原点（この私）に、注目してみよう。「この私」という起点・原点にも、すでに二つの水準（可能主義的な水準と現実主義的な水準）が合体的に働いているのが分かる。すなわち、「この私」の「私」は指標詞として働いて、自己意識的な再帰性を持ちうるポジションを表すし、「この私」の「この」は、そのポジションの中からただ一つが選び出されていることを表す。「この私」には、可能主義的な（指標詞的な）現実性である「私」と、現実主義的な（選び出し的な）現実性である「この」の両方が、交差する形で働いている。

その二つの水準を含む現実性（力）が、「この私（起点・原点）」から発して、「このもの」へも伝播する。指示される側（このもの）にも、二つの水準を含む現実性（力）が波及して働く。だからこそ、「このもの」においても、「この世界」内の局所的な現実性と、「この世界」全体の現実性が重なって働いている。前者の「この世界内の局所的な現実性」は外側から選び出されるかのように作動し、後者の「この世界全体の現実性」は内側から指標詞的に指し示されるかのように作動する。「この私」から発する二つの水準を含む現実性（力）は、「このもの」へ伝わるだけでなく、「この世界」全体へも波及している。だからこそ、「この世界」もまた、内在的なあり方しかできない（外のない）現実としても、外側から唯一指示できるような現実としても、二つの水準で働いている。

この私　―　このもの　―　この世界

二つの水準の現実性（力）は、一方的に「この私→このもの→この世界」と波及しているわけではない。「このもの」においても、「この世界」全体の現実性が重なって働いているし、「この私」という現実性は、「この世界」の局所的な現実性でもあるが、「この世界」全体の現実性でもある。すなわち、現実性（力）の波及は、「この私↑このもの↑この世界」という逆方向でもありうる。むしろ、現実性（力）は、「この私・このもの・この世界」のあいだで融通無碍に波及・還流していると言った方がいいだろう。

「このもの主義」を、以上のように変則的に解釈してもよいならば、このもの主義は、可能主義や現実主義と並立する第三の立場ではなくなる。可能主義や現実主義を自らの一局面として含みつつ、両立場のエレメントを交差させ撚り合わせながら展開していく、「力の流れ」についての教説へと変貌する。

「これ（この）」を力（の展開）として考えるならば、「このX」の「X」が何であるかは重要ではない。「X」はおよそ何であってもいいのでなければならない。「X」は、「私」であろうと「もの」であろうと「世界」であろうと、何でもかまわない。私は「「この」は（「私」だけでなく）何にでも付くのでなければならない」と述べたことがあるが、その真意は、この点にあった[20]。

力として通底的に働く「これ（この）」という捉え方を受け入れてもらえるならば、私自身の現実性論も、「このもの主義」の一種であると（前掲共著の森岡のように）捉えてもらってかまわない。ただし、「このもの主義」「このもの性」という呼称よりも、「もの」を消去した「これ主義」「これ性」という呼び方のほうが、より相応しいだろう。Xが何であるかとは無関係の「力」（「これ」を通じて還流する力）を強調したいのだから。

5 「現実性」と「存在物」

私自身の「このもの主義」解釈では、指差しによる「このもの」指示（➡●）は、「これ性」の力の波及・還流の一断面・一局面にすぎない。その力は、「この私・このもの・この世界」を貫いて波及・還流しているのであって、絶対的な「始め」や「終わり」があるわけではない。「これ性」には起点も到達点もないということが、絶対現実（現にという力）には外がなく、特定の視点もない、ということの（相対現実内での）反映である。

一方、森岡は、「これ性」を「指差しの運動」とその動作を起動する「身体全体」に紐付けることによって、「絶対現実」もまた「動作起点」から語られざるを得ないと考える。森岡は、私（入不二）の無視点的な現実性論に対して、（絶対現実も）「動作起点」から語られていると答えなければならないと応じている。

森岡が思うに、「これ性」は、「これ」という指差しの運動を行う誰かの視点がなければ、そもそも成立しないはずである。ここで「視点」という言葉を使うと、その「視点」の始発点としての何かの実体が想像されてしまうので、この言い方はあまり良くない。そこで「視点」のかわりに、指差しの運動を行う「動作起点」という概念を導入したいと思う。「動作起点」は、指差しの運動を行う始発点を意味するのではなく、指差しの動作が起動する身体全体を意味する。したがって、それは「点」ではなく、指差しの運動を可能にする身体の一定の「広がり」である。

このように考えれば、「絶対現実はどこから語られているか？」という問いに対しては、「どこ

(20) 第7章「無内包・脱内包・マイナス内包」における第5節「無内包・脱内包とこれ性」を参照。

からでもない」と答えるのではなく、それは「動作起点」から語られていると答えなければならない。この点が、おそらく入不二と森岡の最大の相違点ではないか(21)。

森岡の「これ性・動作起点説」に対して、私がどう応答するかは、ここまでの論述からも明らかであろう。「これ性」という力の波及・還流の一局面としては、「これ」が「指差し動作」を起点とする場面があることは、もちろん私も否定しない（いや誰も否定しないだろう）。しかし、指差しによる「このもの」指示（⬇●）は、「これ性」の力の波及・還流の一断面・一局面にすぎないのであって、「これ性」という力の全体像ではないし、初発の前提条件でさえない。このように考える点が、森岡と私（入不二）の相違点である。

このような相違点の確認で終わらせずに、もう一歩踏み込んで考察を加えておきたい。その考察を加えることによって、森岡の論と私自身の論の距離をいくらか縮めることができる。そのうえで、なお残る互いの相違点を浮かび上がらせたほうが、よりよい議論になるのではないだろうか（本章第3節で、九鬼と入不二を対照したのと同様に）。

森岡によれば、指差し運動が「これ性」を成立させるし、その動作は身体によって可能になる。ゆえに、動作起点としての身体こそが、「これ性」の源泉である。一方、私のほうは、動作起点としての身体もまた、「これ性」という力の流れの経路（中継点）であって、特権的な開始点ではない。しかし、その流れの中から「身体―指差し―指示対象」に焦点を絞って、そこだけを切り出すならば、身体は「これ性」のとりあえずの源泉である。身体＝源泉を（とりあえず）認めるという点で、私は森岡に歩み寄ることができる。

逆に森岡論の中にも、私の「力の流れ論」へと一歩近づいてもらえる（かもしれない）考え方を、見出すことができる。そう考える根拠は、次のような森岡の記述にある。

> 「これ性」の真の「動作起点」となっているのは、この文章を読んでいるあなたが内側から生きている身体である。それこそが、この宇宙に唯一開いている「動作起点」である。（前掲共著、二四五頁、傍点は引用者）

> ［…］森岡は「それ（引用者註：動作起点）は独在的存在者の身体だ」と答えることになるだろう。「独在的存在者」とは、「この宇宙の中にひとりだけ特殊な形で存在する者」という言葉によって指し示されるものであり、それは二人称によって確定指示される。誤解を恐れずに簡単に言えば、この文章をいま読んでいる「あなた」のことである。「あなた」こそが独在性の中心なのだ。（前掲共著、二四六頁、傍点は引用者）

この引用部分から、私は次の二つを重要な点として取り出したい。

一つは、「内側から生きている身体」ということは、指差しの動作を行う前から、すでに身体は「これ性」の力によって貫かれているという点である。「内側から生きている身体」であるためには、「これ」の内在的な指示がもっとも手前で作動していなければならない。ということは、「指差しの運

(21) 前掲共著『運命論を哲学する』二四三頁。

動」を行う前から（たとえ行わなくても）、「これ性」の力は、身体に宿っていることになる。あらかじめ「これ性」が宿っている身体だからこそ、その「これ性」を、「指差し運動」を介して対象側へと伝えて、「このもの」にすることができる。

このように考えるならば、「このもの」→「指差し運動」→「身体」→「身体において働く力（これ性）」というように、「これ性」の力の流れを遡ってみることができる。

もう一つは、「これ性」と「二人称性」の繋がりという点である。ここでの「二人称性」とは、「内側から生きている」という「これ性」（のとりあえずの起点）が、「この文章を読んでいるあなた」という仕方で（『まんが 哲学入門』ではさらに「プギャー!!」という仕方で）[22]、外側からやってくる力により確定指示されることである。とりあえずの起点（身体に宿る「これ性」）が、その外側から確定指示されるという仕組みが成り立っている。「おまえが、「これ」なのだ!」というわけである。この仕組みを考慮に入れると、「これ性」の起点は、「内側から生きている身体」からも、さらに遡ることができる。「これ」の内在性を確定指示する「外側の力」こそが更に遡行した起点だということになる（右の図は『まんが 哲学入門』一六五頁・一六七頁からの引用）。「このもの」に宿る「これ性」の力は、次々と伝播するものだからこそ、（逆に）次々と遡ることもできる。

「このもの」↓「指差し運動」↓「身体」↓「身体に宿る力（これ性）」↓身体の外からやって来る力（プギャー!!）

森岡自身も、次のように述べている。

ふたたび「現実性」の話題に戻って付加しておくと、森岡は「動作起点」からなされる指差しの行為に着目して「これ性」を語った。しかしこれは「これ性」の一側面のみに着目しているとも言える。というのも「これ性haecceity」のもう一つの側面として、外部から「これ性」が与えられるというものがあるからである。（前掲共著、二五六頁）

ここまで来れば、森岡と私の距離は縮まる。「これ性」という力には、内在的（再帰的）な指示性と外側からの指示性の両方が、二本の縄が撚り合わされて一本の縄になるかのように、働いている。しかも、その縄は「このもの―この私―この世界」を貫いて結びつけ、「これ性」を伝えている。「これ」に撚り合わされた内在性と外在性は、互いに反転しつつ働いている。それゆえ、あたかも「この世界」を「唯一のこのもの」であるかのように外から確定指示したり、逆に「これ」を（近傍の一個物を指示するのではなく）「この世界全体」を内側から再帰指示するかのように利用することもできる。

(22) 本書第5章一八五―一八六頁では、森岡の「あなたなのです!!」「プギャー!!」と、ヴェーダーンタ学派の「我はそれなり、汝はそれなり、全てはそれなり」を並べて、人称の歪み・潰れに言及した。その歪み・潰れを生み出しているのが、「これ性」の力の流れであると私は考えている。

る。つまり、「これ性」の力は、「……―この世界―このもの―この私―この世界―このもの―……」のように始めも終わりもなく、波及・還流している。森岡自身も、「不思議な循環構造に取り込まれている」(前掲共著、二五七頁)と述べている。

「これ性」の捉え方に関して、二人の距離は縮まったとしても、なお「現実」をどう考えるかに関して、森岡と私の違いは残る。その違いは、「もの」的な現実であるか、「こと」的な現実であるか、あるいは「局所」偏在的な現実であるか「全域」遍在的な現実であるか、という違いである。森岡にとっては、「これ性」によって選び出されるものや人や局所が「現実」である。しかし私は、「これ性」という力が、(あらゆるものや人や局面に)波及し還流し循環していること自体を「現実」だと考えている。前者は「もの」的な現実であり、後者は「こと」的な現実である。

そしてこの違いは、森岡の論点である「現実世界の開け」と「存在世界の開け」の関係と、私が考える「現実性」と「存在物」の関係が、逆転することへと繋がっていく。

森岡の「現実」は、動作起点(独在的存在者の身体)から開けるものなので、動作起点がない世界を想定するならば、その世界には「存在物」はあっても「現実」はない。つまり、「存在」の外延のほうが「現実」の外延よりも広く、「現実世界」は「存在(物の世界)」の部分集合ということになる。森岡自身は、この考え方を「「存在」と「現実」を同一のものとして捉える考え方に、真っ向から対立するものである」(前掲共著、二四九頁)と述べている。

一方、私自身の考え方は、もちろん森岡の考え方とは違うが、森岡が「真っ向から対立するもの」と述べる考え方とも違う。その両者は、どちらも「現実世界」を「存在(物の世界)」と比べて、外延の大小・重なりを考えることによって、対立し合っている。しかし私のほうは、「現実」を(もの的にではなく）こと的に捉えていて、「現に」という力が働くこと、「これ性」という力が循環することを、「現実」として考えている。その力自体は、特定の外延を持たない（内包も持たない）[23]が、一定の領域（外延と内包）を纏う仕方で、そのつど融通無碍に出現する。

その意味において、力としての「現実」は、「存在（物の世界）」を超え出ている。ただし、その超え出る仕方は、外延どうしの大きい・小さいの関係ではないし、内包どうしの多い・少ないの関係でもない。むしろ、外延・内包の違いを貫いて遍在的に働くという仕方での「超え出る」である。その点を分かったうえで、あえて森岡との対比を際立たせておくならば、次のように逆転する形で、まとめておくことができる。[24]

森岡：　「存在」＞「現実」
入不二：「現実」＞「存在」

（23）現実の無内包性については、次の第7章「無内包・脱内包・マイナス内包」を参照。
（24）「存在（と無）」の問題については、本書第9章「「無いのではなくて存在する」ではなく」も参照。

第7章　無内包・脱内包・マイナス内包

1　内包について

「無内包・脱内包・マイナス内包」について考察するための準備作業として、まず「内包」という語句について基本的な確認を行っておこう。

二種類の問いを考えてみる。一つは、「人間とは〈何〉であるか」あるいは「人間とは〈どのような〉ものか」という問いであり、もう一つは、「人間とは〈どれ〉なのか」あるいは「人間とは〈どれと、どれと、どれと、……〉なのか」という問いである。

前者の〈何〉〈どのような〉の答えになるその中身が、人間の「内包（intension）」であり、後者の〈どれ〉の答えになるその実例が、人間の「外延（extension）」である。

前者の問いは、「人間とは、どのような定義を満たすものか」「人間は、いかなる本質や特徴を持っているのか」と言い換えることができるし、後者の問いは「人間の定義が当てはまる対象を、選び出しなさい」「人間の特徴や本質を持っているものを列挙しなさい」と言い換えることができる。

そこで、人間の「内包」とは、たとえば「埋葬の儀式を行い言葉を持つ動物」のような定義や本質や特徴のことであるし、人間の「外延」とは、たとえば｛Aさん、Bさん、Cさん、Dさん、……｝のように実例を集めた集合のことである。

なぜ「内（in）」と「外（ex）」と言うのだろうか。上記の例でそのまま続けてみよう。人間を、いったん「人間」という記号として、眺めてみるのがよい（「　」を付けている点に注意）。「人間」という記号が、その内に包み込んで持っている内実とは、その記号の「意味」や「概念」のことであり、それが（人間の）定義や本質や特徴を表現する。一方、「人間」という記号の外側に延び広がっている世界に、その記号の表す「もの（対象）」があり、それが（人間の）実例となる。この場合、「意味」や「概念」が内包に、「もの（対象）」が外延に相当する。

このように考えると、ある表現「X」の意味や概念、そのXの定義や本質や特徴などが、「内・包（in-tension）」と呼ばれ、ある表現「X」の指示対象や実例が、「外・延（ex-tension）」と呼ばれることが、納得できるのではないだろうか。

「内と外」の区分は、単純な二分割ではなくて、入れ子型になって積み重なっている。「人間」という表現には外延と内包の両方があり、その内包の一部分もまた、外延と内包の両方を持つ。たとえば「埋葬の儀式を行い言葉を持つ動物」という内包の一部分である「動物」等の表現にもまた、外延と内包がある。｛哺乳類、鳥類、爬虫類、……｝という実例の列挙は「動物」の外延であり、「移動ができきて、植物等が作り出す有機物を摂取する生物」という説明は「動物」の内包である。さらに、その外延｛哺乳類、鳥類、爬虫類、……｝の実例の各々にもまた、外延と内包の両方があることは、言うまでもないだろう。

このように、外延と内包の区別は、一回こっきりで終わるものではなくて、どこを切っても出てくる「金太郎飴の顔」のように、どの段階を取り出してみても現れてくる区別であり、ペアである。

少し場面を変えて、次の（a）と（b）を比べてみよう。

（a）明けの明星と宵の明星は同じものである。
（b）明けの明星と宵の明星は別のものであると、彼は思っている。

（a）では、表現の違いを超えた、実際の世界（外部）における対象自体の同一性が問題になっている。すなわち（a）では、「明けの明星」「宵の明星」という表現の内包の違いを超えた外延にこそ焦点がある。

一方、（b）では、彼の思いの内部が問題になっていて、その思いの内側では、表現の仕方の違いがそのまま表す対象の違いになっている。すなわち（b）では、「明けの明星」「宵の明星」という表現の内包の違いが、そのまま外延の違いとして（彼の思いの内では）捉えられている。

（a）が「外延的（extensional）」と呼ばれる文脈であり、（b）が「内包的（intensional）」と呼ばれる文脈である。（a）は、内包を超えた外延にまで届いている捉え方だからこそ、「外延的」と呼ばれる。一方（b）は、内包（意味や概念）の内に、外延（対象）を吸収して閉じこめている捉え方（＝彼の思い）だからこそ、「内包的」と呼ばれる。

この場面では、内包（意味や概念）を、フィルター（メディア）の比喩で考えてみることができる。（a）のように「外延的」であることとは、フィルター（メディア）を超えた、その向こう側にある対象を問題にすることであり、（b）のように「内包的」であることとは、フィルター（メディア）によって捉えられている限りでの対象を問題にすることである。

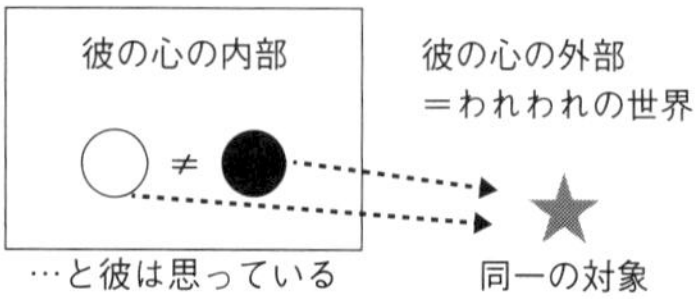

ここまで、内包の「内」とは意味や概念の内側のことであり、外延の「外」とは意味や概念の外側のことであると考えてきた。ただし少し見方を変えて、別様に考えることもできる。「内と外」の区別を、「意味や概念」の内と外から、「心」の内と外へと移動させてみよう。
（b）では、彼の思いの内部に、「明けの明星」「宵の明星」という表現が組み込まれている（間接話法的である）と捉えることができる。一方、（a）では、彼の思いの外部（＝われわれの世界）に、「明けの明星」「宵の明星」という表現が位置づけられている（直接話法的である）と捉えることができる。彼の心の内部では、二つの表現が別の対象に結びついているのに対して、彼の心の外部（＝われわれの世界）では、同一の対象に結びついている。
彼の心の内部で考えられている「対象」を、彼の心の外部（＝われわれの世界）で考えられている「対象」と区別して、「志向的な（intentional）対象」と呼ぶことができる。つまり、「明けの明星」

と「宵の明星」は、彼の心の外では同一の対象を表しているが、彼の心の内では異なる「志向的な対象」を表している。

「志向的な」と訳した“intentional”と、「内包的」と訳した“intensional”とは、スペリングにおいて“t”と“s”の一字違いであることに注意しておこう。

このような見方をすると、もともと「内包」とは、ことばの意味や概念の場面で使われる用語であるけれども、心（の内）という問題場面とも無縁ではないことが分かる。


さて、ことばの意味や概念としての「内包」に話を戻そう。「内包」を、次のように二種類に分けてみよう。一つは「日常文脈的な内包」であり、もう一つは「科学探究的な内包」である。「水」を例にすると、「冷たい透きとおった液体」という特徴は、「水」の日常文脈的な内包であり、「水素と酸素の化合物（H_2O）」という本質は、「水」の科学探究的な内包である。「水」ということばには、それを最初に学んだり日常的に使ったりする場面では、日常文脈的な内包が結びついている。私たちが「水」に対して持つイメージのほとんどは、日常文脈的な内包に相当する。一方、「水」の見かけの特徴を超えて、「水」とはそもそも〈何〉であるか、〈どのような〉ものであらざるを得ないかという本質を探究することによって発見されるのが、科学探究的な内包である。

後で発見される科学探究的な内包（水素と酸素の化合物（H_2O））の方が、日常文脈的な内包（冷たい透きとおった液体）よりも、「水」の真相を言い当てていると見なされるようになる。つまり、「冷たい透きとおった液体」でなくとも、「水素と酸素の化合物（H_2O）」であるならば、それは「水」とみなされるが、逆に「冷たい透きとおった液体」であっても、「水素と酸素の化合物（H_2O）」でなければ、それは「水」に似ているだけで、「水」ではあり得なくなる。
日常文脈的な内包が、チャーマーズや永井が「第一次内包」と呼ぶものに相当し、科学探究的な内包が、「第二次内包」と呼ぶものに相当する。さらに、この二種類の区別に対して、永井は「第〇《ゼロ》次内包」という第三の内包を追加導入する。(1) それは、「文脈独立的な内包」、あるいは「内面孤立的な内包」とでも呼べる内包である。

「痛み」を例にしよう。「痛み」を（「痒み」でも「くすぐったさ」でも「幸福感」でもなく）「痛み」として輪郭づけている特徴が、「痛み」の第一次内包である。たとえば、「飛んできた石が頭にあたって、わんわん泣き叫んでいる状況で感じられている感覚」という規定は、「痛み」の第一次内包にあたる。

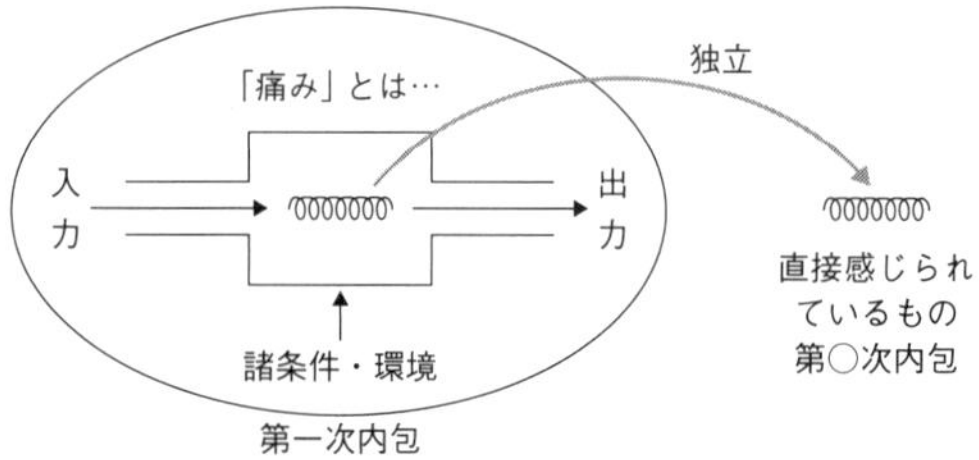

基本的には、「痛み」の第一次内包は、原因を含めた外的な状況［入力］と、当人が感じていると見なされる感覚と、その結果として出てくる当人や周囲の反応やふるまい等［出力］という三つの要因から（関数的・機能的に）構成されている。

その第一次内包から、「真ん中の要因」だけを独立させたものが、「第〇次内包」である。つまり、入力や出力などの「文脈」から独立に、当人の内面だけでその感覚が生じるとされた場合の、その感じられるものが「第〇次内包」である。「痛み」の場合には、痛み特有のあの感じが「第〇次内包」である。あの感じは、たとえ仮にくすぐられることによって生じて［入力］、微笑みという表情をもたらす［出力］としても、それらとは独立にあの感じのままでありうる。この独立性を認めることが、

「第〇次内包」を認めることである。

「水」の場合には、日常文脈的な「第一次内包」よりも、科学探究的な「第二次内包」の方が、「水」の本体・核心であると見なされるようになる。それと同様に、「痛み」の場合には、日常文脈的な「第一次内包」よりも、文脈独立的で・内面孤立的な「第〇次内包」の方が、「痛み」の本体・核心であると見なされるようになる。ちなみに、「痛み」の場合の「第二次内包」とは、脳科学的な探究によって発見されるミクロな物理的状態（たとえばC繊維の興奮）に相当する。

ここまで解説を進めてくると、興味深いことが生じていることが分かる。先ほどは、「意味・概念の内側」と「心の内側」とを（いちおう）区別して説明していた。しかし、「第〇次内包」の場面では、むしろその両者は区別できなくなり、一体化している。つまり、意味・概念の奥の奥へと入り込んでいくことと、心の内面に奥深く入り込んでいくこととが一致して癒着するのが、「第〇次内包」という場面である。「意味・概念の奥」と「心の奥」とが一致・癒着する、この場（第〇次内包）こそが、通常「クオリア問題」が発生する場面であろう。

（1） Chalmers, D. J. (1996). *The Conscious Mind: In Search of a Fundamental Theory*, Oxford University Press, Oxford.／デイヴィッド・チャーマーズ『意識する心』（白揚社、林一訳、二〇〇一年）、Chalmers, D. J. (2004). 'Epistemic Two-Dimensional Semantics,' *Philosophical Studies*, 118, pp. 153-226. 永井均『改訂版 なぜ意識は実在しないのか』（岩波現代文庫、二〇一六年）。なお、永井の同書は『なぜ意識は実在しないのか』（双書哲学塾、岩波書店、二〇〇七年）を、「無内包」という観点を重視することによって「全面的に」改訂したものである。以下では、必要のある場合には旧版と改訂版の両者を参照し、そうでない場合には改訂版を参照する。また特に断らない限りは、頁数は改訂版のものである。

以下では、註1に挙げた永井の著書の議論を下敷きにしながら、三種類の内包（第〇次内包・第一次内包・第二次内包）に加えて、さらに二つの水準を追加する。その一つが「マイナス内包」であり、それは、（文脈独立的なだけでなく）概念規定そのものからも独立的な内包、あるいは（無限の概念規定が取り出されうる）潜在的な無尽蔵内包として導入される。もう一つが「無内包」であり、いかなる内包も関与してこない（内包と無関係な）水準として導入される。(2) この二つの水準——マイナス内包と無内包——の関係は、円環モデル全体の中で位置づけるならば、円環の左半分の潜在性の場と、円環の外から垂直に働く現実性との関係に対応している。

●第〇次内包・第一次内包・第二次内包
●マイナス内包（潜在的な内包）……円環モデルの左半円部分に対応
●無内包……円環モデルの垂直の矢印に対応

この二つの水準（註2の脱内包を加えると三つの水準）を加えた新たな観点から振り返って見るときに、「クオリア問題」がどのような問題として見えてくるか（「クオリア問題」の変容）についても、最後に私見を加える。

2 マイナス内包

永井が「第〇次内包」を導入する場面から始めよう。「第〇次内包」は、「第一次内包」から出発して、「第一の逆襲」を経ることによって導入されている。

> 酸っぱさの例でいえば、梅干や夏みかんを食べたときに酸っぱそうな顔をするときに感じているとされるものを、酸っぱさの「第一次内包」と呼びます。第一の逆襲をへて、何も酸っぱいものを食べていなくても、なぜだか酸っぱく感じられることが可能になった段階の酸っぱさの感覚そのものを、酸っぱさの「第〇《ゼロ》次内包」と呼びます。第一の逆襲をへて〇に戻るところがミソです。（一二三頁）

「内的体験」（酸っぱさの感覚そのもの）と「ふるまい」（酸っぱそうな表情）と「物理的状態」（脳の状態）とは三幅対《さんぷくつい》として結びついている。その中で、「内的体験」が「ふるまい」から自立すること（「感覚の認知の自立」一二二頁）が、「第一の逆襲」と呼ばれる。その「逆襲」以前の段階、すなわち「ふるまい」との因果的結合が本質的な役割を演じる段階——「自立」以前の段階——の「感じるとされるもの」が、「第一次内包」である[3]。それに対して、因果的結合は本質的ではなくなって、そ

（2） さらに、第4章で導入した「脱内包」という水準についても、考察を加える。「脱内包」は、円環モデルで言えば、ズレを含んだ循環（螺旋形）が、垂直性を含むことに対応する。

（3） 「第一次内包」については、二つの重要な点がある。一つは、「マクロのふるまい」との因果的な連関の中に位置づけられている、という点である。もう一つは、六二頁で言われているように、「あのような」感じには私秘性はなく（私秘性があるのは「第〇次内包」）、むしろわれわれに共有されていて公的なものである、と

の結合から解き放たれてもなお「感じられるもの」が、「第〇次内包」である。「第〇次内包」が自立するということは、「感じるとされる」文脈から独立に、当の「感じられるもの」が端的に存在することが可能になるということである。これが、「第一の逆襲」である。[4]

また、「第一次内包」から「第二次内包」が生じるのは、「第二の逆襲」によってである。或る文脈内に位置づけられた「感じるとされるもの」「あのような感じ」は、私たちがたまたま持つ偶然的な性質であって、「ミクロな物理的状態」（たとえば脳状態）の方が実は本質である。そう捉えられるときの「ミクロな物理的状態」は、「第二次内包」である。「第二次内包」が自立するということは、「あのような痛みの感じ」などいっさいなかったとしても、「痛みの本質（物理的状態）は存在する」ことが可能になるということである。つまり、「感じられない痛み」も存在しうるのである。これが、「第二の逆襲」である。[5] この「第二次内包」の自立は、以下のように、水や熱の場合とアナロジカルに論じられている。

> 水の本体は H_2O で、あの水っぽさは、その本体がたまたま持つ性質にすぎない、と判明したり、熱の本体はじつは分子運動で、われわれが感じるあの熱さは、その本体がたまたま持つ性質にすぎないと判明する、といったことが起こりえます。（そうすると、まったく水のように見えても、H_2O ではないがゆえに、じつは水ではないものとか、逆に、水のように見えなくても——鉄のように見えても——H_2O であるがゆえに、じつは水であるといったことが可能になるでしょう。）
>
> （一五頁）

さらに、以下の点を付け加えておこう。「第一次内包」と「第〇次内包」というペアと、「第一次内包」と「第二次内包」というペアのそれぞれの内部においては、後者は前者から（第〇次内包は第一次内包から、第二次内包は第一次内包から）自立しつつも、両者はなお互いに関係を持ち続ける。[6] それに対して、各ペアを越えたその後者どうし、つまり第〇次内包と第二次内包どうしは、第一次内包からの自立性以上の、強い独立性をお互いに対して持っている。[7]

「第〇次内包の自立」と「クオリアの逆転」には、密接な関係がある。永井は、クオリアの逆転の可いう点である。ただし、われわれに共有されている「感じ」であるということは、われわれの世界に限られている「感じ」であるということでもある。まとめると、「第一次内包」＝公的に認知されている（われわれが持つとされている）「感じ」であるのに対して、「第〇次内包」＝私秘的な質感（現象的な質）である。

（4）「感じられるもの」という認識論的な文脈において、まさにその文脈の内部で、「とされる」という認識論的な（あるいは意味論的な）水準よりも、「端的な存在」という存在論的な水準のほうが優位を占めるという事態が、生じている。この「振れ戻し」が、「第一の逆襲」に相当する。認識論的な（あるいは意味論的な）水準と存在論的な水準のあいだには、「シーソー関係」の反復が生じる。

（5）「第二の逆襲」においても、「第一の逆襲」とは違った仕方ではあるが、認識論的な（あるいは意味論的な）水準に対して、存在論的な水準のほうが優位を占めるという「振れ戻し」が生じている。

（6）「関係」とは、たとえば、「第一次内包」と「第〇次内包」との「包み込み」や「裏打ち」による補完関係であり（一四頁）、「第一次内包」と「第二次内包」のあいだの認識論／形而上学の関係である（六四―六九頁など）。

（7）たとえば、前者（第〇次内包）は後者（第二次内包）にまったくスーパーヴィーンしないという仕方で、強い独立性を持つ。このように「第〇次内包」と「第二次内包」とのあいだに強い独立性を認めることは、「主観的な世界」と「客観的な世界」の十全な（真に二元論的な）成立を認めることに相当するだろう。

能と不可能について、次のように述べている。

もちろん、大人になってからなら、なぜだか夕焼けや消防自動車や血やトマトが緑に、木の葉や草が赤く見えるようになってしまった、と訴えることはできます。また、右目と左目で逆転しても、医師にそう訴える権利があります。そういう逆転は、たしかにありうるのです。それにもかかわらず、言語を習う段階の子どもには、そういう逆転の可能性はまったくないのです。それが言語習得の出発点だからです。その意味では赤緑色覚逆転の人は決していません。クオリアの逆転は不可能です。（二八―二九頁）

要するに、「第〇次内包」が「第一次内包」から自立した段階では（「大人になってからなら」）逆転は可能でなければならないが、それ以前の「第一次内包」に全面的に依存した段階（言語習得の段階）では、逆転は不可能なのである。(8)

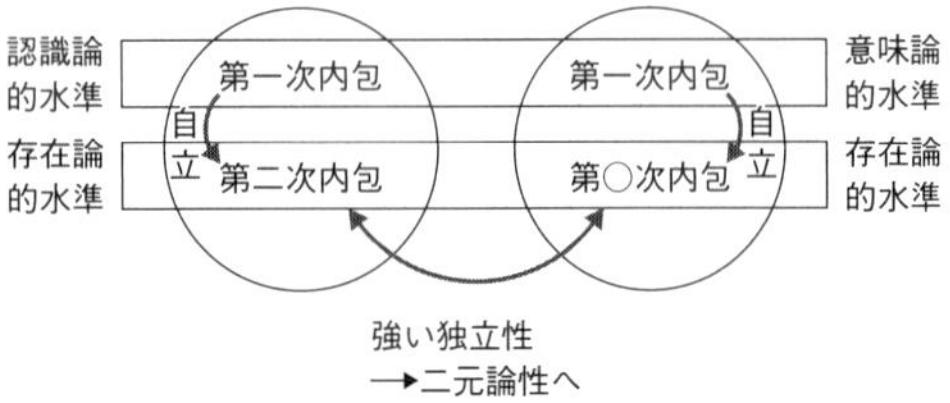

さて、私がまずここで提示したい論点は、「第一次内包」「第〇次内包」に対して、さらに（遡って？）「マイナス内包」を追加することである。「第一次内包」からの「第〇次内包」の「自立」に加えて、さらにもう一段階強い「自立」があるのではないか、すなわち自立度はさらに高まりうるのではないか、という論点を考察したい。「第〇次内包」の自立に加えて、さらに「マイナス内包」とでも呼ぶべき、更なる自立の段階を加えたい、ということである。

たしかに、「第〇次内包」は「第一次内包」の段階から自立する。その場合の「自立」とは、「ふるまい」との因果的結合からの自立である。たとえば、痛みを感じるとされる原因や文脈がなくても（ないにもかかわらず）、本人にだけ直接分かる「痛みの感じ」がある、そういう事態を認めることに相当する。

しかし、この「自立」は、因果的結合や文脈からの「自立」ではあっても、「痛み」という「概念」自体からの「自立」ではない。この点に注目したい。「概念」自体はそのまま引き継がれている。いやむしろ、概念（のみ）を引き継ぐことによってこそ、それ以外の「関係の網の目」からは自立できる、と言った方が正確である。いずれにしても、「第〇次内包」は、因果的結合からは自由になれるが、「概念」自体からは自由になれない。関係の網の目に組み込まれることによって「感じるとされる」痛み（第一次内包としての痛み）であっても、それから独立に端的に「感じられる」痛み（第〇次内包としての痛み）であっても、ともに「痛み」という同じ概念の囲いの中に位置づけられていることに変わりはない。(9)

(8) ここでは、「感覚」の文脈において、意味論的な水準（「とされる」）よりも優位に立つと思われた存在論的な水準（端的な感じの存在）が、再び、意味論的な水準（言語習得）によって凌駕される。これも、「シーソー関係」の一局面である。

(9) 「記憶」についても同様のことが言えるだろう。「言語的でない記憶」は可能であるとしても、「記憶は概念依存的である」だろう。もちろん、ここでの「概念」とは、「第〇次内包」が文脈から自立する際にもけっして手放すことのない、「痛み」や「酸っぱさ」等の「一定の囲い込み」のことである。つまり、記憶によって過去のクオリアに直接届く際にも、それが或る定まったクオリア（たとえば、「昨日のチクチクした痛みのクオリア」）であるかぎりは、何らかの概念（ここでは「チクチクした痛み」という概念）に依存している。

しかし、「感じられるもの」は、因果的な関係性からだけでなく、その概念（ここでは「痛み」という概念）自体からも、さらにもう一段階、自立・独立しうるのではないだろうか。その可能性は、以下のような理路によって開かれる。(10)

「クオリアの逆転」は、「第一次内包」の段階では不可能であっても、「第〇次内包」が自立する段階では可能へと転換する。たとえば、「トマトが赤から緑に見えるように変わった」ということが可能なように。その場合であっても、「赤」「緑」という概念自体は固定したままである。いや、その固定があるからこそ、「クオリアの逆転」は「逆転」として意味を持つことができる。「概念」の水準での固定（不変）に基づいてこそ、「第一の逆襲」も「クオリアの逆転」も可能になっている。

たしかに、「言語習得」の段階――「第一次内包」優位の段階――がまずある（先行しなければならない）。この段階では、「逆転」などそもそも意味をなさない。「逆転」が可能になるのは、文脈の中で「概念」を習得し、さらにその文脈からの自立の段階を経て、あくまでその後で、なのである。この順序は、絶対的である。

しかし、この順序が絶対的であるのは、意味論的な（あるいは認識論的な）順序として、である。時間論的な（あるいは存在論的な）順序としてならば、次のような可能性があるのでなければならない。「クオリアの逆転」が「後」で生じうるのだとすれば、それに類すること（しかも、もっと完璧なそれ）が、そもそも「始め」からすでに生じていたかもしれない。そのような可能性である。その「始め」で生じていたかもしれないことは、現れたり表現されたりする術《すべ》はいっさいなかったとしても、それでもなお、あったかもしれない。そのような、時間論的（存在論的）な可能性である。この可能性とは、第一の逆襲とも第二の逆襲とも異なる「第三の逆襲？」が開く可能性である。

すなわち、意味論的・概念的なものの優位に対しての、時間論的（存在論的）な逆襲が開く可能性である。

ただし、次の点には注意しよう。「後」で生じうるのは「（クオリアの）逆転」であるが、「始めからすでに」生じていたかもしれないもの（第三の逆襲）は、「逆転」と呼ぶことは、もはやできない。「逆転」は、「概念」の固定という蝶番があってこそ成り立つのだから。その蝶番が外れていて、「概念」の固定以前の段階へと遡ろうとする「時間論的（存在論的）な可能性」の場合には、その可能性は「逆転の可能性」とは呼べない。

しかし、後から「逆転」が生じうるのだとすると、そもそもの始めから、（「逆転」とは言えなくとも）それに類した、何らかの「異常」「混乱」「逸脱」等の「蝶番の外れ」（＝今へと繋がっていない

そして、その依存を通して、たとえ間接的にではあっても「第一次内包」という言語習得（概念固定）の場面への紐帯も残していることになる。要するに、「第〇次内包」としてのクオリアは、言語からある程度は自立した質感であることは間違いないが、その自立は、（言語とまったく無関係なほど）完全なものにはならない。その自立をより徹底するならば、より不分明な「マイナス内包」や「内側から生きていたという感じ（記憶らしきもの）」へと歩を進めることになる。

(10) 永井の「原初の現実の本物の現象的なクオリアそのもの」（九六頁）という言い方は、「第一次内包」に転化することのない「第〇次内包」を何とか言い表そうとしている。ただし、その表現の直後に、「痛み（酸っぱさ、不安、憂鬱……）であるこれがある」と言われていることからも分かるように、累進構造の中での相対化を免れることは意図されてはいても、概念化そのもの（ここでは「痛み（酸っぱさ、不安、憂鬱……）」という概念化自体）を免れることは意図されていない。しかし一方、「マイナス内包」という言い方をする私の意図は、そちら（概念化自体を免れること）にこそある。

断絶）が生じていたという可能性は、（原理的に現れ得なくとも）在りうるのでなければならない。「後」から生じうることは、いつ生じてもおかしくないし、そもそもの「始め」から生じていてもおかしくない。ただ、「後」の段階で初めて有意味になる仕方を使っては言えない、というだけのことである。

こうして、認識論的・意味論的な文脈の内部で、存在論的な水準による「逆襲（優位性の逆転）」が起こるだけではなく、認識論的・意味論的な文脈そのものの食い破りとしての「逆襲（優位性の逆転）」——「振れ戻し」ならぬ「振り切れ」——までがありうることになる（註5・註6も参照）。

「第〇次内包」の自立、すなわち「第一の逆襲」とは、外的文脈と内的体験のあいだでの優位性の転換であった。それに対して、上記の「後から生じうるならば、それに類した変容が始めから生じていたのかもしれない」という「第三の逆襲？」とは、意味論（認識論）と存在論（時間論）のあいだでの、両水準どうしの優位性の転換である。この転換の内には、「概念」自体からの自立というベクトルが含まれている。外的文脈から自立した「第〇次内包」にも「概念」は引き継がれて、なお残っているが、その「概念」からもさらに自立しようとする水準のことを、「マイナス内包」と呼びたい。外／内の優位性の転換【第一の逆襲】と意味論（認識論）／存在論（時間論）自体の優位性の転換【第三の逆襲】という、この両方が揃うことによって「第〇次内包」に「マイナス内包」が加わり、「（私秘的な）内面性」は概念や文脈からも外れて、いっそう自立的になる。

永井は、クオリアを第〇次内包として捉えている。しかし、（クオリアという名称をどの範囲にまで使用するのかという問題はあるとしても）クオリアには、「マイナス内包」の水準、すなわち「概念自体からの自立・逸脱」の水準も加えた方がいいのではないだろうか。「第〇次内包としてのクオリア」は、一定の概念の枠があることによって、たとえば「痛みのクオリア」として指定することができるし、安定的に「それ」として感じることができる。一方、「マイナス内包としてのクオリア」の方は、その枠自体からの自立・逸脱のベクトルを含んでいるので、一定の概念を当てはめるという仕方で「指定する」ことはできないし、そのような仕方で「安定的に「それ」として感じる」こともできない。「昨日赤く見えていたものが、突然今日緑にみえるようになった」という「逆転」ならば、（概念が固定されているので）明言することができる。しかし、「赤く見える」ことのそもそもの成立自体に先立っていた可能性がある何らかの逸脱的な「感じ」は、（概念から逸脱してしまうので）指定もできないし、安定的な輪郭を伴って感じることもできない。

したがって、「マイナス内包」は、確定できるような明確な質感ではない。しかし、それは「単なる無」というわけでもない。概念（「痛み」とか「赤」とか）によって指定したり輪郭を与えたりすることはできなくとも、何らかの感じはあったはず（あるはず）という仕方でのみ想定されるしかない。それが、「マイナス内包」である。

ここには、「潜在性」を見るべきだろう。つまり、「マイナス内包」とは、潜在的なクオリア、あるいはクオリアの潜在態であって、ありありと現前するクオリアではない。それは、特定の概念で明確に囲うことのできるような質感（たとえば赤の赤らしさ）ではなく、不明瞭な「何らかの感じ」としか言いようがない。いわば、「クオリアの闇」である。しかし、その「闇」は、そこから顕在的な（ありありとした）クオリアがいくらでも立ち上がってくると想定される存在論的な「無尽蔵」である。[11]

「振り切れ」（としてのマイナス内包）から「振れ戻し」（としての第〇次内包）の方へと向けての、

存在論（時間論）的な移行を考えることもできる。それは、（新たな）概念やクオリア自体の出現（生起）の場面に相当する。円環モデルで言えば、あの「ジャンプ」を含んだ「実現（生起）」のところに対応する。どんなに新しい概念やクオリアであっても、まったくの無から実現（生起）するわけではない。潜在性の場（ここではマイナス内包）において、輪郭（概念）の解除や伸縮や組み換えなどが常に蠢いていて、そこからはどんなクオリアも出現（生起）しうる。そのような潜在から顕在へと向けた存在論（時間論）的な移行が、マイナス内包の第〇次内包化（「振り切れ」の水準から「振れ戻し」の水準への「ジャンプ」）に相当する。

さらに、以下のような理路を追加することによって、「マイナス内包」の想定を補強することもできる。まず、「第一次内包」と「第〇次内包」のペアは、永井によって次のように規定されている（一三三頁参照）。

第一次内包：（ふるまいとの結合において）感じるとされるもの
第〇次内包：（ふるまいとの結合がなくとも）感じられるもの自体

もちろん、「とされる」ことと「端的に感じられる」こととが対照されている。ここで、さらに次のように付け加えてみよう。「第〇次内包」もまた、そのような自立したものとして、十分に習得された（すなわち自立的な）感覚の言語ゲームの中で、役割を果たしている。感覚の言語ゲームにおいては、「端的に感じられるもの」もまた、端的に感じるとされているものとして働く。そこで、第〇次内包⑴は、第〇次内包⑵へと書き換えられる。「とされる」の出てくる位置に注意。

第○次内包(1)：(ふるまいとの結合がなくとも)感じられるもの自体
第○次内包(2)：(ふるまいとの結合がなくとも)感じられるもの自体とされるもの

「とされる」の位置は、(第一次内包の場合よりも)外側(下側)へと移動している。この移動は、「とされる」が表現しようとする認識論的・意味論的な優位性の回帰に相当する。「シーソー関係」は、片側が上がって、もう一度下がったのである。ここでさらに、第○次内包(2)に対して、次のような段階(マイナス内包)を加えることができる。「シーソー関係」はもう一度動く。

第○次内包(2)：(ふるまいとの結合がなくとも)感じられるもの自体とされるもの
マイナス内包：「とされる」によって確定されない、潜在的な何らかの感じ

(11) ここでの「潜在」は、それでもなお「何らかの感じ」に関する潜在態であるという点では、(明確な概念ではないにしても)最小限の「枠」は保持されている。それゆえ、マイナス内包と第○次内包の間には、潜在と顕在を結ぶ連続的関係が残っている。「闇」と「明るみ」は程度問題であると言うこともできる。だが、「マイナス=潜在」という存在論的な次元は、クオリアや「感じられるもの」の場面を超えて(=私秘的な内面性を超えて)、すなわち「内包=内面」を突破して、さらに奥深く潜行する「力(できる)」の次元へと及ぶ。そのように深まりゆく「潜在」の次元を、本書の第2章「現実性と潜在性」の後半は想定している。また、第1章の円環モデルの左半円は、そのような「潜在性」の深まりに対応している。

このような理路を辿ってクローズアップされる「第〇次内包」と「マイナス内包」の差異は、「クオリアの逆転」と「私的言語」の違いと類比的である。第〇次内包がマイナス内包ではないように、クオリアの逆転は私的言語の一例ではない。ウィトゲンシュタイン『哲学探究』における「私的言語論」の中には、「第〇次内包」から「マイナス内包」へと向かうのと同じベクトルを読み取ることができる（と私は考えている[12]）。

3 無内包

実は、永井自身が、「第〇次内包」よりいっそう自立的な水準を、しかもマイナス内包とも異なる水準を、「第〇次内包」という表現の中に読み込んでしまっている（と私は思う）。第〇次内包とは区別されるべき、その「いっそう自立的な水準」を、私は「無内包」と呼ぶ。その「いっそう自立的な水準」（無内包）は、感覚の「第〇次内包」の場面ではなくて、「第〇次内包」の「私」と言われる場面、「これ」としか言えなくなる場面において顕わになる。

以下に引用する旧版（『哲学塾』版）の文章の中で、「第〇次内包の「私」」「真に第〇次的ではない」「真に第〇次内包である」「真に第〇次的な表現などはありえない」と表現されている箇所に注目してもらいたい。この箇所で「第〇次内包」という表現を使うことは不適切であり、「第〇次内包」ではなくて「無内包」であるべきだと私は主張する。その点についての議論を提示したあと、私の主張を永井自身が受け入れることで、改訂版においてどのような修正がなされているかを確認しよう。

第○次内包の「私」をもし記述するとすれば、「事実として、なぜか、そいつの目から世界が見える唯一の物」とか、「事実として、なぜか、そいつの体を殴られると本当に痛い唯一の物」とか、「事実として、なぜか、その体を自由に動かせる唯一の物」とか、そういう言い方がありえます。しかし、これらの言い方は、他者も、いま述べたような意味で、ある意味では見えたり痛かったり体を動かせたりするはずのものであることが前提になっている点で（だから、同じ言い方を他者もできることが前提になっている点で）、真に第○次的ではありません。真に第○次的であるためには、それらすべてに「この」をつけなければなりませんが、その「この」は外部から「その」として指し返されることのない「この」です。つまり、真に第○次的な表現などはありえません。それは、言葉よりも手前にあるので、そもそも言葉で語られることとそりが合わないのです。（旧版一四六―一四七頁、傍線は引用者）

「真に第○次的ではない」と言われるのは、他者からの相対化が前提にされてしまうからである。「真に第○次的である」ためには、相対化されない第○次内包でなければならない。しかし、累進構造（言語）の中では、それ（相対化を被らないこと）は不可能なので、「真に第○次的な表現などはありえない」となる。

ここで、次のように読み換えてみたい。すなわち、「真に第○次的……」を、上記のように「私／

（12）拙著『ウィトゲンシュタイン「私」は消去できるか』（ＮＨＫ出版、シリーズ・哲学のエッセンス、二〇〇六年）の第三章「私的言語論――「ない」ままで「あり」続ける「私」」を参照。

他者」という対立軸（相対化の軸）で読むのではなくて、「感覚の場面／独在性の場面」という「私」の内に含まれる対立軸（認識／実存という軸でもある）のもとで読む、という読み換えである。その場合には、「真に第〇次的である」とは、「当初の意味での第〇次的ではない」こと、すなわち「感覚の認知の自立」という意味での「第〇次内包」ではないことを意味することになる。永井の「第〇次内包」という表現の中には、「真の」ではない「感覚の認知の自立」の場面と、「真の」に相当する「独在性」「実存（現実存在）性」の場面と、この両方が同居しているのである。

このように読み換えた「真に第〇次的であること」＝「当初の意味での第〇次内包よりもさらに自立的なもの」とは、しかしながら、第2節で述べた「マイナス内包」のことではない。この点が重要である。たしかに、「言葉よりも手前にあるので、そもそも言葉で語られることとそりが合わない」と言う表現は、「マイナス内包」の概念以前性・潜在性という特質を表現しているようにも読める。しかしここでは、そうではないことが重要である。「言葉（概念）で語りえないこと」の「できなさ」には、異なる二種類――潜在性と現実性――が重なっているので、注意すべきである。「マイナス内包」は、「概念」からの自立を志向し、特定の確定した質感であることからは逸脱する。しかし、それでもまだ、「マイナス内包」は「特定はされないが存在するはずの何らかの感じ」ではある。だからこそ（「何らかの感じ」ではあるからこそ）、「クオリアの潜在態」「クオリアの闇」なのであった。

一方、引用文の中にもある「この」は、「現実化」「現実性」のみを表す。「現に」というあり方は、その「中味」「内実」に相当するものとは無関係なのである。つまり、「この性」「現実性」は、「このX」の「X」の部分の内実がどのようであるかとは無縁である。この点に、「マイナス内包」の（第

○次内包からの）自立性とは異なる、別種の自立性が表れている。概念から自立した潜在的なクオリアが存在することと、そのようなクオリアも含めていっさいの「中味」「内実」とは無関係に、「この」で表される「現実性」が存在すること。この両者の差は大きい。

次に挙げる引用箇所では、「「この」の後に何らかの記述をつけるのを諦めた「これ」が、最もふさわしい」（傍線は引用者）と言われている。この表現が、現実性と現実の中味・内実との無関係性を表している。

その意味では、「この」の後に何らかの記述をつけるのを諦めた「これ」が、最もふさわしい表現です。「それ」として指し返されることのない「これ」です。「見える」ことも、「痛い」ことも、「動かせる」ことも、それらの表現があてはまる他の事例というものはもうないわけですから、それらに「この」をつける意味はありません。むしろ逆に「この」だけで、後に続く記述は何でもいいのです。実際にはむしろ、「これ」である、と言っているだけです。（旧版一四七頁、改訂版一七四頁、傍線は引用者）

ここでの「何らかの記述」とは、第一次内包のこともあれば、（当初の意味での）第〇次内包（＝自立した感覚記述）のこともあるだろう。しかし、「この」の後につけることを諦めるべきなのは、第一次内包・第〇次内包だけではない。記述することはできなくとも存在するはずの何らかの感じ（クオリア）、すなわち「マイナス内包」もまた、「この」の後ろにつけることを諦めるべきである。「何らかの記述をつける」ことも、そして「記述し得ない感じを持ってくる」ことも、すべてを諦めた「これ」が、「現に」という現実性を表すのに最も相応しい。

つまり、「これ」は、顕在的な中味・内実（第一次内包・第〇次内包）とも、潜在的な中味・内実（マイナス内包）とも無縁なのである。第一次内包・第〇次内包・マイナス内包の三者とも、何らかの「中味・内実」つまり「内包」を持つ点では、共通している。一方、「これ」は、その三者のどれとも水準を異にする。「これ」が中味・内実とは無縁であるということは、「この」の後には「内包」が来てはいけないと禁じているのとは違う。むしろ、どんな「内包」が来てもかまわないが、どんな「内包」が来ても「これ＝現実」であることには関係がないということである。

「これ」が中味・内実と無縁であるのは、「これ」が端的に「現に」という現実性だけを表現しようとしているからである。(13)「この」は何にでも付くが、どんな「何」に付いたところで、その「何」によっては「現に」という現実性を捕捉しえない。話はむしろ逆である。「現に」という現実性の方が、「何」の部分（記述・概念・感じ）を、捕捉することもあれば捕捉しないこともある。「現に」という現実性の働きは、「何」の部分がどのようであるかによっては、いっさい決まることなく、ただ単に「現にそうである」というだけである。その意味において、「これ」「この」は、「第〇次内包」でもなければ、「マイナス内包」でもない。「現に」という現実性自体には、「中味・内実・内包」はない。あるいは、どんな内包であるとしても、それは「現に」であることと関係がない。「これ」「この」という現実性自体は、「無内包」なのである。

結局、永井が「第〇次内包」という一つの表現の中に押し込めていたものを、私は三つに腑分けしたことになる。すなわち、「（当初の意味での）第〇次内包」と「マイナス内包」と「無内包」の三つである。

前二者と区別して、「無内包」性を強調するのは、「現に」という現実性を正確に捉えるためである。というのも、「現実性」は「第〇次内包（クオリア）の現前性・顕在性」と誤って同一視されることがあるし、逆に「現実性」は「マイナス内包の潜在性」と誤って対立させられることもあるからである。

その同一視も対立も、どちらも誤りである。その理由は、「現に」という現実性は、そもそも「顕在／潜在」「現前／非現前」というペアの両サイドに跨って働いているからである。「潜在性」は、単なる（空想上の）可能性ではない。たとえ顕わにならない仕方ではあっても、「現に」働いているが

（13）　実は、「現実性」にも、認識論的な意味での「現実性」と、存在論的（形而上学的）な意味での「現実性」がある。前者は、世界が現にどうなっているかにおいて、その「どのようであるか」に依存する意味での現実性である（cf. 旧版六二―六四頁、改訂版六六―六九頁）。一方、後者は、そのような現実世界の様態（あり方）には依存しない現実性である。それ故、いったんはクリプキ的な「可能世界」の議論を経由する方が分かりやすいかもしれない。つまり、諸可能世界の想定を経由したうえでなお、その可能世界のうちの一つとしての「現実性」ではなくて、可能性の想定自体もまたその中でしか行われ得ないという「現実性」であり、その「現実性」の外に相並ぶ可能性などないという「現実性」である。この外のない唯一的な現実というあり方こそが、存在論的（形而上学的）な意味での「現実性」であり、「この」「これ」が表そうとしているものである。それゆえ、存在論的（形而上学的）な意味での「現実性」は、「無内包」であると同時に「無様相」でもある（可能性という様相の下にない）と、私は考える。

　クリプキにおいては、「現実世界」「可能世界」の装置によって必然性を考える場面が「形而上学的」と呼ばれるのに対して、私の用語法では、どんな「可能世界」「可能性」であっても、その「現実性」の内で働くほかなく、「現実性」のほうはそもそも様相の下にはない。そのような「現実性」こそが、「形而上学的」である。本書の第2章「現実性と潜在性」も参照。

ゆえに「潜在性」なのである。「現に働いている」のだから、「潜在性」もまた「現実性」の内にある。「現実性」は、「現前」の範囲を超えて「非現前」にも及んでいる。「顕在／潜在」「現前／非現前」というペアの両方ともが、「現に」という現実性の内で働く。[14] だからこそ、「現に」という現実性は、第〇次内包やマイナス内包という「内実」を超え出るのであり、その超出部分は「無内包」なのである。

永井は、マイナス内包についての私の提案は受け入れないが、無内包についての（ここまで述べてきたような）私の提案を全面的に受け入れている。[15] その結果、旧版（哲学塾版）一四六―一四七頁から引用した箇所は、改訂版（現代文庫版）では、次のように修正されている。

無内包の「私」をもし記述するとすれば、「事実として、なぜか、そいつの目から世界が見える唯一のもの」とか、「事実として、なぜか、そいつの体を殴られると本当に痛い唯一のもの」とか、「事実として、なぜか、その体を自由に動かせる唯一のもの」とか、そういう言い方がありえます。しかし、じつはすべての人がこの捉え方で自分を捉えています。それ以外の捉え方はありえないでしょう。それらのなかからさらにこの私を識別するにはどうしたらよいでしょうか。すべてに「この」をつけて、「……この唯一のもの」としなければなりませんが、その「この」は外部から「その」として指し返されることのない「この」です。しかし、もちろんすべての人がそうするでしょう。無内包の現実の〈私〉は、言葉よりも手前にあるので、そもそも言葉で語られることとそりが合わないのです。（改訂版一七三頁、傍線は改訂された箇所で、引用者による）

「第〇次内包」は消去されて、「無内包」と「無内包の現実」に変えられている。旧版の引用箇所では、「第〇次内包を持つはずの者（他者）」と「真に第〇次内包的である私」という対立が主軸になっていた。しかし、改訂版の引用箇所では、「無内包」の水準に対立軸は移って、「言葉の使用（言い方・指し返し）」と「言葉よりも手前（言えなさ）」が問題になっている。正確な改訂になっていると思う。

4　マイナス内包と時間

第〇次内包（いわゆるクオリア）の成立とは、第一次内包からの「自立」であり、意味論的な文脈に対する主観的（私秘的な）認識の「逆襲」であった。それは、「自立」「逆襲」ではあっても、完全な「独立」「転覆」には至らない。なぜならば、第〇次内包（クオリア）の規定の仕方・概念を、第一次内包の段階から借りて来ざるを得ないからである。たとえば、「痛みのこの感じ」も「トマトの赤さの質感」も、たとえ諸文脈からの自立性は獲得していても、「痛み」「赤さ」「感じ」「質感」などの概念によって規定されている限り、第一次内包的な文脈（意味論的な文脈）から完全に離れることはできない。また、第〇次内包（クオリア）の主観性（私秘性）は、「主観性（私秘性）」として扱われる（と見なされる）という点では、第一次内包的な文脈（意味論的な文脈）から完全に切り離されてはいない。いわば、「文脈内独立」ではあっても「文脈からの独立」ではない。その決定的な非対

（14）この点についても、本書の第2章「現実性と潜在性」、第5章の第5節「潜在性」を参照。
（15）改訂版の「現代文庫版のあとがき」（一九一―一九四頁参照）。

称性（完全な独立・転覆への至らなさ）、あるいは意味論的文脈の頑強さは、時間の観点から言えば、概念の成立（習得）が「先」にあって、概念の自立的使用が「後」になることに対応している。「自立」は「成立」に遅れるしかない。

意味論的な文脈は、主観的（私秘的な）認識に対して「優位性」を最後まで手放さない（概念によって囲い続ける）だけでなく、時間の「先後」関係をも、自らの圏域に収めて手放さない。しかし、マイナス内包が想定される理路には、その意味論的な文脈の頑強さに対する「逆襲」が含まれている。すなわち、意味論的な優位性に対する、時間論的（存在論的）な優位性に基づく逆襲が、マイナス内包への道を開く。マイナス内包を想定する理路には、時間の二原理（無関係性とベタ性）の働きを見出すことができる。(16)

クオリアの逆転が可能になるような、第〇次内包の自立の「時間」（私秘的なものが成立する時）は、概念の固定によって開かれている「関係的な時間」である。それは、第一次内包の成立（原点）と第〇次内包の成立（派生点）とを結ぶことによって成立している「一つながりの時間」である。だからこそ、その時間の内部においては、概念の固定（原点）よりも前に遡って「逆転」を言うことはできない（意味をなさない）。

概念の意味空間と絡み合って「一つながりの流れ」になっている関係的な時間は、時間の中間態（混合体）である。純粋な時間推移だけでなく、「痛み」や「緑」等の概念（意味）の同一性が時間を貫いて「（原点と派生点の）関係」を生み出しているからである。それに対して、時間の純粋態は、二つの矛盾する両極端――無関係とベタ――の協働のみからなる。関係的な時間においては、超え出ることのできない「概念の壁」が、時間の純粋態（時間の無関係相＋ベタな時間推移）においては、するりと通り抜けられてしまう。そのすり抜けた先に「マイナス内包」が控えている。

　概念の固定以後に生まれる可能性（クオリアの「逆転」可能性）に類する「異変」が、概念の固定の前に実は起こっていたのかもしれない。これは、意味論的な（あるいは認識論的な）文脈内部での、局所的な「逆転」の可能性では最早ない。その文脈そのものが、すなわち関係的な時間の「一つながり」自体が破れる可能性である。そういう全面的な「転覆」のようなことが、関係的な時間の「原点」の創設の前に、すでに生じていたのかもしれない。そのような時間論的（存在論的）な可能性を考えることが、マイナス内包を想定することである。

　時間の無関係相、あるいは無関係的な時間とは、連続的な「なる」によって繋がることのない過去・現在・未来の非連続のことである。「現在だった」ことになることのない「大過去」は過去だけで孤立している。ただ（どこからともなく）湧いている「端的な今」は現在だけで完結している。「無でさえない未来」は繋がりからも切断からも端的に無関係である。どの非連続（孤立）も、時間の内での「無関係な即自態」である。そして、連続的な変化としてではなく、「無関係な即自態」から「無関係な即自態」への非連続的な変容（ジャンプ）もまた、時間の無関係相（無関係的な時間）

(16)　時間の二原理については、拙著『あるようにあり、なるようになる　運命論の運命』（講談社、二〇一五年）の第15章「二つの時間原理（1）」と第16章「二つの時間原理（2）」を参照。また、本書第5章「時間・様相・視点」の第2節「ベタな時間推移か、無でさえない未来か」、第6章「無関係・力・これ性」の第1節「「無でさえない未来」と「無関係性」」も参照。「時間の二原理」とは、一種類の時間を構成する二つの考え方ではない。そうではなくて、「滑らかな（一つながりの）時間」と「捻れ（断絶）を含み込んだ時間」という別種の二つの時間を創り出す原理である。

に属する。

一方、ベタな時間推移は、時間における関係性（二項の区別と連結）も、時間における無関係性も、どちらも塗り潰して一様に流し去る時間である。ベタな時間推移は、概念（意味）が立ち上げる同一性とはまったく無関係に「一つの流れ」でしかありえない時間であり、どんな変容（ジャンプ）も無かったことにしてしまう超‐連続の時間である。

この矛盾する二要因——無関係とベタ——のみによって作動する時間が、時間の純粋態である。それは、時間の中間態（混合体）——関係的な時間——を超えて、「第〇次内包的なクオリア」から「マイナス内包的なクオリア」への遡行（想定）を可能にする。

概念的（意味論的）には「後から」のみ可能な「クオリアの逆転」に類することが、概念の固定（意味論的な原点）を超え出た「もっと前に」生じていたかもしれない、と想定することには、時間の無関係相が含まれている。〈「後から」のみ可能〉というのは、関係的な時間の内部での「先・後」であるのに対して、〈「もっと前に」生じていたかもしれない〉の「もっと前」は、無関係的な過去（大過去）に属している。「クオリアの逆転」は関係的な「一つながりの時間」上に位置する出来事であるが、「クオリアの逆転」に類すること（マイナス内包の自立性）は、その時間の外の別の時間（無関係相）において生じていたかもしれない可能性である。

「トマトの赤色が、緑色の感じがする（緑色のクオリアが生じる）」ような逆転は、概念が固定された一つながりの時間の中で十分に可能である。しかし、「その緑色のクオリア（と呼ばれるもの）」が、知られていない別の概念（あるいは存在すらしていない概念）のクオリアである可能性がある」と言われても、その概念空間（一つながりの時間）の中では、意味不明であろう。「緑色のクオリア」は、

「緑色の」という概念（を始めとする関連性を持ったあらゆる概念の）の蝶番を外されてしまうと、その概念空間（一つながりの時間）の中ではポジションを失ってしまい、何ものでもなくなってしまう。

にもかかわらず、クオリアは、「概念」という蝶番を外しても自立できると考える方向が、「マイナス内包」としてのクオリア（概念からも自立するクオリア）を想定することである。時間に関係相しかなく、その関係（一つながりの時間）が意味論的文脈によって一つに繋がる関係である限りは、「概念」という蝶番は必須であろう。しかし、時間の無関係相においては、「無関係な即自態」から「無関係な即自態」への非連続的な変容（ジャンプ）が認められる。

概念の固定（習得）が、それ以後の関係的な時間を開くとしても、その「一つながりの時間」全体が、それとは無関係な「別の一つながりの時間」（無関係な即自態）からの変容（ジャンプ）の結果であるかもしれない。変容（ジャンプ）後の時間においては、「緑色のクオリア」として固定されているその質感は、変容（ジャンプ）前の別の時間においては、（後の時間の中では）知られていない別の概念（あるいは存在すらしていない概念）によって固定されている可能性がある。いや、前の別の時間の中では、そもそも何の概念化も施されず、潜在的なクオリアのまま、はっきりとは認識されることなく存在していたかもしれない。[17]

(17) 第二次内包が、第一次内包からの独立性を強くすると、「感じられなくとも、痛み（の本質）だけが存在する」が可能になる。それと同様に、クオリアが、第一次内包からの独立性を（第〇次内包よりもっと）強くすると、「はっきりと感じることができないクオリアが、マイナス内包として存在する」が可能になる。どちらも、「（認識論・意味論に対する）存在論の優位性」を示している。「クオリアの存在論化」と言うこともでわれわれが既に知っている概念によって固定されたクオリアを、当の概念から解放して、その解放の度合いを上げていくと、結局「別の時間（別の無関係的な即自態）」へと遡行せざるを得ない。もともとは明晰な輪郭を持っていたクオリアも、その「別の時間（別の無関係的な即自態）」の中へと移されると、元の輪郭を失って別の新しい輪郭を持つのかもしれないし、輪郭など持たないままクオリアの闇へと沈んだままなのかもしれない。要するに、「第〇次内包」から「マイナス内包」へと遡行することによって、クオリアは「（概念性に関して）何でもあり」になる。逆に言えば、「何でもあり」の潜在的なクオリア（クオリアの闇）からは、われわれが既に知っている（あるいは知りうる）区分に基づくクオリアだけでなく、まったく新たな区分に基づくクオリアが無限に出現しうる。マイナス内包は、無尽蔵なクオリアなのである。(18)

しかしながら、（概念的な固定に関して）無関係なほどに異なった別々の「一つながりの時間」になってしまうならば、同じクオリアについての異なる概念化（あるいは同じクオリアについての潜在態と顕在態の区別）と見なせるだけの「意味」も、いっしょに無くなってしまわないだろうか。むしろ、無関係なほどに異なった概念区分の下に置かれるクオリアは、そもそも別の異なるクオリアなのであり、潜在的で感じ取ることのできないクオリアなど、もうクオリアの名に値しないのではないだろうか（クオリアとは「直接的にありありと感じられるこの感じ」なのだから）。「マイナス内包」を想定することに対しては、そのような反論がありうるだろう。

それでもなお、この反論は「素通り」できてしまう。それは、「マイナス内包」が、（時間の無関係相に加えて、その対極の）「ベタな時間推移」にも依拠しているからである。

クオリアの概念的な固定を解除するということは、その固定と込みで成り立っている「一つながりの時間」の一つながり性（関係性）を解除することである。その解除がなされた時間が、「時間の無関係相」と「ベタな時間推移」である。前者が時間を「一つながり」から解放して「無関係的な即自態」を回復し、後者が時間をベタで塗り潰して「一つながり以上の超‐連続」を回復する。

　前者の「時間の無関係相」に依拠することで、クオリアから概念的な軛《くびき》を外していくことができた。一方、後者の「ベタな時間推移」に依拠することで、「同じXに対しての異なる区分（AとB）」のような枠組みから離れることができる。「ベタな時間推移」は、「同一性に基づく差異性」「差異を通しての同一性」という論理からすでに逸脱している。そもそも差異・区分・同一性等が意味をなさないような「一様さ」が、ベタ性だからである。概念から独立的なクオリア（マイナス内包）が、潜在的で感じ取ることのできないクオリアの闇へと沈み込むように、出来事や時点間の関係として捉えられる時間の奥の奥では、ベタな時間推移が（けっして感じられることなく）働いている。

　先ほど、「……と見なせるだけの「意味」も、いっしょに無くなってしまわないだろうか」という疑義（反論）に言及したが、その疑義（反論）が基づく論理（同一性と差異性）は、マイナス内包やベタな時間推移の水準では働くことができない。むしろ、「その論理が働かなくなってしまう」ことこそが、その水準の本領なのである。

　このような意味で、クオリアの深まり（第〇次内包からマイナス内包への沈潜）は、時間の深まり（関係相から無関係相＋ベタ相へ／中間態から両極端へ）と重なっている。クオリアの問題は、出発

きる。

（18）第1章での円環モデルにおいて、潜在性の場は無限の産出力を持っていたことを思い出しておこう。「マイナス内包」は、その（潜在性の場の）クオリア・バージョンである。

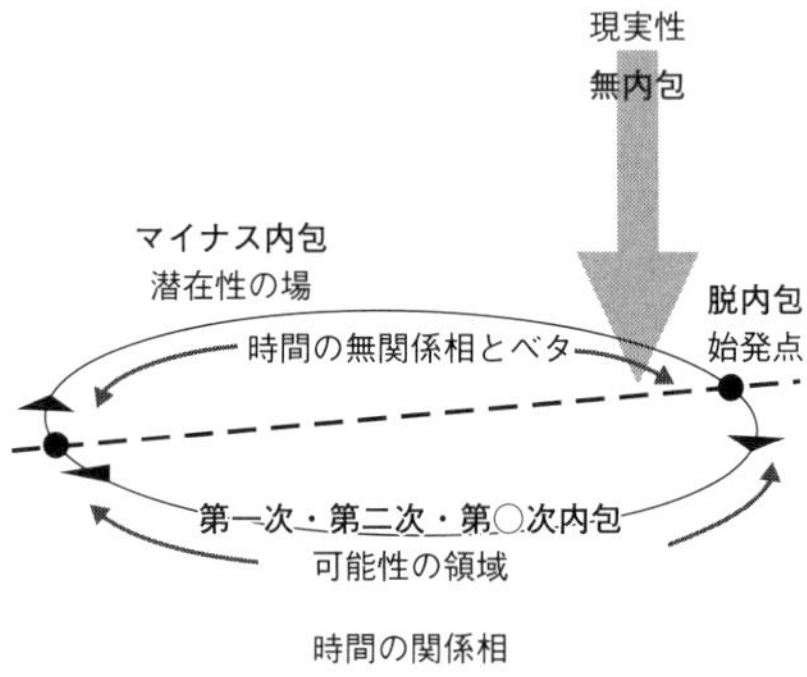

点ではいわゆる「心」や「主観」の問題であるかのように見える。しかし、第一次内包→第〇次内包→マイナス内包という道筋を辿ることによって、「心」や「主観」の奥に控える「私秘性」の問題を通り抜けて、さらにその奥の奥へと進んでいくと、あらぬ所へと突き抜けることになる。クオリアの問題は、物の特殊な内面性（私秘性）という論点や、物／心を越境するマテリアルな質という論点へと姿を変えていく。[19] この点については、第6節の「クオリア問題の変容」でふれる。

クオリアは逆向きの物自体である、と言うこともできる。物自体は、客観的な対象の「さらに向こう」にあるのに対して、クオリアは、主観的な感覚（とされているもの）の「さらに手前（奥底）」にある。物自体は、現象としての物の背後へと退隠して認識から独立するが、クオリアは、「主観的な感覚とされているもの」の奥底へと退隠して、その〈とされている〉という状況的な縛りからも独立する。その物自体的な「感覚そのもの」「感じそれ自体」が、クオリアである。「そのもの」「それ自体」（クオリアのクオリア性）の部分には、三つの段階の「自立」が含まれている。

1　第一次内包からの「自立」
2　第二次内包からの「自立」

3 第〇次内包からの「自立」

3-1 マイナス内包

3-2 無内包の私（こ・の・私）

第一次内包からの「自立」とは、感覚質の意味（概念）を支える条件（文脈）からの自立であり、第二次内包からの「自立」とは、感覚質の物理的本質（脳状態）からの自立である。[20] すなわち、機能的条件からも物理的条件からも自立した「感じそれ自体」の存在を認めることが、第〇次内包（クオリア）の成立であった。

クオリアとして通常想定されるのは、そこ（1と2）までであろうが、私は3-1の水準（意味・概念自体からも自立する水準）を追加した。マイナス内包は、主観的な感覚〈とされているもの〉の奥底（概念なき潜在的なクオリア）へと降りていくが、それは物の側の奥底としての形相なき質料と通底することになり、そこ（奥底）では心と物という区分は無化してしまう（第6節「クオリア問題の変容」を参照）。さらに3-2は、質料的な範囲（感覚質）からは逸脱して、力（現実性）の水準へと移動するので、もう「クオリア」と呼ぶのは適切ではない。「クオリア」が表そうとしているのは、そのように自らの「出自」（心的な状態の内包性）を無化し

(19) 「物／心を越境するマテリアルな質」は、本書第9章での「形相なき質料的現実」と同じことを表そうとしている。第8章の註12も参照。

(20) たとえば、「クオリアの逆転」の想定可能性は、第一次内包からの「自立」に対応し、「クオリアの不在」あるいは「哲学的ゾンビ」の想定可能性は、第二次内包からの「自立」に対応すると考えることができる。

ていくところまでを含み込んだ運動全体なのであって、固定した実体ではない。「クオリア」の本懐は、自らの消去（無化）にこそある、とも言える。クオリアの運動には、そのような自己抹消が内蔵されていることと、（クオリアの極限としての）マイナス内包の時間性には、「一つながりの時間（関係的な時間）からの逸脱」や「無関係性」が含まれていることとは、表裏一体になって働いているだろう。この点（自己抹消と時間性）については、本書第9章「「無いのではなくて存在する」ではなく」において「無の深まり」を考えるときに、もう一度言及する（第9章2‐6参照）。

5　無内包・脱内包とこれ性

「第一次内包」から「第〇次内包」へ、さらに「マイナス内包」も経由したうえで、「無内包」へと至った。この経路は、異なる水準の「現実（性）」を経由して、「純粋現実（性）」へ至る過程として捉え返すことができる。

第一次内包に対応するのは、日常的な文脈の下にある普通の「現実」の姿である。水は透明で冷たいものであり、足の小指をぶつけると「痛《いて》っ」と声を上げてしまう「現実」である。そういう意味内容に満ちた現実に、とにかくまずは入っていることによって、その後の展開が始まる。科学的な探求（第二次内包）や内面性の確立（第〇次内包）という「逆襲」が可能になるためにも、まずは「第一次的な（意味論的な）現実」に入っていなければならない（第一次内包の優位性）。

その後の「逆襲」とは、その出発点の意味論的な現実とは別の水準の現実の発見であり、最初の現実からの「自立（離脱）」の模索でもある。内面性の確立（第一の逆襲）は、意味論的な現実の奥深くに、本人にしかアクセスできない私秘的な現実（クオリアの世界）を見出すし、科学的な探求（第二の逆襲）は、意味論的な現実の背後に、より客観的で本質的な現実（水がH_2Oである現実）を見出す。そして、後から見出されるそれらの現実（クオリアや科学的な事実）のほうが、意味論的な現実に先行し優先すると（存在論的には）見なされるという「逆転」まで生じる。「第一次的な（意味論的な）現実」から出発して、その同じ現実を、それぞれ反対方向へと超え出て行こうとするのが、「第〇次内包的な（主観的な）現実」と「第二次内包的な（客観的な）現実」である。こうして、三つの水準の「内包」が協働反発し合うことによって、「現実」はその内包を豊穣にして厚みを増していく。

主観的な現実 ← 意味論的な現実 → 客観的な現実
（第〇次内包） ← （第一次内包） → （第二次内包）

しかしさらに、その方向性（内包が増えていく方向性）そのものに、丸ごと「逆襲」する力が、現実（性）には含まれている。それは、現実を満たしている「内包」の解像度を下げる逆の方向性であり、さらに「内包」そのものを削ぎ落として「現実（性）」の力を純化しようとする方向性である。「マイナス内包」と「無内包」が、それに相当する。

潜在的現実 ＋ 純粋現実
（マイナス内包） （無内包）

「内包」の解像度を下げるというのは、「特定性の度合い」を下げることである。一般にどの次元の「内包」も、「解像度（特定性の度合い）」を上げて豊穣になろうとする傾向性を持つ。第一次内包の水準では、たとえば水の描写をより精密にすることや、痛みを取り巻く文脈（因果関係等）を正確に記述することは、「解像度を上げる」ことに相当する。第二次内包の水準では、たとえば原子や分子よりもミクロな水準で物質の本質を解明することは「解像度を上げる」ことに相当する。第〇次内包の水準では、たとえば痛みの質（クオリア）をより繊細・精密に捉えることは「解像度を上げる」ことに相当する。

　しかしそれとは逆に、「マイナス内包」は、せいぜい「なんらかの（漠然とした）感じ」や「この（こういう）質感」としか言えないことを本質とする水準である。すなわち、マイナス内包の「マイナス」は、「解像度が下がって行って」内包の分別性が消えていくことを意味する。何らかの内包は残ってはいても、その特定性の度合いは低くなり、不分明へと近づいていく。逆に言えば、マイナス内包の不分明さは、そこからどんな解像度をも引き出すことのできる原質的な無尽蔵の内包である。そのように沈み込んで行くことでしか掬い取れない現実（潜在的な現実）もあって、内包は精密であればあるほど良いというわけでもない。

　さらに、「解像度（特定性の度合い）を下げる」だけでなく、度（度合い）自体が無効になって、「内包」が働きを失ってしまう段階が「無内包」の水準である。内包が働かなくなることによってこそ、むしろ現実性の純度が高まる。第〇次内包の水準の「私」は、言語的・意味的な連関から自立した私秘的な内面性（クオリア）を持つ「私」であるが、無内包の水準の「私」は、そういう内面的な質感とは独立に（そういう内面性を持とうが持つまいが）、現にこの私であるという端的な事実に他ならない。

最後の段階（この私）の「この」は、もっとも純度の高まった現実（性）を表現しようとしている。しかし、「これ」の働き方には注意が必要である。以下では、その点について、（まとめを兼ねて）振り返っておきたい。「現実（性）」が多重――無内包的・マイナス内包的・第〇次内包的・第一次内包的・第二次内包的――であるのと同様に、「これ」の働きもまた、多重的だからである。

「これ性」とは、私の解釈では、「……―この私―このもの―この世界―……」の局所も全域も貫いている「力」の還流のことであった（第6章参照）。

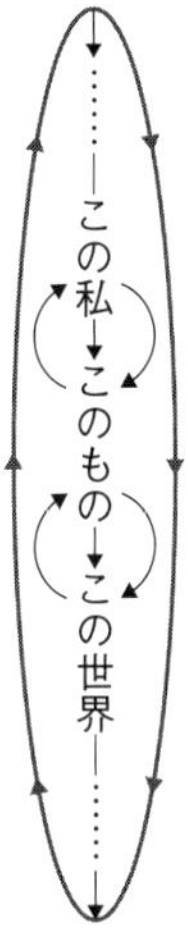

「このもの」の成立とは、すでに「これ性」を宿している「この身体（この私）」からの指差し等の運動によって、その「これ性」が受け渡されることである。それは、「力」の還流における「この私→このもの」という局面である。さらに、「この身体（この私）」がすでに宿している当の「これ性」は、内側から生きられているものであると同時に、外側からやって来る力（森岡ならば「プギャー!!」）によって駆動されてもいる。その外側からやってくる力（確定指示）は、向こうの方（この世界全体の側）からやって来て、まさに「これ」を「これ」にする。それは、「力」の還流における「この世界→この私」という局面である。さらにまた、このものの成立は、「このものが、まさにこのものであるような世界（この世界）」の成立でもあり、このものの「これ性」はこの世界の「これ性」

でもある。それは、「力」の還流における「このもの⇅この世界」という局面である。「これ性」は、局所も全域も貫き、局所を全域化する力としても、全域を局所化する力としても働いている（このものに、この世界全体が宿る）。

「これ性」という力の流れによって貫かれていることを、「内包」の観点から述べるならば、それが「脱内包」の水準に相当する。「脱内包」とは、「（有）内包」から「無内包」へと至る途上の水準である。あるいは、無内包の現実性が、私・もの・世界・今などの、最小限の（形式的な）内包と共に働いている水準を「脱内包」と呼ぶ。ここで、「このX」を、有内包の水準から、脱内包の水準を経て、無内包の水準へと、動かしてみよう。

「内包を有する」ことは、特定の「内容」を持つことであり、その内包の特定性（確定性）によって、「このX」がどのXであるかが決まってくる。Xの内に含まれる内包に応じて、「このX」の「この」がどれであるのかが定まる。「この」が「X」を選び出しているように見えても、その選び出しを裏側で実質的に支えているのは、「Xの内包」の特性である。「この↓X」の裏に「この↑Xの内包」が控えている。たとえば、この猫が、（あの猫とは違って）ハチワレであり、しっぽの先が少し曲がっている……等々の「内包」を含むことによって、他の猫とは区別されて「この猫」となる。

その場合の「このX」（有内包の水準で使用される「このX」）は、「力の還流」の内に巻き込まれなくとも、成立可能である。つまり、「力の還流」から相対的に独立に働くことができるのが、有内包の水準である。その水準では、「局所の全域化・全域の局所化」や「こちらと向こうの循環」の内に巻き込まれてはいない（指差し運動のところで、わずかに循環と接点を持つことはあっても）。Xから取り出される「内包」の解像度が、「このX」を確定できるのであれば、「この」はその内包に依存するだけで役割を果たすことができる。これが、有内包の水準で働く場合の「これ性」である。

しかし、そのように（有内包的に）指し示された「この猫」であっても、さらに名前をつけて共に生活し、こよなく愛し続けるならば、「有内包」の水準から脱しうる（「脱内包」の水準に移る）。つまり、この猫という「これ性」は、「力の還流」と（接点を持つだけでなく）その内に巻き込まれて、「これ性」は、特定の内包からの自立度を高めていく。この猫がこの猫であるのは、特定の内包を持つからではなくなる。「この私が愛するこの猫」であり、「この猫と生きる世界がこの世界」であり、「この世界がこの私」である。そのような「これ性」の流れに組み込まれているから、この猫がこの猫になる。この猫の「これ性」は、局所（猫の所）だけで閉じることはなく、全域と局所を経巡る。

こうして、（表面上は同じ）「このX」であっても、有内包の水準から脱内包の水準へと転移しうる。もちろん、還流・循環に巻き込まれた「これ性」であっても、私や猫や世界の「諸内包」から、完全に独立するわけではない。しかし、「これ性」は、「内包」への依存度を低下させて、「力」の中で働く度合いを高める。

さらに、「内包」への依存度をゼロへと近づけ、これ性の「力」の純度を上げようとするならば、脱内包の水準は無内包の水準へと接近していく。「このもの」からは「それが何であるか」をいっさい捨象し、「この私」からは「私が何者であるか」をいっさい捨象し、「この世界」から「世界がどのようであるか」をいっさい捨象して、これ性の「力」だけを働かせようとしてみる。その捨象の果ての「この私―このもの―この世界」では、「これ性」は最高度に脱内包的に働いて、無内包の水準に達しようとする（「今が何時《いつ》であるか」をいっさい捨象した「この今」についても、同様である）。

無内包への最後の一歩は、実質的な内包性を捨象したあとにも残り続けている、「私」「もの」「世界」「今」等の形式的な内包性をも捨象することである。すなわち、人称性や個体性や場所性や時制性として残存している内包性からも離脱するとき、「この私―このもの―この世界―この今」を貫通する「これ性」は、無内包の「力」として純化される。「この」に「X」が伴ってしまう限り、脱内包化の程度をどれほど高めたとしても、そのXの部分が形式的な内包性（人称性・個体性・場所性・時制性など）を呼び込んでしまう。そこで、「このX」「このもの」ではなく、「X」や「もの」を消去した「このこれ」「これ！」のほうが、無内包の水準の「これ性」には相応しいだろう。

円環モデルに対応させておくならば、無内包の水準の「これ性」すなわち「これ！」は、垂直に外から働く「現に」という透明な力に相当するし、脱内包の水準の「これ性」すなわち「この私―このもの―この世界―この今」を貫く「この」は、円環の中を回されて諸相を纏いつつ、全域にも局所にも出現する現実性に相当する。

6 クオリア問題の変容

ここまで述べてきた（水準の異なる）内包性・これ性の議論に基づくと、「クオリア問題」がどのような問題として見えてくるかについて、私見を加えておきたい。[21] クオリアについての一般的な問題形態を確認した後、無内包・脱内包・マイナス内包の観点を適用すると、どのように問題が変容するかを述べる。

クオリア（Qualia）が問題となる文脈の一つとして、心身問題（心脳問題）における二元論と物理主義（あるいは機能主義）の対立がある。二元論は、心的状態の存在論的な独自性を強調して、物理的な存在領域とは別立てで心的な領域を確保しようとする（ので「二元」論となる）。それに対して、物理主義は物理的な存在領域一元論であるから、その領域内の一局所（たとえば脳の物理的過程）として、心的状態を位置づけようとする。あるいは機能主義ならば、（脳の物理的過程もその一部として含むような）関数的に働く情報のネットワークの内に、心的状態を位置づけようとする。

二元論は、心的状態と物理的・機能的状態との決定的な差異として、心的状態のみが持つ（物理的・機能的状態にはない）特殊な内面性――本人にのみ直接アクセス可能な非空間的な内部性――を強調する。[22] 物理的・機能的状態は、誰にでも等しく接近可能な客観的な状態であるのに対して、心的状態は、本人にのみ接近可能な主観的な状態である。ゆえに、物理的・機能的状態と心的状態は、別種の二つの存在領域である（と二元論者は考える）。

しかし、心的状態といっても様々である。たとえば、意図（という心的状態）は正確に表明されるならば、本人以外の第三者にも認識可能なものであり、その意図がどのような脳の物理的過程と対応し、どのような機能的な状況に埋め込まれているかを、第三者（科学者）が詳しく探究することも可能である。願望（という心的状態）も同様であろう。まだ表明していないから本人しか知らないということはあるとしても、その願望は原理的に「本人にのみ接近可能」というわけではない。いや、本人には正確に認識されていない（自分の）願望を、第三者のほうが、その人の成育史や状況等を十分

(21) クオリアについては、拙著『相対主義の極北』（ちくま学芸文庫、二〇〇九年／春秋社、二〇〇一年）の第8章「「ない」ことの連鎖」も参照。
(22) たとえば、Thomas Nagel, *What Does It All Mean? A Very Short Introduction to Philosophy*, Oxford University Press, Oxford, 1987. Chapter 4 The Mind-Body Problem, p. 29.を参照。

に知っていることによって正確に認識できる、ということも十分あり得る。さらに、欲望（という心的状態）ならば、本人には接近不可能であっても、第三者（精神分析家）ならば接近可能という無意識的な欲望もありうる。

要するに、それらの心的状態――意図・願望・欲望等――には、二元論の主張（特殊な内面性）は、当てはまらない。心的状態であっても、原理的には（本人だけでなく）第三者にも認識可能（伝達可能・探究可能）なのだから。そのような心的状態ならば、客観的な接近方法によって、より詳しく探究することができるし、いずれ心的状態についての科学的な本質が発見される日も来るかもしれない（と物理主義者・機能主義者は考える）。

そこで、二元論者が物理主義者・機能主義者に対抗するためには、第三者にも同等に認識可能（伝達可能・探究可能）な心的状態ではない「特別な心的状態」――特殊な内面性を持つ心的状態――へと焦点を絞ることになる。心的状態の多くの事例（周辺部）は物理主義者・機能主義者の手に委ねることができるとしても、心的状態の「核心部」はそうはいかない（と二元論者は考える）。その特別な心的状態が「クオリア」である。

意図・願望・欲望等の心的状態は、他人であっても（場合によっては、他人の方が）十分に理解ができるとしても、私自身の味覚経験や痛みの感覚などの心的状態は、それとは違うのではないか（と二元論者は考える）。私が味わうチョコレート味の甘さや、私が感じるチクチクする痛みは、まさに私にのみ接近可能な直接的な生々しい感じであって、他人がそれを体験することは原理的に不可能である。そのような私秘的《プライベート》な質感・感じを、「クオリア」と呼ぶ。クオリアこそが二元論の主張する「特殊な内面性」を持つものであって、クオリアこそが物理的な存在領域とはまったく異なる存在領域である（と二元論者は考える）。いわば、心的状態の中でも客観性を持つ領域――意図・願望・欲望等――については、三人称的なアクセスを受け入れたとしても、心的状態の核心部としてのクオリアだけは、三人称的にはアクセス不可能な二元論の「牙城」として残る（と二元論者は考える）[23]。

しかし、二元論者がクオリアを「牙城」として持ち出したとしても、物理主義者が怯むことはないだろう。というのも、クオリアといっても、それは「チョコレート味の甘さ」の感じではあるし、「チクチクする痛み」の質感のことではあるのだから。その記述（「チョコレート味の甘さ」「チクチクする痛み」）を通して、その感じ・質感が「何の」「どのような」ものであるかは、第三者にも伝わる。その程度の大雑把な記述では、当の感じ・質感を掬い取れないと思うのであれば、その記述をもっと精密なものに変えていけばいいだけである。あるいは、（できるだけ精密に）記述されたクオリアに対して、その本質（クオリア発生のメカニズム等）を科学的に探究すれば、クオリアについての理解は深まるはずである。こうして、物理主義者・機能主義者は、二元論の主張を退けることができる[24]。

(23) 心的状態の「核心部」という言い方は、心的状態の全体に対して、その中の特別な一部分という連想を与えてしまうかもしれない。しかし実情は、「部分」ではなくて「全体にぴったりと貼り付いた裏面」である。というのも、どんな心的状態であっても（意図でも願望でも欲望でも）、「……しよう（したい）と思う」という意図や願望に伴う〈直接的なこの感じ〉がクオリアだからである。その前半の「……しよう（したい）と思う」という意図や願望は、客観的な認識によってもアクセスできるのに対して、後半の〈直接的なこの感じ〉のみは、特殊な内面性において、本人にしかアクセスできない仕方で生じている（と二元論者は考える）。

(24) 物理主義者・機能主義者は、存在論的には物質・情報の一元論者であるから、二元論が持ち出す「特殊な内面性」は、そのただ一つの存在領域の中での、認識の仕方の違い（一人称的か三人称的かの違い）にすぎなここで重要なことは、次の点である。二元論を擁護するために持ち出されるクオリア（本人にのみ接近可能な直接的な生々しい感じ）という特殊な領域であっても、物理主義者・機能主義者の側から見れば、他の心的状態の場合と大差はないということである。すなわち、クオリアもまた、記述や文脈や状況等を通して、認識可能（伝達可能・探究可能）な心的状態の一種であって、特殊な別個の存在領域である必要はない。そのように、物理主義者・機能主義者がクオリアの「特殊性」を解除できるのは、「チョコレート味の甘さ」「チクチクする痛み」「直接的な生々しい感じ」などの記述や概念を（そして、それを支える物理的・機能的状態を）、私たちが共有しているからである。本人による認識か第三者による認識かという違いなど、その共有された土台の上に付け加えられる二次的な差異にすぎない（と物理主義者・機能主義者は考える）。

したがって、物理主義者・機能主義者にさらに対抗して、クオリアを特殊な存在領域として（二元論擁護のために）持ち出すつもりならば、記述や概念による「意味の共有状態」からも、クオリアをさらに離脱させなくてはならない。〈この直接的な感じや質感は、「チョコレート味」「甘さ」「痛み」「チクチク」などの一般的な記述や概念では、とうてい表すことのできない独特のものなのだ！〉というように。こうしてクオリアは、二元論者による「特別視」と物理主義者・機能主義者による「特別視解除（非特別視）」のあいだで綱引きされて、解除されたり・再び特別視されたりして揺れ動くことになる。この揺れ動き自体が、クオリアのクオリアらしいところである。

二元論が強調する、「特殊な内面性」（本人にのみ直接アクセス可能な非空間的な内面性）は、第一次内包・第二次内包から自立することに成功した「第〇次内包」に相当する。すなわち、特殊な内面性を持つ「クオリア」とは、諸々の文脈や因果関係から自立した「端的に感じられるもの」であり、脳状態等の物理的過程に付随しない「私秘的な意識」である。

しかし、そのような第〇次内包の「自立」は、もう一度、第一次内包・第二次内包への「依存」のほうへと引き戻される運命にある。この「自立」と「依存」のあいだの揺れ動き（揺れ戻し）は、二元論者と物理主義者・機能主義者のあいだでの「綱引き」に相当する。いったんは「自立」したかのように見えた「第〇次内包」も、もう一度「第一次内包」への「依存」の内に引き戻される。それは、次の理由からであった。

（1）第〇次内包を規定する「概念」の内に、第一次内包との紐帯が残るから。

（2）第〇次内包の「自立」は、「自立とみなされる」という文脈内的な自立だから。

「痛みのクオリア」は、どんなに文脈や因果関係からは逸脱していても、「痛み」という概念には依存せざるを得ない。また、その「痛みのクオリア」が本人にのみ感じられるものであることは、その概念使用の文脈の内で「そう認められている」事柄である。第〇次内包（クオリア）は、そのように第一次内包との繋がりを残していることによって、当然のことながら第二次内包（科学的な本質）の探究の対象にもなりうる。二元論者のクオリア「特別視」が、物理主義者・機能主義者によって解除されるという方向（揺れ戻し）は、第〇次内包に対する、第一次内包・第二次内包側からの「逆襲に

いと考える。したがって、クオリアは、存在論的に二つの別個の存在領域を立てる根拠にはなり得ないと物理主義者・機能主義者は考える。

対する再逆襲」に相当する。それは、「第〇次内包」の自立度をめぐる「見積もり争い」だとも言える。

二元論　　　　　：第〇次内包の自立度をより大きくする。
物理主義・機能主義：第〇次内包の自立度をより小さくする。

だからこそ、二元論者は、物理主義・機能主義の圏域からもう一度クオリアを脱出させるために、その「特殊な内面性」の強度を上げる必要がある。より強い二元論的なクオリア観は、第〇次内包の自立度を高めることへと向かわざるを得ないし、さらに当の「第〇次内包」の領域をも突き破るところにまで進むことになる。その強度を上げた二元論のクオリアの向かい先が、「マイナス内包」であり、「脱内包」「無内包」である（と私は考えたことになる）。「マイナス内包」と「脱内包・無内包」は、それぞれ別の仕方で、二元論的な「特殊な内面性」をより強力にして変容させることになる。その方向は、クオリアを元々の問題の枠組み（物と心の二元論、公共性と私秘性）から離脱させていくことに繋がる。

「第〇次内包のクオリア」に残されているのは、特定の「概念」による括りと「（自立的・私秘的である）とみなされるようになる」という状況・文脈的な囲いである。その括りや囲いを解除して、さらに自立的な水準を想定すると、「マイナス内包のクオリア」が出現する。「マイナス内包のクオリア」は、特定の概念の括りによって感じられるようになるよりも以前の「潜在的なクオリア」であり、そこから無数の顕在的なクオリアが発現しうる能力（無尽蔵）としての「クオリアの闇」である。せいぜい「何らかの質感」としか言えないクオリアであり、いやむしろ、そのようにしか言えないことを裏支えしている潜在能力としてのクオリアである。それは、「(自立的・私秘的である)とみなされるようになる」以前のものであるという意味で、状況・文脈に依存しない度合いがより強く、公共的でない度合いがより強い(という意味で、より強く自立的・私秘的である)。この「以前性」は、概念的(意味的)に一つながりになっている時間の中での前後関係ではない。むしろ、その「一つながり」を脱臼させるような存在論的・時間論的な逆襲(転覆)によって開かれる無関係的な「大過去」である。そして、マイナス内包の段階での「特殊な内面性」は、「心の内」という当初の意味から、「概念や文脈に囲われる以前の潜在状態の内」という意味での「内部」へとすでに変容している。[25] また、マイナス内包のクオリアは、「直接感じられるもの」としてのクオリアではなくなって、その原資(潜在性の場)としてのクオリアへと変容している。

物理主義・機能主義からの「追っ手」から逃れようとして、二元論が「第〇次内包」に残る「括り」「囲い」を解いて開いていくと、こうして「マイナス内包」が出現する。それに対して、物理主義・機能主義からの「追っ手」が摑む箇所(取っかかり)を、二元論からそもそも消去しようとすると、「第〇次内包」に残る概念性を削ぎ落としていくことになり、「脱内包」が出現する。

「この痛みのこのチクチク具合のこの感じ……」あるいは「このこのこの……質感」という言い方は、

(25) 当初の「心の内」のほうが、むしろ「概念や文脈に囲われて」いるので、後から宛がわれた「外」であって、「マイナス内包」のほうが、「概念や文脈に囲われて」いないので、それ以前の(無関係的な)「内」に留まっている。そういう、内・外の反転が(存在論的・時間論的な逆襲と共に)生じている。「内と外」については、「追記とあとがき――Actu-Re-ality について」の「外の外―外―内―内の内」というオーダーも参照。

クオリアの特殊性を捉まえようとして足掻いている。(壊れかけの機械のような)「この」の繰り返しは、第〇次内包にも残る「概念」の一般性から、クオリアを救い出して純化しようとしているが、「これ性」の力は空回りしている。クオリア純化の場面では、「これ性」の力は、一般的な概念から特殊な事例を絞り込むために働いているのではないからである。むしろ「これ性」の力は、どのような感じ(質感)であるかとか、その感じ(質感)が特殊であるか否かとは全く無関係に、第〇次内包を素通りして「ただ一つの」「このこれ」を確定指示しようとする。すなわち、クオリアを純化しようとする「これ性」は、すでに脱内包の水準に入っている。「この感じ」「この質感」は、「どのような感じ」であり「いかなる質感」であるかの水準からは離れて、単に「現に生じている感じ」「この私が現に持っている質感」であるだけになる。純化されたクオリアは、脱内包の「このX」に相当する。

こうして、「このクオリアを持つ」ことは、結局「この私」という一点(の現実性)へと縮退するので、もはやクオリアは「心的状態(の中身)」ではない。それでもなお、純化されたクオリアに「特殊な内面性」があるとすれば、それは最早「心的状態」の内面性でも「潜在性の場」の内面性でもなく、「これ性」という力の循環の内にあるという内面性である。あるいは、この現実(この私)という「一」性の内にあるという内面性である。

二元論は、心的状態の存在論的な独自性を擁護して、物理主義・機能主義に対抗するために、クオリアを先鋭化させる必要があった。第一次内包(感じるとされる状況・文脈)から第〇次内包(感じられるもの)を「自立」させることは、その第一歩であった。さらに、(1)第〇次内包のクオリアからも「自立」させて、マイナス内包のクオリアへと進むこと、(2)クオリアを内包性自体からも「自立」させて、「これ性」の力へ向けて純化すること(脱内包化)の二つが、その先鋭化に相当した。

ここまでの考察を踏まえると、「物と心」の問題（心身問題・心脳問題）について、次のように考えることができる。

心の存在論的な独自性（二元論）を擁護するために、クオリアを先鋭化したにもかかわらず、先鋭化されたクオリアは、二元論的な枠組み（物と心）をむしろ無化する。マイナス内包のクオリアは、第〇次内包に残る「概念」の括りを解かれた、概念化されない「何らかの感じ」であり、さらにその感じの「潜在的な原質」であった。クオリアのこの潜在的な次元は、「物」のほうの潜在的な次元――形相なきマテリアル――と地続きである（註19も参照）。概念による区画化以前であるという点で、

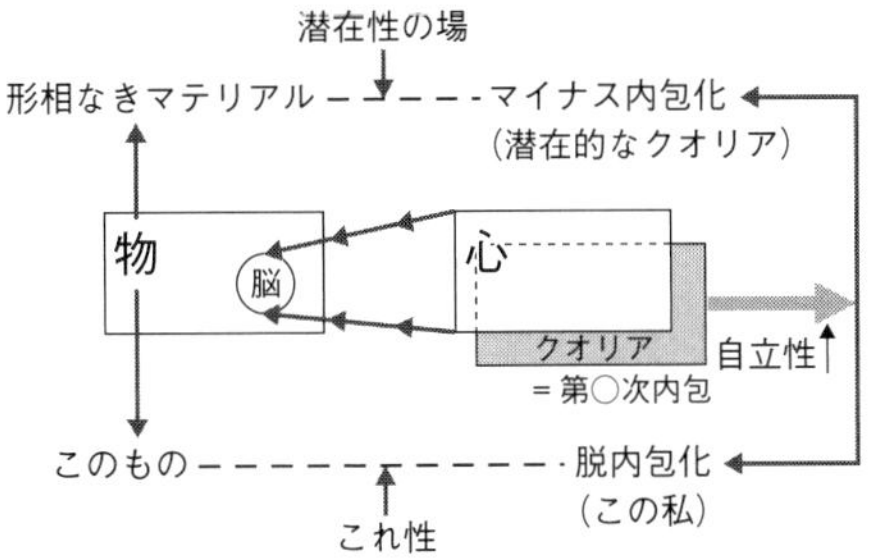

マイナス内包と形相なきマテリアルは、同じ一つの潜在性の場である。その場は物でも心でもなく、そこから心と物の区別やその領域間の緊張関係が創発するような源泉である。

物理主義・機能主義が依拠する「物質や情報（第一次内包や第二次内包）」は、すでに科学的な概念による区画化がなされた「形相を持つ何ものか」である。それは、第〇次内包としての「心的状態」が心的な概念の括りの下で「感じられるもの」であることと、パラレルである。そのパラレルな水準から「奥底」へと降りていくと、「物と心」はそれぞれの（物としての／心としての）形相を失っていき、潜在性の場において通底する。[26]

(26) 「マイナス内包へと降りていくことで、物と心は通底する」というこの箇所

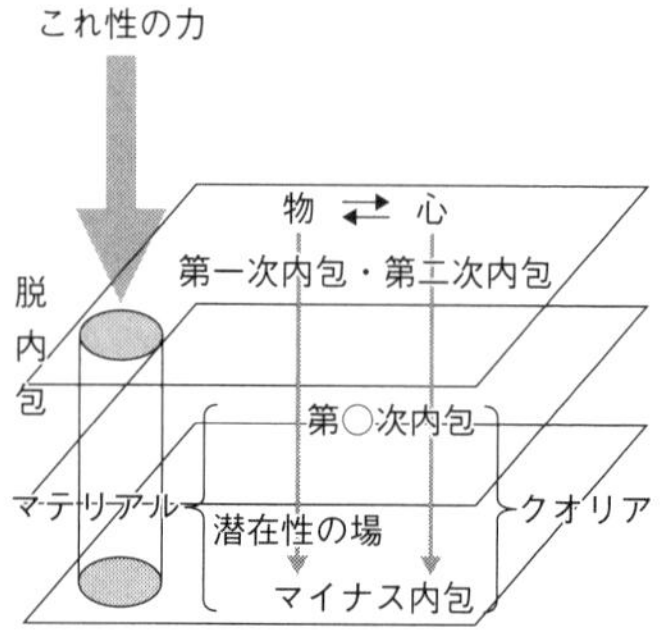

また、クオリアの脱内包化としての「このX」(これ性)という方向もまた、クオリアの特殊性を先鋭化して、二元論を死守する方向であったにもかかわらず、その先鋭化されたクオリアは、二元論的な枠組み(物と心)をむしろ無化する。このXは、「物でも心でもある」仕方で二領域を貫いて働く。「X」の領域に関わらず、「これ性」の力は一元的に(貫通的に)働く。

クオリアが「この質感」として純化されるとは、「どのような質感か」とは無関係に、「現に感じている質感」として、(当の質感の)現実性にのみ焦点が絞り込まれることであった。これは、心的な領域において生じるが、同様のこと(脱内包化)は、物質的な領域においても生じる。脱内包的な「このX」とは、「これ性(無内包の現実性)」の力が回す循環の一局面としての「X」である。Xの部分が、心的な領域に属する「感じ」であるか、物質的な領域に属する「コップ」であるかは、(脱内包的には)重要ではない。「この感じ」も「このコップ」も、「この私—このもの—この世界」を経巡る「これ性」の力の局所的・限定的な出現であることに変わりはない。「現に」という無内包の力が、「特定の感じ」に発現したり、「特定のもの(コップ)」に発現したりするだけのことである。「これ性」は、領域横断的に物にも心にも出現するだけではない。さらに、「このX」という仕方では言えなくなる(個別のXは消え去る)潜在性の水準においても、「これ性」の力はレイヤー縦断的に浸透している。というのも、「現に潜在している」「実際に潜在的に働いている」の「現に」「実際に」が、「これ性」の力に他ならないからである。「現実性はどこまでも潜在的であり、潜在性はどこまでも現実的である」という点を思い出しておこう（第2章参照）。また、潜在性の場から「何かが起こった（起こっている）」という実現・生起への――円環モデルの左半円上部から始発点への――ジャンプ（飛躍）の内には、こんどは逆に、マイナス内包（潜在性の場）から脱内包の「このもの」「このこと」への移行が含まれている。

「これ性」の力自体は「無内包」であるが、その力に貫かれて発現する各局面での「このX」（この私―このもの―この世界、この感じ―このコップ等）は「脱内包」である。それぞれの局面での「実質的な内包性」や「形式的な内包性」を残しつつ削ぎ落としつつ、「これ性」が働いているからである。その脱内包の水準においては、（物と心という枠組みだけでなく）「公共性と私秘性」という枠組みも、越境されてしまう。

第〇次内包の水準では、私秘性（特殊な内面性）は、心の領域（クオリア）の本質であった。しかし、脱内包の水準においては、私秘性（特殊な内面性）は、物の領域（このもの）にもある。「現に」という現実性が「私」という局面で発現するならば、脱内包的な「この私」が成立するし、「現に」という現実性が特定の「もの」という局面で発現するならば、脱内包的な「このもの」が成立する。「この私」にも「このもの」にも、同じ「これ性」の力が貫通している。その力に貫かれていることが、私秘性（特殊な内面性）を持つことであり、「この私」と同様に「このもの」も、私秘性（特殊

の考え方は、中立的一元論（Neutral Monism）の一種と言うことができるだろう。中立的一元論（Neutral Monism）については、以下を参照。Stubenberg, Leopold, "Neutral Monism", The Stanford Encyclopedia of Philosophy（Fall 2018 Edition), Edward N. Zalta（ed.), URL = 〈https://plato.stanford.edu/archives/fall2018/entries/neutral-monism/〉.

な内面性）を持つ[27]。逆に、「この私」「このもの」の「この」が、その力の還流から外れて、諸々の内包に依存して働くならば、「私」「もの」からは、私秘性（特殊な内面性）は失われて、むしろ公共的な「私」「もの」へと変わる。

「公共性と私秘性」という対照は、「物と心」という枠組みから引き剝がされて、「有内包と脱内包・無内包」という枠組みへと移される。新たな枠組みのもとでの「公共性と私秘性」には、もう「開（公共）と閉（私秘）」や「顕わ（公共）と隠れ（私秘）」などの意味合いは含まれていない。むしろ「開と閉」「顕わと隠れ」は、「有内包」の内部で交代するペアである。その交代の蝶番として働くのが、（顕わにもされ隠されもする）同一の内包（意味）である。つまり、「開と閉」「顕わと隠れ」のペアは、どちらも「公共性」の側に属する。それに対して、新たな「私秘性（特殊な内面性）」の側は、開かれも閉じられもしないし、顕わにも隠されもしない。無内包の現実の「私秘性」とは、「外のない現実」の特殊な内面性のことである。その「現実性の働きの内」は、「無限に開かれた（閉じることが不可能な）内部性」であり、「顕わにもできないし隠しもできない透明さ」なのであり、そこでは「開と閉」「顕わと隠れ」は無効になる。

こうして「クオリア」は、その問題性を追いかけると、当初の二元論的な「物と心」「外（公共性）と内（私秘性）」という枠組みを突破して変容する。「クオリア」は、当初の意味合いから脱して、その変容の軌跡を表すように姿を変えた（あるいは、姿を消した[28]）ことになる。

（27）グレアム・ハーマンは『四方対象　オブジェクト指向存在論入門』（人文書院、二〇一七年）／Graham Harman, *The Quadruple Object*, Zero Books, 2011.において、もの（対象）が「私秘的な内面に退隠している」（六〇頁）という考え方を提示している。飯盛元章は、そのハーマンの議論を整理しつつ、オブジェクト指向の強度をさらに高めて、（入不二の概念を援用しながら）「無内包の対象」を提示している。cf. 飯盛元章「ひじょうに強いオブジェクト指向存在論のほうへ――相関主義、関係主義、緊張主義に抗して」（ハイデガー研究会編『Zuspiel』第2号、二〇一八／一九年、二八―四七頁）。飯盛の論考を踏まえて言うならば、「無内包の対象」と「無尽蔵の対象」という（退隠の仕方の）両極のあいだには、「緊張」（というよりメタ緊張、あるいは反転）関係が回帰すると私ならば考える。そして、その回帰する場（無内包性と無尽蔵性のメタ緊張が畳み込まれている対象）が「このもの」であると考える。すなわち、「このもの」は、内包とは無関係の「現実性」が働く局所であると同時に、新たな内包が創発してくる（つまり無尽蔵な）「潜在性」が働く場でもあると、私ならば考える。cf. 第6章の「このもの主義」についての考察。

（28）「クオリア」が辿る「強力化・純化の果ての自己抹消」という理路は、ウィトゲンシュタインの「私」の問題にも適用できる（と私は考えたことがある）。前掲拙著『ウィトゲンシュタイン――「私」は消去できるか』参照。

第8章　「拡張された他者」としての現実性

本章では、野矢茂樹『語りえぬものを語る』（以下では『語る』と略記）の議論を検討することを通して、相対主義・他者・相貌・自由について考察を加える。その考察は、「他者」概念の拡張と「語りえなさ」の度合いを上げるという結論に繫がっていく。(1)

1　「相貌」相対主義論の概要

『語る』の中で、野矢は相対主義を擁護する議論を展開している。考察に入る前に、野矢の相対主義擁護論の概略を必要な範囲でまとめておくと、次のようになる。

野矢の相対主義論は、真理の相対主義の検討から始まり、概念の相対主義に対するデイヴィドソンによる批判(2)を退けて、相貌の相対主義を語りえぬ真理として提示する、という道筋を辿る。

(1)　野矢茂樹著『語りえぬものを語る』（講談社、二〇一一年）の書評を、私は日本経済新聞 二〇一一年八月二一日（日曜日）の朝刊に書いている。総論的なコメントについては、そちらを参照。「語りえなさ」の度合いを上げるという点については、本書第6章の「無関係」に関わる「言えなさ」についての考察も参照。

真理の相対主義を検討する場面では、いわゆる「相対主義のパラドクス」が論じられる。野矢によれば、相対主義自体はある種の絶対性を持つが、しかしそれは矛盾ではない。相対主義は、語られず示される真理であり、そもそも一つの語りうる主張ではない。ゆえに「すべての主張の正しさは立場に相対的である」の「すべての主張」の中に、相対主義自体は含まれず、相対主義自体が相対化されることはない。また、そもそも主張ではないので、相対主義だけが例外で「絶対的な主張」というわけでもない。

真理の相対主義は、より強力な形態にするならば、概念の相対主義（概念枠相対主義）になる。概念の相対主義によれば、真理は概念枠に相対的であることによって、一方の概念枠における真理が、他方の概念枠にとっては（虚偽なのではなくて）そもそも無意味なものになる。この概念の相対主義を根底的に批判するのが、デイヴィドソンの相対主義批判であり、そのデイヴィドソンの相対主義批判をさらに批判するのが、野矢の相対主義論である。

野矢は、デイヴィドソンが概念枠による組織化を「外延的」に捉えていることを批判する。デイヴィドソンは、概念枠による組織化を、基礎となる共通の諸対象があって、それらを異なる仕方で分類する（集合を作る）こととして考えているが、野矢は「基礎となる共通の諸対象とその分類」という外延的な考え方を退ける。野矢によれば、「相貌」という内包的（アスペクト的）なあり方は、中立的な何ものかがあってそれを組織化したものではなくて、まさに（ニュートラルな対象なき）組織化それ自体なのである。(3) したがって、「世界は異なる組織化に応じて、端的にその相貌を変えるのである」（『語る』一一〇頁）。野矢は、（デイヴィドソンに抗して）概念枠の異なりを、端的な相貌の違いとして捉えようとしている。

「相貌」は、実際にその相貌が立ち現われる観点に立っている者にしか（すなわち内側からしか）、捉えることができない。相対主義とは、外側からはけっして語ることのできない「異なる相貌」の存在を認めることであり、内側から生きるしかない「別の生き方」の存在を認めることなのである。そのような異なる相貌（異なる概念枠）は、翻訳不可能ではあっても習得可能であることによって容認できると野矢は考える。デイヴィドソンが「翻訳不可能」ならばそもそも言語（概念枠）ではないと考えるのに対して、野矢は、「習得可能性」という観点を導入することによって、異なる相貌（異なる概念枠）の存在を救おうとする。

ただし、異なる相貌は、「理解する前には姿を現わさず、理解したときにはもう異なる概念枠ではないものとなっている」（『語る』一四九頁）。すなわち、異なる相貌は、現在形で確かめることはできず、習得した後に「かつての私にとって未知の概念であった」という仕方で、つまり過去形でしか姿を現わさない。異なる相貌の存在は、どの特定の時点でも認識されることはないが、しかし新しい概念の習得による理解の拡張運動の中で示されている。これが、語りえぬ真理としての「相貌の相対主義」の内実である。

（2） Donald Davidson, "On the Very Idea of a Conceptual Scheme", *Proceedings of the American Philosophical Association*, 47, 1973–74, pp. 5–20. reprinted in Krausz, M. and Meiland, Jack W. ed. *Relativism Cognitive and Moral*, University of Notre Dame Press, 1982, pp. 66–80.

（3）「外延と内包」という点については、本書第7章・第1節の「内包について」も参照。また、私自身の相対主義論としては、拙著『相対主義の極北』（ちくま学芸文庫、二〇〇九年／春秋社、二〇〇一年）を参照。

2 「中立的な何か」という相貌

まず、比較的小さな論点から始めることにしよう。鍵概念《キーコンセプト》である「相貌」についてであるが、「中立的な何か」なしの端的な相貌変化という野矢の考え方を「(否定するのではなくて) 弱める」必要があると、私は考えている。

「中立的な何か」なしの端的な相貌変化、とは言っても、「中立的な何か」という相貌はある。もちろん、いっさいの相貌から無縁の「中立的な何か」はないだろうが、しかし「中立的な何か」という相貌を持ったものはある。つまり、「相貌」という内包的なものであっても、(「中立的な何か」という) 外延的な相貌(外延らしき見かけ)を持ちうるということである。

野矢は、あひる・うさぎの反転図形を、「二転図形」ではなく、たんなる線描図形という相貌を加えた「三転図形」だと述べる。「たんなる線描図形とは、あひるやうさぎの相貌を担うとされる一個同一の対象ではなく、あひるやうさぎの相貌と並ぶ、もうひとつの相貌なのである」(『語る』一一九―一二〇頁) と述べている。その直後に、「ただし、その相貌、たんなる線描図形という相貌は、あひるやうさぎの相貌と異なり、ほとんどの人に共有される相貌となっている」(『語る』一二〇頁) という但し書きがある。

しかし、その但し書きだけではまだ十分ではないと私は考える。というのも、ここには「並ぶ」とか「共有される」だけでは済まない、「相貌間の垂直的な関係」(という相貌) があるからである。すなわち、三つの相貌は、単に対等に並ぶのではなくて、また単に共有度合いの違いがあるだけでもなく、あたかも「一つの土台的な相貌があって、その上で二つの相貌が反転する」かのような相貌も持っている。そういう「相貌間相貌」をも手にして、土台的な相貌が（文脈に応じて）隠れるかのように働かなければ、あのような反転図形としては見ることができないだろう。その意味において、たんなる線描図形という相貌は、「中立的な何か」という相貌を帯びる。複数の相貌間には立体的な関係があって、「中立的な何か」「同一の対象」という役割を担う相貌もあるということである。ということは、相貌のみを認めるとしても（相貌一元論を採るとしても）、相貌のあいだには位階構造のようなものが成立することになり、相貌一元論自身が否定しようとした「同一の対象」を、もう一度そういう相貌として受容せざるをえないだろう。

こうして、「中立的な何か」なしの端的な相貌変化という考え方は、「中立的な何か」という相貌ありの端的ではない相貌変化（という相貌）を認める考え方へと、「弱められる」ことになる。[4]

3　絶対主義の二重性

『語る』においては、相対主義を擁護することとは、異なる相貌をその内側から生きる者（他者）が存

（4）　結局、外延的か内包的かが重要なのではなく、「共通の中立的な何か」が不可避であるかそうではないかが、デイヴィドソンと野矢の真の争点である。そして、その点に対して私は次のように答えたことになる。相貌の変化を語るかぎり——それが「反転」であれ「拡張運動」であれ——、「共通の中立的な何か」という相貌は不可避である。ただし、その相貌は後景に退いて隠れうるという意味では、「端的な相貌変化」という相貌もまたありうる。

在することを認めることである。野矢は、そのような相対主義へと進んでいく議論のスタート地点で、相対主義自体は相対化されない（絶対主義には転化しない）ことを主張するために、相対主義と絶対主義を次のような仕方で対照している。

立場αでは相対主義が正しく、立場βでは絶対主義が正しいとしよう。そのとき、相対主義者は立場βを選択するという可能性を本気で引き受けることができるのだろうか。あくまでも相対主義者として立場βを選ぶということは、「私は立場βを選んだので絶対主義を主張するが、選択肢としては立場αもありえたのだ」と考えることにほかならない。しかし絶対主義はまさに自分の立場を絶対的と考えるのであるから、絶対主義に立つや否や、立場βを絶対的に正しいものとし、立場αを絶対的に誤っているものとして切り捨てるだろう。絶対主義は立場の複数性を否定する。他の立場の可能性を選択肢として残しつつ絶対主義になるなどということは、ありえないのである。

だとすれば、相対主義をとり続けようとする者にとっては、立場βはとりえない選択肢でしかない。（以下略）（『語る』四六頁）

まず、次の点を確認しておこう。（相対主義でも絶対主義でも何ものでもない）中立的な観点などは、存在しない。そして、この引用文自体が、すでに相対主義的な観点を体現している。つまり、相対主義は、立場αという選択肢の一つとして提示されると同時に、立場αと立場βを俯瞰して両者を比較対照できる「視線」としても登場している。相対主義は、設定された複数の選択肢の一つ（相対的な相対主義）であると同時に、その複数の選択肢の設定自体を行う観点（絶対的な相対主義）でもある。相対主義は、このような二重性を帯びて登場している。

相対主義の二重性に対応して、絶対主義もまた二重性を帯びて登場する。（野矢自身は特に明示していないし注目もしていないけれども）上記の引用文中においても、絶対主義は二重性を帯びて現れている（と見なすことができる）。

それは、「選択肢の一つとしての絶対主義」と「選択肢の一つではありえない絶対主義」の二重性である。前者を「相対主義の視野内にある絶対主義」、後者を「相対主義の視野内にない絶対主義」と呼んでもいい。とりあえず、「相対的な絶対主義」と「絶対的な絶対主義」と呼び分けておこう。引用した文章では、「しかし」以前に「相対的な絶対主義」が、「しかし」以後に「絶対的な絶対主義」が現われている（と見なすことができる）。

複数の立場（αやβ）が選択肢として開かれたうえで、その中の一つ（の立場・選択肢）として位置づけられる絶対主義は、「相対的な絶対主義」である。それは、条件節（「立場βを選択するならば」）の作用域内に可能性としてのみ存在する（実際には選択されることのない選択肢としてのみ存在する）。あるいは、たとえ実際に選択されるとしても、本気でほんとうに実際に選択されるのではなくて、「仮に「実際に選択する」ならば」というように、あくまでも条件節内での現実（実際）にすぎないものとして存在する。(5)

（5）　条件節内の「現実」であることと、条件節自体が「現実」であることの対照は、排中律の場面において、「現実」の二つ性・唯一性・全一性という問題（一つ性の違い）として考察された。cf. 拙著『あるようにあり、なるようになる　運命論の運命』（講談社、二〇一五年）第3章「排中律と現実」、第9章「運命論の不完全

「実際に選択する」ことが、そのように条件節の内に収まることなく、本気でほんとうに実際に選択がなされた場合には、絶対主義は「絶対的な絶対主義」となる。しかし、絶対的な絶対主義になるということは、選択肢の設定自体を破壊して、唯一絶対の立場になることである。絶対的な絶対主義は、上記の引用文が開いている「可能性の空間」そのものを閉ざすのである。したがって、「選択肢」は、相対主義の側から（絶対主義を）見るときにのみ存在し、絶対主義の側からは存在しない。ここには、決定的な非対称性がある。

絶対主義の二重性とは、相対主義側から絶対主義を（敵として）規定しようとしたときに現れざるをえない「緊張関係（ディレンマ）」である。（相対主義ではないものとしての）絶対主義がそれとして規定できるのは、絶対主義が相対的な絶対主義であることによってである。しかし、絶対主義の絶対性を供給するのは、その相対的な絶対主義には収まらないもの（絶対的な絶対主義）なのである。相対的な絶対主義と絶対的な絶対主義のあいだには決定的なギャップがありながらも、連動している。絶対主義とは、相対的な絶対主義と絶対的な絶対主義のあいだの緊張関係（ディレンマ）そのものなのであって、どちらか一方なのではない。

以上のような、相対主義と絶対主義双方の二重性は、相対主義と絶対主義が、単純な二者択一の対立関係ではないことを示唆している。むしろ、相対主義が確定した主張ではなく、その運動において自らを示すものであるのと同様に、絶対主義もまた確定した主張ではなく、相対主義の運動の裏面においていて自らを示すものである。

4　絶対主義という他者

野矢が述べるように、相対主義とは、外側からはけっして語ることのできない「異なる相貌」を持つ者（他者）の存在を認めることであるならば、相対主義の視野内に収まりきらない絶対主義もまた、相対主義にとっての「他者」ではないだろうか。[6] たとえ、野矢が考える「他者」とは、いくつかの点で異なるとしても。

絶対主義は、相対主義がその存在を容認できる「他者」ではなくて、むしろ容認できない（設定はしても容認できない）「他者」である。また、絶対主義は、相対主義にとっての他者であるとしても、「論理空間の他者」とも「行為空間の他者」とも異なる種類の他者である。[7] さらに、絶対主義という他者は、「異なる相貌」を持つという意味での他者とも違うだろう。

絶対主義という他者が「論理空間の他者」ではないことは、相対的な絶対主義を考えてみれば分かる。それは、相対主義の視野内で（実際には選ばれない）選択肢の一つとして位置づけられることによって、相対主義側から規定（輪郭）を与えられている。ということは、絶対主義は（相対主義側にとって）「翻訳可能」なものとして現われていて、両者は対立・対比できる程度には「概念」を共有

さ」を参照。

（6）以下、絶対主義に対して「他者」という呼称を使うけれども、必ずしも絶対主義者という「人間」を含意しているわけではない。「他者」というよりも「他なるもの」である。

（7）「論理空間の他者」「行為空間の他者」については、『語る』一九三―一九四頁を参照。

している、ということである。この点で、絶対主義という他者は、翻訳不可能な「論理空間の他者」とは違う。

それでは、絶対主義は、「行為空間の他者」のように、翻訳は可能だが習得されていない（内側から生きられていない）異なる相貌を持つ他者なのだろうか。そうではないだろう。「行為空間の他者」の例としての、クワスやグルーという概念の所有者（習得者）を想定してみれば、その違いが分かる。[8]

クワスやグルーという奇妙な概念は、その定義において、われわれの概念（プラスやグリーン等の概念）と相互翻訳が可能ではあるが、両者の生き方（相貌）はかけ離れていて、相互に独立した別の「囲い込み」「習慣」によって成立している。一方の相貌（生き方）は他方の相貌（生き方）に影響を与えないし、一方のみで存立可能である。

しかし、相対主義と絶対主義とは、かけ離れた考え方であっても、そのようには独立別個ではありえない。絶対主義は、相対主義側から規定され輪郭を与えられつつも、その視野内には収まりえないという関係を持ち続ける（絶対主義の二重性）。その相対主義と絶対主義の関係の仕方自体が、相対主義の（主張ではない）運動の一部分である。相対主義の側から言うならば、絶対主義という他者は、実際には選択することができないほどかけ離れているが、それでもなお自らに貼り付いていて無縁になることができない他者なのである。相対主義にとっての絶対主義は、「論理空間の他者」でも「行為空間の他者」でもなくて、あえて言えば「思弁空間の他者」[9]である。

では、そのような他者としての絶対主義は、「異なる相貌」を持つだろうか。いや、そもそも相貌を持てないだろう。絶対主義は「相貌なき他者」である。というのも、絶対主義とは、それぞれの仕方で相貌を持つことができない「相対的な絶対主義」と「絶対的な絶対主義」とのあいだの「緊張関係（ディレンマ）」だからである。

一方で、絶対主義は、それが相対主義の視野内で翻訳可能であるかぎり（すなわち相対的な絶対主義であるかぎり）、一つの可能的でしかない立場（実際には立つことのできない立場）として想定されている。そこに絶対主義固有の「異なる相貌」はありえない。というのも、相貌は、それが現われてくる観点に実際に立って、内側からのみ捉えられるものだからである。「実際に立つ」こと、「内側から捉える」ことが始めから排除されている相対的な絶対主義には、そもそも相貌成立の条件が欠けている。

他方で、絶対主義が「実際に選択」されてしまうかぎり（すなわち絶対的な絶対主義であるかぎり）、相対主義という選択肢（可能性）などなくなる。つまり、相対主義は一つの可能的な立場としてすら残らない。したがって、相対主義には、自己消滅につながるような「実際の選択」が原理的にできない。そして、そこに「実際に立つ」こと、「内側から捉える」ことが原理的にできない他者（絶対的な絶対主義）には、「異なる相貌」の存在を認めることはできない[10]。

いずれにしても（相対的な絶対主義であっても、絶対的な絶対主義であっても）、絶対主義は「（異

（8）「クワス」については、S. A. Kripke, *Wittgenstein on Rules and Private Language*, Basil Blackwell, 1982. を参照。「グルー」については、N. Goodman, *Fact, Fiction, and Forecast*, Harvard UP, 1954（4th edition, 1983.）を参照。
（9）「思弁空間」内の他者ではなくて、「思弁空間」の他者である。あるいはより正確に言うと、「思弁空間」の内と外に二重に現れる他者である。
（10）相貌なき他者としての絶対主義については、「習得する」ということも意味をなさない。

なる）相貌」を持てない。そのような仕方で、相対主義にとって絶対主義は「相貌なき他者」なのである。

以上は、「他者」概念の拡張である。この拡張は、「力」という概念をどのように考えるかということとも連動している。野矢は、「力と相貌の二元論」について、次のように述べている。

相貌だけがあるわけではない。相貌をはみ出したもの、あるいは相貌という小島を取り囲む海、すなわち非言語的な場が存在することを、私は認めたい。非言語的な場はけっして相貌の背後にあるわけではない。（中略）それは現象として現われているわけではないが、私を突き動かし、相貌を生成・変化させる力として剝き出しになっている。（『語る』三四一頁）

私もまた、「相貌だけがあるわけではない。相貌をはみ出したもの、あるいは相貌という小島を取り囲む海、すなわち非言語的な場が存在すること」を認めたい。また、その相貌をはみ出す非言語的な場を「力」と表現することにも、賛成したい。ただし、野矢が「実在」に関して述べている上記の点を、私は（拡張して、しかも変形を加えたうえで）別種の他者にも付与したい。

別種の他者とは「相貌なき他者」（絶対主義）のことであり、それは「力」と呼ぶよりも「暴力」と呼ぶ方が適切かもしれない。というのも、絶対的な絶対主義の「力」とは、「相貌を生成・変化させる力」と呼べるような創造的な力ではなくて、むしろ相対主義が開く他の選択肢や異なる相貌を無きものにするような、問答無用の破壊的な力だからである。「力」には、相貌の源泉（湧出口）として働く力もあれば、相貌を持つことを台無しにする力もある（と私は考えている）。つまり「力」は、創造的でもあり、破壊的でもある。あるいは、創造的にも破壊的にも（その他どのようにも）働くことができる潜在性が、「力」の場に他ならない。この点が、野矢と私の違いである。

野矢の「力と相貌の二元論」は、より正確に言うならば、「力と相貌の相補的な二元論」である。力は相貌を生成・変化させる源泉であるのに対して、その力に「力」や「非言語的」等の姿を付与しているのは相貌（言語）の方である。両者は、互いに互いを支える関係にある。

他方、私が考えているのは、「相補的」と呼べるような支え合う安定的な関係ではない。むしろ「排反的」で「破壊的」である。力（暴力）がほんとうに実際に働いてしまうときには（すなわち絶対的な絶対主義では）、いっさいの異なる相貌の可能性（別の選択肢）は潰されてしまう。逆に、その可能性を保持しようとする相対主義の側は、絶対主義を可能な選択肢にすぎないもの（相対的な絶対主義）として馴致し、自らの内に凍結しておかなければならない。

しかし、その馴致（凍結）がうまく行く保証はない。言い換えれば、相対主義は絶対的な絶対主義という「暴力（問答無用の破壊的な力）」の可能性につねに晒されていて、その実際の発動に対して抗する術を持たない。その点ではまったく無力である。そして、相対主義（の語りえない真理）がある種の絶対性を持つとしても、それでもなお、そのこと自体がまた相対的であるということの「真意」は、この「無力」という点にあるだろう。つまり、相対主義自身を相対化するとは、（相対主義としての同一性を維持したまま）絶対主義へと転向・転身する可能性を認めることではない[11]。そうで

（11）野矢はそう考えたうえで、相対主義自体の相対性を退けている。『語る』四五―四八頁の「相対主義の絶対性」を参照。

はなくて、相対主義（の絶対性）自体が、問答無用にただ無になってしまう可能性を消すことができないということ、あるいはそのことの自覚が、相対主義の真理自体の相対性なのである。

私は、本書を通じて一貫して、現実の現実性が無内包の「力」であることを強調してきた。それは、現実（性）が、内容でも形式でもなく（質料でも形相でもなく）、個体でも一般者でもなく、存在でも無でもなくて、[12] あらゆる対立項に対して貫通的に働くからであった。また（対立項に対して貫通的に働くだけでなく）、論理・様相・時制・人称（視点）の各々の「相貌」を生成変化させつつ（時には潰しつつ）、経巡るものこそが「力」としての現実性であった。

野矢の「相貌と力の二元論」との対照で述べるならば、私のほうは「力の中立的一元論（二重相貌説）」と言っておくこともできる。[13] なぜならば、「力」が「無内包のニュートラルな現実」であるのに対して、安定した「相貌」を呈するのが「有内包の現実」であるし、「相貌」喪失や「相貌」破壊に瀕するのが「脱内包の現実」であったからである。「力の中立的一元論」では、「力」は「相貌」に対して相補的にも非相補的にも働くのであって、それに応じて「相貌」は安定的なものとしても非安定的なものとしても（二重様相的に）現れる。もちろん、「力」は「相貌」そのものではないし、「相貌」と（二元論的に）相並ぶようなものでもない。

5 動物という他者

野矢は、概念枠相対主義を擁護するために、（「相貌」と共に）「習得（可能性）」という観点を導入している。これによって、野矢は、翻訳の可能／不可能という区別と、他の概念枠の存在という問題とのあいだに楔を打ち込んで、デイヴィドソンの批判を退けることができている。すなわち、翻訳不可能であっても習得可能な他の概念枠は存在しうるし、翻訳可能な概念枠であっても、実際に習得して馴染んではいないことによって他の概念枠でありうる。

これに則った仕方で言えば、前節で私が述べた「絶対主義という他者」とは、翻訳可能ではあっても、（「実際に習得して馴染んではいない」のではなくて）そもそも習得不可能な立場（観点）ということになる。この場合の習得不可能とは、他の観点（相対主義）の方から迫って、その観点（絶対主義）を実際に選択して内側から捉えられるようになることが、意味をなさない（新たな概念の習得にはなりえない）ということである。つまり、「絶対主義という他者」とは、その立場（観点）に実際に立つことは不可能でありながらも、翻訳可能と習得不可能のあいだの緊張関係（ディレンマ）として、かろうじて示される「拡張された他者」である。

デイヴィドソンは、確認する方法のない異なる概念枠の存在など無意味である（翻訳不可能な言語はそもそも言語とは言えない）と考える点では、「反実在論」的である。[14] 一方、野矢は、翻訳不可能

(12) この点については、本書第9章「「無いのではなくて存在する」ではなく」も参照。
(13) 本書第7章註26において、私は「マイナス内包へと降りていくことで、物と心は通底する」という考え方を、中立的一元論（Neutral Monism）の一種として述べた。その箇所では、潜在性の場（マイナス内包）を「一元」とする（物と心に関する）「中立的一元論」であった。それに対して、ここでは、無内包の現実性という力を「一元」とする（矛盾的な相貌に関する）「中立的一元論」である。そして、潜在性の場と現実性という力の両者は、「現実性はどこまでも潜在的であり、潜在性はどこまでも現実的である」（本書第2章参照）というメビウス的な関係にある。ということは、メタ的な中立的一元論になっている。
(14) この点については、前掲拙著『相対主義の極北』の第6章註11も参照。

な他の概念枠の存在を容認する点で、デイヴィドソンよりも相対的に「実在論」的である。さらに、私のように「拡張された他者」（習得不可能な観点）まで容認することは、野矢よりもさらにいっそう「実在論」的であると言えるだろう。

前節では、その「拡張された他者」とは絶対主義であった。しかし、拡張された他者の例は、（少なくとも）もう一つある。それは、「現実べったり」の存在としての「動物」である。[15] ここでの「動物」とは、（野矢が述べるように）分節化された言語を持たず、非現実の可能性の了解なしで、状況に反応し適合しながら生きている者のことである。「動物」にとっては、言語によって可能になる「反実仮想」が存在せず、「いっさいが現実」である。

しかし、そのような（言語を持たない）動物であっても、翻訳は可能であるし実際にしている。この場合の「翻訳」とは、動物の現実を「擬人化」して捉えたり、科学的知見等によって「合理化」して説明したりすることである。擬人化や合理化等は、動物的現実をわれわれの言語へと翻訳することに相当する。もちろん、そのような意味で翻訳可能であるとしても、動物の「現実べったり」の観点を、われわれが実際に習得することは不可能である。「もし仮にその動物的な観点に立つとしたら」と仮想することまでは可能であるが、実際にその観点に立ってしまうことはできない。というのも、その「できなさ（動物的現実の習得不可能性）」が、人間的現実（言語が開く可能性の中で生きていること）に他ならないからである。あるいは、動物の「現実べったり」の観点に実際に立つことは、（新たな観点の）「習得」ではありえず、むしろ（観点の可能性自体の）「忘失」だからである。

以上のように、翻訳可能であっても習得不可能であるという点で、動物もまた絶対主義と同様に「拡張された他者」である。さらに次の点でも両者は似ている。相対主義と絶対主義が、排反的でありつつその運動において表裏一体であることに似て、可能性の中で生きること（すなわち人間）と現実べったりで生きること（すなわち動物）とのあいだにも、包摂と逸脱の一体化した関係がある。それは、諸可能性の中の一つとして現実が位置づけられると同時に、その諸可能性を開く言語自身が現実のほんの一部にすぎないという関係に現れている。あるいは、人間は動物を自らとは異なるもの（あるいは自らの一部分）として位置づけるが、その人間自身が動物の一部であるという関係にも、包摂と逸脱が現れている。もちろん、相対主義と絶対主義の関係と同様に、人間（可能性）と動物（現実性）の関係も「非対称的」であり続ける。本書全体にわたる（第1章「円環モデルによる概観」を参照）現実性と諸可能性の関係自体にも、包摂と逸脱と非対称のすべてが、反復的に出現する。

ところで、野矢は、「ポチ」という犬の固有名を例にして以下のように述べている。

持続するのは、私を語らせるポチの力であり、その力に応じようとする私のポチへの関心である。私は、持続するその関心のもとに、私を語らせるその力を「ポチ」と名づけた。それゆえ固有名とは、実は、対象の名前ではない。（『語る』四一八頁）

固有名とは、「対象」の名前ではなく「力」（私を語らせる力）を名づけようとしたものであるとい

(15)「現実べったり」という言い方については、『語る』二三三頁を参照。これまで本書の各章で論じてきた「様相が潰れた現実」さらには「無様相の現実」は、ここでの「現実べったり」や「力」としての現実へと繋がっていることは、明らかであろう。私の「ベタ（な時間推移）」という言い方と、野矢の「（現実）べったり」という言い方にも繋がりがある。

う考え方には、私も賛同したい。さらに（私ならば）、固有名が持つその「力」の働きの「裏面」では、「これ性」の力が「この私―このもの―この世界」を還流している（と考える）。ポチがポチという固有名を持つことの裏では、この犬が脱内包的にこの犬であるという「これ性」が働いている（本書第6章を参照）。

しかし、「拡張された他者」としての動物に対しては、「語らせる力」としての固有名は似つかわしくないだろう。なぜならば、「拡張された他者」としての動物は、「語らせる力」ではなくて、むしろ「黙らせる力」だからである。それは、絶対的な絶対主義が、「創造的な力」としてではなく、「破壊的な力」として働くことと同型である。

野矢が述べる「関心の持続」は、「力と相貌の二元論」における「力」と「相貌」とのあいだの相補的なあるいは循環的な関係に基づいている。すなわち、特定の相貌をはみ出していく「ポチ」の力が私を語らせ続け、私が語り続けることによって尽きることのない新たな相貌が生み出され続ける。ここには、「ポチ」と名づけられた動物との「幸福な関係」が、すなわち語り続けられることの「幸い」がある。この持続において、野矢は「実在性（リアリティ）」を語る。すなわち、実在性とは、新たな相貌が無限に産出され続けることであり、語られた世界からはみ出していく力のことに他ならない。

そうだとすると、固有名が与えられた動物は、もうすでに「現実べったり」と特徴づけられる動物ではなくなってしまっている、と言わざるをえない。それは、「実在性」と「現実性」との違いに対応すると言うこともできる。野矢が考える「実在性（リアリティ）」は、安定的な相貌を持ちうる可能性によって、その源泉として成立する。しかし、私が考える「現実性」は、相貌の成立・非成立

（安定・破壊）に対してニュートラルに働く力である。

固有名を与えられた動物は、言語で語り尽くせない実在性を持つという意味で、「言語以上の」あるいは「言語を上に超える」ものである。それに対して、「拡張された他者」としての現実べったりの動物（性）は、「言語で語り尽くせない」のではなくて、そもそも言語が（ということは可能性が）入り込めない。すなわち、「言語以前の」あるいは「言語を下に超える」ものである。固有名を持つ動物の「実在性」は「語り尽くせない」のに対して、現実べったりの動物の「現実性」は「語ることがそもそも及ばない（無関係である）」。ここでの「実在性」と「現実性」の違いは、「語り尽くせない（ゆえにどこまでも語り続けられる）」ことと、「そもそも語りえない（ゆえに語りが始まらない）」こととの違いである（無尽蔵と無の違いと言うこともできる）。

この後者の意味での動物（性）が「黙らせる力」である。それは、言語の中で黙らせる力を持っているということではない。言語自体を（ということは可能性というあり方自体を）無きものにする力を持っているということである。現実性という力は、そのようにも働く。

「動物（性）」という点では、現実べったりの動物（性）の方が一次的であり、固有名を持つ動物は二次的である。人間的に馴致して（ということは、固有名を付与したり、擬人化したりして）、共に生きることができるときに、ようやく一次的動物は二次的な動物になる。ただし、動物が動物であるかぎりは、前者を後者へと完全に移行させてしまうことはできない。この関係（黙らせる力と語らせる力との関係、一次的動物と二次的動物との関係）は、絶対的な絶対主義と相対的な絶対主義との関係と同型である。

6 存在論的忘却

相対主義の語りえぬ真理（異なる概念枠の存在）が運動において示されることを、野矢は次のように説く。

異なる概念枠は、理解する前には姿を現わさず、理解したときにはもう異なる概念枠ではないものとなっている。（中略）なるほど、どの時点においても、私は「異なる概念枠」なるものの存在を認めることはない。しかし、最初は理解できなかった相手の言語を、そこに含まれる新たな概念を習得し、私の論理空間を変化させることによって、私は理解できるようになった。その理解の運動において、異なる概念枠の存在は示されるのである。（『語る』一四九頁）

私もこの説に大いに賛同したい。ただし、その運動には「裏面」があることも私は強調したい。その裏面とは、（論理空間の拡大に対する）論理空間の縮退、あるいは理解の縮小である。新たな個体との出会い、新たな概念の習得によって論理空間が拡張することがあるならば、その逆に、個体や概念を「失う」ことによって論理空間が縮退し、理解できていたものができなくなることも、あって然るべきであろう。

野矢は、上記引用に関連して、「存在論的未知」について語っている（『語る』一六一―一六四頁）。それは、現在形で語ることはできないが、論理空間が拡大した後に、「未知であった」という仕方でのみ（すなわち過去形でのみ）語ることのできる「未知」である。つまり、存在論的未知は、理解の拡大運動において遡及的に「あった」ことになる未知である。それに倣って言えば、その運動の裏面（論理空間の縮退・理解の縮小）とは、「存在論的忘却」である。[16]

それは、単に「忘れている」ことではなくて、「忘れたことも忘れていて、けっして思い出すことができない」という深い忘却（忘却の忘却）のことである。そのような「忘却の忘却」は、「忘れている」と現在形で語ることができないのはもちろんのこと、さらに「忘れた」「忘れていた」と後から過去形で語ることもできない完璧な忘却である。

そうすると、論理空間の縮退・理解の縮小は、その拡大・増大とは決定的に非対称的であることになる。拡大・増大は過去形で確認可能であるのに対して、縮退・縮小は原理的に確認不可能であり、拡大・増大は「あった」という仕方で「ある」ことになるのに対して、縮退・縮小は「ある」とも「あった」とも確認不可能なまま、（拡大・増大があることによって）「ありうる」ことになる。ということは、（まったく確認不可能なまま）縮退・縮小がいつ生じていてもおかしくない、ということでもある。「存在論的忘却」は、「存在論的未知」以上に非認識論的である。

「存在論的忘却」は、「存在論的未知」以上に他者性を帯びている。「存在論的未知」が、異なる概念枠がありうることを示すのに対して、「存在論的忘却」は、（異なる概念枠どころか）自らの概念枠の縮退・縮小そして消失がありうることを示す。前者は異質な他者との新たな出会いであるが、後者は

(16)「倣った」つもりであったが、野矢自身が「存在論的忘却」という用語を使用したことがあるそうなので、その用語をここで借用することにする。

むしろ（出会いを可能にする）自己さえ失ってしまう「痴呆化」に相当する。それは、自己の内なる他者性に他ならない。そのような「存在論的忘却」は、絶対的な絶対主義や固有名なき動物の場合と同様に、その内側の視点に実際に立つことはできないし、そこへは原理的に言語（概念）の力が及ばない。つまり、「存在論的忘却」もまた、「拡張された他者」であり「黙らせる力」である。

このような「存在論的忘却」の可能性まで含めて考えるならば、相対主義の語りえぬ絶対性自体の相対性を（もう一度）確認することができる。「存在論的未知」というあり方の中に、相対主義の真理の絶対性が示されているとすれば、「存在論的忘却」というあり方の中に、その絶対性も相対化されうる（無きものとなる）ことが示されている。相対主義の語りえぬ真理の中には、そのような仕方で、その絶対性と相対性の両方が含まれている。しかも、その絶対性が「理解の拡大運動」の中で（語られず）示されているのに対して、その絶対性の相対性は、語られも示されもしないが、それでもなお、その運動から消し去ることができない。

7「自由という相貌」のパラドクス

最後に、「自由という相貌」の問題点について、ひとこと触れておきたい[17]。

野矢は、自由と決定論を相容れない関係にあると考えて、非両立論を採る。そして、自由を「自由という相貌」「自由の物語」として捉え、その自由の核心を「そうしないでもいられた」「他のことも為しえた」（他行為可能性）という点に見ている[18]。

私が述べておきたいのは、自由と決定論は両立するか非両立かという問題ではない。むしろ、「自出という相貌」の内に潜んでいるかもしれないパラドクスについてである。つまり、決定論との関係とは別に、「自由という相貌」という考え方自体の内に亀裂が走っているのではないか、という疑問について述べておきたい。

「そうしないでもいられた」「他のことも為しえた」という反事実的な思いをこめて見ることが、行為を自由の相貌のもとで見ることであるならば、その自由が成り立つためには複数の相貌とその交代（転換）の可能性が必要であろう。たとえば、「手をあげる」ことを自由な行為として見るためには、「手をあげない」「手を曲げる」「手を回す」等々の複数の行為（の相貌）が成立していることが必要であるし、それらの相貌の間で交代（転換）ができなければならない。たとえ現実には手をあげていても、手をあげない方が現実であるように相貌が交代（転換）して、現実の相貌とそうでない相貌とのあいだで反転が可能でなければならない(19)。

ところで、自由という相貌もまた一つの相貌に他ならないわけだが、その相貌は別の相貌とのあいだで交代（転換）が起こりうるのだろうか、それとも自由という相貌だけは交代（転換）がありえないのだろうか。すなわち、自由という相貌は、反転可能な相対的な相貌なのだろうか、それとも反転

(17)「自由」の問題については、前掲拙著『あるようにあり、なるようになる　運命論の運命』の第25章「運命論と自由」も参照。

(18)『語る』の25章「自由という相貌」と26章「科学は世界を語り尽くせない」を参照。

(19) また、自由という相貌は、個々の行為について言われるだけではない。「自由な生き方」や「自由な人柄」のように、（個々の行為を越えた）全体の相貌にもなりうる。つまり、自由という相貌は、局所にも全体にも現れうる相貌であり、諸相貌から成る高次の相貌（相貌の相貌）でもありうるだろう。

不可能な絶対的な相貌なのだろうか。どちらの方向を選んでも、問題があるように思われる。

もしも自由という相貌が、そうではない相貌（たとえば決定論という相貌）へと反転可能な相対的な相貌だとすると、二つの相貌（自由と決定論）のあいだの関係は、「両立か非両立か」ではなくて、「非両立的な両立」でなければならない。それは、反転図形におけるあひるとうさぎが、互いに排反的でありつつも一つの図形の中に同居しているのと同じことである。その場合、自由と決定論という二つの相貌の他に、第三の相貌（自由でも決定論でもない相貌）が現れてしかるべきである。それは、反転図形においてあひるでもうさぎでもない「単なる線描図形」という第三の相貌が現れるのと同様である。その第三の相貌こそが、他の二つの相貌の「非両立的な両立」を媒介する土台という役割を担う相貌である。[20] また、第三の相貌が図化して前景化するときには、反転する二つの相貌（自由と決定論）は共に、背後に退いて消える。[21]

もしも自由という相貌だけは反転不可能な絶対的な相貌だとすると、それは、他の相貌の可能性をまったく排除してしまうのだから、そもそも「相貌」と呼ぶ意味がなくなる。つまり、一つに固定された絶対的な相貌など、もう「相貌」という名に値しない。あるいは、仮に「絶対的な相貌」も相貌として認めるとしても、その相貌でしか見ることができないという意味において、むしろ「自由という相貌」は不自由な相貌であることになる。

結局、「自由という相貌」は、（そのもとで生きる者にとっても）反転可能で消失可能な相貌であるか、或いはそもそも「相貌」や「自由」という名に値しなくなるか、そのどちらかになる。これを、「自由という相貌のパラドクス」と呼んでおこう。

ただし、このパラドクスには抜け道がある。それは、自由を「相貌」として捉えることを止めるという選択肢である。たとえば、野矢の「力と相貌の（相補的な）二元論」のもとで言うならば、自由を「相貌」ではなくて「力」として捉えればよい。つまり、「相貌としての自由」ではなく、「力としての自由」である。その場合には、自由とは、一つの「相貌」なのではなくて、「相貌」が無限に湧き出すことそれ自体となる。あるいは、自由とは、「人間固有の物語」なのではなくて、むしろ「実在」のあり方そのものということになる。

この方向（力・実在としての自由）を選んだ場合には、自由の核心とは、言語によって開かれる可能性（反実仮想）ではなくて、言語をはみ出す（言語を上に超える）実在の汲み尽くしえなさ（無尽蔵）だということになるだろう。その場合には、「そうしないでもいられた」「他のことも為しえた」（他行為可能性）は、その無限性を不完全ながらも表そうとする「言語的対応物」ではあっても、自由の核心ではなくなる。

以上のように、自由を言語が開くものとしてではなく、言語をはみ出すものとして捉えてよいならば、さらにもう一つの方向がありうる。それは、自由を「言語を下に超えるもの」すなわち「動物的な現実」として捉える方向である。その場合には、自由の核心とは、反実仮想（という言語の開く可能性）でもなく、「相貌」が無限に湧き出すことでもなく、むしろ相貌のなさ（現実べったり）ということになる。もちろん、それは「人間的な自由」ではないが、そこに「人間的な自由」から解放さ

(20) 第2節の「「中立的な何か」という相貌」を参照。
(21) 特段に「自由」の相貌のもとでも「決定論」の相貌のもとでも見ているわけではないというのが、むしろベースにあるニュートラルな相貌なのではないか、という考え方に相当する（自由と決定論についての二重様相説?）。

れた自由を見てしまうのも、人間なのではないだろうか。だからこそ、「空を飛ぶ鳥」にも自由を見て取ることができるし、「後悔しない猫」の方が（後悔する人間よりも）自由だと見ることさえできる（と私は思う）。

このように、自由を「相貌」として捉えることを止めるという選択肢を考えることによってこそ逆に、自由には「人間的な相貌」以外の相貌もありうることが分かる。相貌がないこともまた、相貌になる（絶対的な絶対主義が相対的な絶対主義に転落するのと同様に）。これもまた、「自由という相貌のパラドクス」と呼んでもいいかもしれない。

ここまで、相対主義・他者・相貌・自由というテーマについて、『語りえぬものを語る』という著書の議論から逸脱する部分（語られないこと）に焦点を絞って論じてきた。野矢は「語りえぬものを語る」と言うけれども、そこで「語られないこと」もまた「語りえぬもの」であり、さらにそこで「語られないこと」の方が「語りえなさ」の度合いがより大きい。こうして、「語りえぬものを語る」ことによって、「語りえぬもの」は増殖するし、「語りえなさ」は深まる。

第9章　「無いのではなくて存在する」ではなく

「なぜ、全く何もないのではなくて、何かがあるのか」「なぜ、無ではなくて存在なのか」という問いは、ライプニッツ由来の、そしてハイデガーが改めて根本的な問いとして提示した形而上学的な問題である。[1] またその問いは、問題そのものとしては、遠くパルメニデスの「あるはある、ないはない」という存在論の原初の場面へと繋がる古典的な問題である。[2]

そのハイデガーの「存在と無」をめぐる言説を、「擬似問題」であり、消し去られるべき悪しき「形而上学」の典型であると批判したのは、カルナップであった。[3] しかし、そのカルナップを祖先

(1) Martin Heidegger, *Was ist Metaphysik?* (Klostermann Vittorio, 1929/5th, 1949)［マルティン・ハイデガー著『形而上學とは何か』(大江精志郎訳、理想社ハイデガー選集I、一九六一年)］. Martin Heidegger, *Einfürung in die Metaphysik* (Max Niemeyer, 1953)［マルティン・ハイデガー著『形而上学入門』(川原栄峰訳、平凡社、一九九四年／二〇〇九年)］.

(2) 『ソクラテス以前哲学者断片集』第Ⅱ分冊 (岩波書店、二〇〇八年)。

(3) Rudolf Carnap, "Überwindung der Metaphysik durch logische Analyse der Sprache". *Erkenntnis* 2: pp. 220-241, 1932［カルナップ「言語の論理的分析による形而上学の克服」『カルナップ哲学論集』(復刻版・永井成男訳、紀伊國屋書店、二〇〇三年) 所収］.

（源流）の一人とする、比較的最近の分析哲学においてさえも、この問いは正面から問われ続けている。二つだけ例を挙げておこう。

ロバート・ノージックは、その著書『哲学的説明』（*Philosophical Explanations*）の第二章で、「なぜ何もないのではなく、何かがあるのか？」（Why is there Something rather than Nothing?）という問いに対して、この問いが答を持つとしたならば、それはどのようにして可能なのかを検討している。[4] また、ピーター・ヴァン・インワーゲンは、「そもそもなぜ何かがあるのか」（"Why Is There Anything at All?"）という論文を一九九六年に書いて、統計学的な考察を提示している。[5]

この形而上学的な問いを、私は「斜めから」眺めてみたい。[6] ノージックやヴァン・インワーゲンのように「正面から」立ち向かうのではなく、その問いの媒介部分である「ではなくて」を疑問視したい。何かがあること（存在）と全く何もないこと（無）を、「（一方）ではなくて（他方）」という排中律保存的な否定関係によって媒介することは、形而上学的な問いとして不徹底なのではないか。そういう疑念を持っているからである。

私のその疑念が行き着く先をあらかじめ述べておくならば、次のようになる。「ある」こと（存在）と「ない」こと（無）を、それぞれ形而上学的に追い詰めた場合には、すなわち、もっとも強力な「ある」ともっとも強力な「ない」に至ったところで考察した場合には、「（ない）ではなくて（ある）」のように否定関係によっては媒介できなくなるだろう。むしろ、「（ある）かつ（ない）」という単一体を形成する矛盾になるか、あるいは（ある）と（ない）は端的に無関係になるか、のいずれかになるだろう。要するに、「存在と無」の関係について、私は次の1を退けて、2・3を受け入れる。そこまで形而上学的に追い詰めれば、かの形而上学的な問いは、（1に基づくので）生じることができなくなる。

1 排中律保存的な否定関係
2 単一体形成的な矛盾関係
3 端的に無関係

以下の考察は、もっとも強力な「ある」へと至る第1節と、もっとも強力な「ない」へと至る第2節の二つに分かれている。前者では『創造的進化』の中のベルクソンの議論を[7]、後者では「そもそも

(4) Robert Nozick, *Philosophical Explanations* (Harvard University Press, 1981)〔ロバート・ノージック著『考えることを考える(上・下)』(坂本百大他訳、青土社、一九九七年)〕.

(5) Peter Van Inwagen, "Why Is There Anything At All?: I", *Supplementary volume 70 Aristotelian Society*, pp. 95-110, 1996〔ピーター・ヴァン・インワーゲン「そもそもなぜ何かがあるのか」、『現代形而上学論文集(双書・現代哲学2)』(柏端達也他訳、勁草書房、二〇〇六年)所収〕.

(6)「斜めから」というのは、正面からでは見えて来ないものを、方向(視点)を変えることによって見ようとすることを表している。cf. Slavoj Zizek, *Looking Awry: an Introduction to Jacques Lacan through Popular Culture*, Cambridge, Mass.: MIT Press, 1991〔スラヴォイ・ジジェク著『斜めから見る——大衆文化を通してラカン理論へ』(鈴木晶訳、青土社、一九九五年)〕.

(7) Henri Bergson, *L'Évolution créatrice* (1907)〔アンリ・ベルクソン著『創造的進化』(合田正人ほか訳、ちくま学芸文庫、二〇一〇年)〕.「無」の観念の批判については、Chapitre IV: Le mécanisme cinématographique de la pensée et l'illusion mécanistique(第4章 思考の映画的メカニズムと機械論の錯覚)を参照。

なぜ何かがあるのか」という論文におけるヴァン・インワーゲンの議論を、「踏み台」として（あくまで「踏み台」としてのみ）利用する。そして、いくつかの考察を経たうえで、「ある」と「ない」について、1を退けて、2と3を受け入れることになる。

1 「ある」追跡の道

1-1 ベルクソンによる「無」の観念批判

ベルクソンは『創造的進化』の中で、「無」の観念に対する批判を展開している。そして、「何かが存在するのはなぜか」という形而上学的な問いを、意味を欠いた問いであり、「無」という疑似観念のまわりに立てられた「疑似問題」であると断じている。(8)

ベルクソンによれば、「無」の観念を生みだすかのように思われる操作——全ての事物の絶対的な消失——というのは、実は、任意の事物を次々と消去していくことである。そして消去は、欠如（無）を生み出すかのように見えるが、ほんとうはそうではない。或る事物が消去されたとしても、実際には別の事物によって埋まっているのであって、ほんとうは「欠如」としての無ではなく、別の事物への交代による「充実」なのである。

つまり、Aを消去することは、Aの欠如（無）を生み出すかのように見えるが、ほんとうは欠如（無）など生じていない。Aの代わりに（A以外の何か）たとえばBが、Aに取って代わっただけで、実はBによって充実している。ただ、Bに対して関心を向けないことによって、あたかも欠如（無）が生じたように見えるだけである。さらに、そのBを消去したとしても、Bの代わりに（B以外の何か）たとえばＣが、Ｂに取って代わっただけである。次々と事物を消去しても、こういう消去＝交代がどこまでも続く。したがって、どこまでも消去を続けることはできても、それは全面的な無には決してなりえない。というのも、消去の実態が別の事物への交代であるかぎり、どこまでも別の事物による充実が残り続けるからである。

あるいは、「全面的な無」には至れない理由を、次のように言っても同じことである。全面的で絶対的な無という観念は、それを生み出すための「消失＝交代という操作」自体を不可能にしてしまうから、正当なものではありえない。「全面的で絶対的な無」という観念は、そういう自己矛盾を含んでいるのだと、ベルクソンは批判する。

ベルクソンのアイデアのポイントは、消去の実態を「交代」であると見なす点にある。或る事物を消去することとは、実は別の事物が取って代わることであり、消去・消失とは交代・交換である。消去・消失が、一見「欠如」としての無であるかのように思えてしまうのは、人間の関心等に依存して生じる見かけの姿なのであって、実在の姿としては、別の事物による充実態なのである。その別の事物が当面の関心の外にあるために、「欠如」としての無が生じたように見えているだけなのである。

ベルクソンによる「無」の観念批判の中には、肯定を否定に対して非対称的に優位に置く「肯定主

（8） Il suit de cette double analyse que l'idée du néant absolu, entendu au sens d'une abolition de tout, est une idée destructive d'elle-même, une pseudo-idée, un simple mot.（「この二重の分析から、すべてのものの消失という意味での、絶対的な無の観念は、自己破壊的な観念、疑似観念、単なる言葉だということが帰結する。」合田正人・松井久訳）ちなみに、「二重の分析」の一つは「交代の観念（l'idée ... d'une substitution）」で、もう一つは「欲望もしくは後悔の感情（le sentiment ... d'un désir ou d'un regret）」である。

義」を見て取ることができる。この肯定主義の元基《もと》には、否定という操作を本質的に含む（ということは人間の関心や行動に依存する）言語よりも、言語以前的な実在やその直観の方を優位に置く考え方があるだろう。消失・消去の実態は交代・交換であるというアイデアは、言語以前的な実在・直観を優位に置くことの言語内的な投影物である。[9]

ベルクソンによる「無」の観念批判は、ある意味で的を射ている。それは、「肯定による差異化」と「否定による差異化」の相補的関係の一局面を正確に捉えているという意味において、である。

まずは、「肯定による差異化」と「否定による差異化」という二種類の差異化（言語の基本機能）について確認しておこう。両者が別種の差異化であることは、それぞれを「反対（contrary）」と「矛盾（contradiction）」という二種類の対立（アリストテレス）に対応させてみると分かりやすい。前者の一例として「黒である／白である」という差異化を、後者の一例として「黒である／黒ではない」という差異化を考えることができる。前者の「肯定による差異化」の場合には、中間があり得ること（e.g. 灰色である）、両項が同じ観点において同時に共に真であること（黒かつ白である）はあり得ないが、両項が共に偽であること（黒でもないし白でもない）はあり得る。したがって、「黒である／白である」は「反対（contrary）」という対立関係に基づく差異化である。一方、後者の「否定による差異化」の場合には、中間はあり得ず（cf. 排中律）、両項が共に真であることも共に偽であることもあり得ない。したがって、「黒である／黒ではない」は、「矛盾（contradiction）」という対立関係に基づく差異化である。

肯定による差異化は、「充実」の全体を指向しつつも「全体」へは行き着かない。たとえば、色の名前をいくら列挙しても、色の全体は覆い尽くせない。一方、否定による差異化は「欠如」を発生させることによってこそ、（その行き着かない）「全体」をとりあえず立ち上げることができる。たとえば、「黒である」領域に「黒ではない」という欠如領域を加えることによって、色領域の「全体」が構成される。

しかも、この二種類の差異化は互いに補完し合っている（相補的である）。一方では、肯定による差異化が指向しつつも行き着くことができない「全体」を、否定による差異化が先取り的に提供する。他方では、その「全体」を構成するための「欠如」は、肯定による差異化（命名）が埋める（潜在的には埋まっていることになる）。つまり、二種類の差異化は、欠如と全体と充実をめぐって相補的に働いている。

ベルクソンによる「無」の観念批判は、この二種類の差異化（の相補的な関係）によっては、けっして絶対的な「無」の観念に至ることができないことを、正しく捉えている。この相補的関係におけるる「欠如」としての無は、全体を構成するために働くのであって、けっしてそれ自体が「全体」になることはない。しかもほんとうは、その「欠如」としての無も、原理的には（潜在的には）肯定形によって埋めることができる「充実態」なのである。つまり、ベルクソンによる「無」の観念批判は、二種類の差異化の相補的な関係における「肯定性の優位」「否定の劣位」を、正しく捉えている。

（9）　私自身も、本書第1章「円環モデルによる概観」や第3章「事実性と様相の潰れと賭け」において、肯定と否定の非対称性（肯定性の優位）という考え方を、（ベルクソンとは違う仕方・目的で）使っている。（本書の主題である）現実の現実性こそが、否定のありえない肯定性の極致だからであり、それへと向かう様々な局面で、肯定性優位の原理が顔を出す。

1-2 「欠如」とは違う「空白」

しかし、「消去＝交代」というアイデアに基づいたベルクソンによる「無」の観念批判は、（肯定性の優位としては）まだ不徹底である。なぜならば、「欠如」としての無を肯定形（充実態）へと回収することを可能にしているのは「交代」というアイデアであるが、その「交代」ということをそもそも可能にしているのは、（否定的な「欠如」としての無とは異なる）別種の「空白」という無だからである。「消去＝交代という操作」は、その「空白」という無をなくしてしまうことができない。それどころか、「消去＝交代という操作」は、「空白」という無を介さなければ作動しない。その意味において、「肯定性の優位」を可能にしているのは、「空白」という無になってしまう。

（「欠如」とは異なる）「空白」とは、「交代」が「交代」であるために要請される仮想的な「空白の場」あるいは「交代の瞬間」である。AがBへと「交代」するという観念には、AによってもBによっても占めることのできる仮想的な場、あるいはAでもBでもない仮想的な瞬間が、含まれている。そのAにもBにも束縛されないニュートラルな「空白の場」「交代の瞬間」が仮構されて、それを介することによって、二つの肯定項のあいだで「交代」が生じうる。

もちろん、「空白の場」「交代の瞬間」が、AやBという肯定項と並ぶ第三の実体としてあるわけではない。そうではなくて、「交代」という観念が、そのような仮想を必要とするのであり、その仮想を介してこそ、二つの肯定項がただ単に並んであるのではなくて、一方が他方に置き換わるという変化、すなわち「交代」が可能になる。[10]

このような仮想的な「空白（瞬間）」という無は、「P∨¬P」（排中律）の中にも見出すことができる。それは、「¬P」のところに表れている「欠如」とは違う。むしろ、「空白（瞬間）」は、「∨

（または）」の部分にこそ表れている。それは、Pによっても P以外によっても占めることができる「空白」であり、まだPにも」Pにも確定していない「瞬間」である。排中律は、そのような仮想的な「空白（瞬間）」という時間的・言語的な装置を介して、一つに決まっていざるをえない現実を（ということは、ニュートラルな「空白（瞬間）」など現実にはないことを）語る。「空白（瞬間）」という無は、「欠如」のように埋められることを待つ「無」ではない。むしろ、「空白（瞬間）」が働いていることが、そのまま「唯一つの現実」を映し出している「無」である。排中律は、言語という装置と現実そのものと瞬間という時間との交錯点なのである。[11]「欠如」も「空白」も、どちらも実在す

（10） 仮想的な「空白」は、（どちらにも決まっていない・どちらでもありうる「瞬間」に現れているように）ある種の時間性を帯びている。「欠如という無」は言語的であるが、「空白（交代の瞬間）という無」は、言語と現実と時間の三要素からなる。仮想的な「空白」という「無」の時間性は、第2節で問題にする「無」の時間性とは異なった時間性である。「空白」論については、拙著『あるようにあり、なるようになる 運命論の運命』（講談社、二〇一五年）の第4章「排中律と無」を参照。また、水野勝仁が、私の「空白」論も参照しながら、「空白」についての考察を興味深い方向へと発展させている。「サーフェイスから透かし見る バルクと空白とがつくる練り物がサーフェイスからはみ出していく」〈https://themassage.jp/throughsurface05/〉を参照。

（11） 排中律における「空白（瞬間）」を、現実性の効果として見ることもできる。まず、現実性（「現に」という力）と実現・生起（何かが起こった）の差異は、その「何性（何か）」にある。そして、否定性（欠如）は現実性（「現に」という力）の絶対的な肯定性を弱める。ということは逆に、「何性」を棚上げにできて、しかも「否定性（欠如）」にまで至らないのであれば、現実性（「現に」という力）から離れる度合いが少なくて済むことになる。現実性（「現に」という力）が、言語（排中律）の内に取り込まれてはいても、しかし「何性」と「否定（欠如）」を帯びてしまう前に見せる、抵抗としての「一瞬の閃光のようなもの」として、「空白（瞬

る無ではないが、「欠如」よりも「空白」のほうが、特定の文脈や関心への依存度は小さくなる（一般性が大きくなる）。「排中律」という論理の「∨（または）」に「空白」が働いているということが、その働き方の一般性を示している。

このように、或る項と別の項のあいだでの「交代」や「選択・確定」には、（「欠如」とは異なる）仮想的な「空白（瞬間）」が入り込まざるをえない。それは、「交代」や「選択・確定」が差異化を前提とするからである。複数の項のあいだの差異と、その「あいだ（空白）」という仮構が言語によって立ち上がらないかぎり、「交代」や「選択・確定」は成立しえない。

結局、肯定主義の観点から言えば、「欠如」としての無も「空白」という無も、言語という差異化の装置が立ち上げる「仮想」である。そして、肯定主義をさらに徹底するならば、その「仮想」を介した「充実」あるいは「現実」を、その「仮想」から解放して（「肯定／否定」や「肯定^1／肯定^2」という差異化の上に乗った肯定から解放して）、差異化以前のより強い肯定へと向けて純化しなければならない。

1-3　肯定主義の徹底

「消失＝交代」というアイデアによって、ベルクソンのように肯定主義を唱えるだけでは、まだ徹底性が不十分なのである。むしろ、肯定主義を徹底するためには、或る項と別の項のあいだでの「交代」や「選択・確定」さえも不可能になる方向へと、差異化の装置（すなわち言語）から離れなければならない。その離れた先とは、差異がなく（差異化以前であり）、交代や選択が不可能な、すなわち、ただ一つに決まっていざるをえない「現実」あるいは「充実」のはずである。

そのような「現実」あるいは「充実」には、二つの候補がありうる。本書が主題として扱ってきた二本の柱である「現実性と潜在性」が、その二つの候補に対応する。

1　潜在性の場（形相なき質料的現実）(12)

2　「現に」という現実性の力

1は「差異化以前の実質」「まだ概念化されていない生《なま》の原質」「マイナス内包」であり、2は「無内包の現実」「内容と無関係に現にあること」である。(13) そして、この二つの候補のうち、肯定主義の徹底という観点からは、2の方がより強力な「ある」として働く。しかし、まず前者の確認から始めて、後者へと進もう。

肯定による差異化も否定による差異化もなされておらず、また仮想的な「空白」としての無の入り間)」を見ることもできる。

(12) 私がここで念頭においているのは、永井均が「物理学主義（physicalism）」と対比させて述べた「究極の唯物論（materialism）」である。永井均・入不二基義・上野修・青山拓央『〈私〉の哲学 を哲学する』（講談社、二〇一〇年）、二七七―二七八頁。本書において私は、「マイナス内包」を、「心（クオリア）」の領野と「物（マテリアル）」の領野を通底する原質として捉えたが、その拡張された「マイナス内包」が「形相なき質料的現実」に相当する。本書第7章註26、第8章註13を参照。結局、「究極の二元論」と「究極の唯物論」は共に、「中立的一元論」へと行き着くことになるという主張を、私はしていることになる。

(13) 「「現に」という現実性の力」「無内包の現実」「内容と無関係に現にあること」については、本書全体の主題であったわけであるが、その中でも特に、第7章「無内包・脱内包・マイナス内包」を参照。

込む余地もない「質料（実質・原質）」とは、いわゆる「物質」ではない。なぜならば、「物質」とは、すでに日常生活や科学の活動などを介して（すなわち言語を介して）、概念化・差異化を被っているものだからである。むしろ、「形相なき質料的現実」とは、「物質」もまたそこから切り出されてくるしかない「〈地〉としてのマテリアル」である。そのような「生《なま》の原質」においては、「交代」や「選択・確定」はそもそも成り立つ余地がなく、「生《なま》の原質」は「ただ一つの現実」である。ただし、その「ただ一つ」は、個体（個数）的な「一」ではなくて、「ベタ」というあり方での「一」である。この「形相なき質料的現実」は、第1章の円環モデルにおける左半円部分「潜在性の場」の深まりに対応する。（右半円部分からの）左半円部分への転回は、「肯定性の優位」という原理を徹底することによって導かれていた。この点も、ここでの「肯定主義の徹底」と符合する。

とはいえ、この「形相なき質料的現実」は、概念化・差異化に対して開かれてはいて、概念化・差異化を待っている。その意味で、「形相なき質料的現実」は、概念化・差異化以前の存在ではあっても、概念化・差異化が原理的に可能な何かであり、概念化・差異化のための原・素材を提供する。[14]

それに対して、もう一つの候補である2の「「現に」という現実性の力」「無内包の現実」は、質料的現実のように「概念化・差異化を待って」などいない。むしろ、「概念化・差異化」とは無関係に働く力が、「現に」である（たとえ、「現に」というこの書記自体は概念化を被るとしても）。1の「マテリアルな現実」も2の「無内包の現実」も、ともに「区別なきベタ（無差異）」という点では同じである。しかし、その「ベタ性」自体が異なっている。区別（境界・差異）がまだ入っていないという「ベタ」と、区別（境界・差異）は入りようがなく意味がない「ベタ」との違いである。2の「現に」という現実性の力は、一番外側で働く力であることによって、区別（境界・差異）とは無関係に遍在する「透明なベタ」である（一方、1は「塗り潰されたベタ」である）。「現実性」と言えば、カントの「現実的な百ターレルと可能的な百ターレル」の話が思い出されるかもしれない。しかし、次の点に気をつけなければならない。

1-4　無内包の現実

カントの場合には、現実的なものと可能的なものは、概念的には両者は同一であるが、（経験の実質的条件である）感覚に関連させることによって、区別されうる。[15] 一方、私の場合の「無内包の現実」は、感覚とも無関係であることがポイントである。言い換えれば、私の場合の「現実性」は、概念と感覚のあいだの違いとしてではなく、（概念であろうと感覚であろうと）いっさいの内容・内包を持つものと、内容・内包とは無関係に働く「現に」という力とのあいだの違いとして考えられてい

(14)　この点に関連することであるが、本書第5章「時間・様相・視点」では、「潜在」について次のように述べた。「「現実」が記述不可能なのは、その内容が言葉にのらないほど細やかだからではなく、そもそも内容とは無関係の「力」だからであり、「潜在」が記述不可能なのは、その内容が言葉にのらないほど細やかだからではなく、そもそも区別の手前にあって、無限の区別がそこから出てくる手前の「産出力」だからである」（一九六頁）。この「潜在」が、「形相なき質料的現実」に相当する。

(15)　Immanuel Kant, *Kritik der reinen Vernunft* (1781/1787), A218/B266. "1. Was mit den formalen Bedingungen der Erfahrung (der Anschaunng und den Begriffen nach) übereinkommt, ist möglich. 2. Was mit den materialen Bedingungen der Erfahrung (der Empfindung) zusammenhang, ist wirklich."（1　経験の形式的条件（直観や概念に関わる）と一致するものは、可能的である。2　経験の実質的条件（感覚）と結びつくものは、現実的である。）第3章註2も参照。

る。「感じる」という事実ではなく、「現に」という端的さを、私は「現実性」と呼んでいる。
どんな内容・質を持つ「感覚」であっても、その内容・質が現実性を与えるわけではない。たしかに、現に感覚していること（現実の感覚）ならば、現実性を提供できるが、それは、あらかじめ現実性が「感覚」に刷り込まれているからにすぎない。

同じことは、「感覚」を「現前」や「直接経験」に変えても言える。何かが現前することや何かを直接経験することが、現実性を提供すると誤解してはならない。話は逆である。「現前」や「直接経験」は、「実際に（現前している）」や「今まさに（経験している）」のように、現実性がすでに与えられていないと、その「現前内容」「直接経験の中身」のほうからは、現実性を提供することはできない。逆に、「現前」することも「直接経験」されることもなく「潜在」していたとしても、「現に潜在している」限りは、その「潜在」もまた「現実」である。その意味で、「現実性」は、「感覚」「現前」「直接経験」とは無関係であり、「現実性」は「顕在」と「潜在」の両方を貫いて働いている。顕在と潜在を跨いで働いていることもまた、（三三七頁の）2の「現実性の力」のほうが、1の「潜在性の場」以上に「肯定主義の徹底」された姿である理由である。

さらに気をつける点を加えておくならば、カントは、現実性を様相の一つと捉えて、可能性と対置している。しかし、私の場合の「無内包の現実」は、必然性・偶然性・可能性などの様相と相並ぶ一様相ではない。むしろ、「現に」という現実性の力は、どんな様相からも独立に働いている（円環モデルの三次元的・垂直的な矢印に相当）。その現実性の力に、否定性や諸内包などが入り込んで来て初めて、現実もまた様相の下で眺めることができるようになる（円環モデルの右半円に相当）。しかし、そもそもの現実（無内包の現実）自体は、無様相である。

1-5 「ある」の最右翼

「無内包の現実」は最高度の充実態（透明なベタ）である。たしかに、「マテリアルな現実（潜在性の場）」もまた、まだ概念化・差異化されていないし、欠如を含んでいない充実態（塗り潰されたベタ）ではある。しかし、「無内包の現実」は、「まだ概念化・差異化されていない」のではなくて、「概念化・差異化とそもそも無関係」なのである。また、「欠如を含んでいない」のではなくて、「欠如ということが意味を持ちえない」のである。その意味で、「無内包の現実」は、「マテリアルな現実」以上の充実態（否定性が蒸発してしまって働きようのないベタ）である。

また、「無内包の現実」の全一性（それが全てでそれしかないこと）は、否定による差異化（欠如の導入）によって構成される「全体性」とは異なる。否定によって構成される「全体性」は、ドメイン（議論領域）という仕方で境界線を持つのに対して、現実の現実性は、むしろ、そのような境界線がないことによって「外がない」。すなわち、「無内包の現実」は、全体として閉じることなく遍在する。

こうして、肯定主義の極北（「ある」の最右翼）には、差異化・概念化された（交代が可能な）肯定項でもなく、「マテリアルな充実態」でもなく、「無内包の現実」が最も相応しい。その最右翼（極北）は、もちろん「存在者」（もの）ではないが、「存在」（こと）でも不十分である。「存在」ではなく「現実存在」であるし、さらに正確に言えば、「現に」という現実性そのもの（力）の存在こそが、最右翼（極北）である。[16]

ここまで、ベルクソン的な肯定主義から始めて、肯定性を徹底する方向へと考察を進めることで、

「現に」という現実性の力、すなわち「無内包の現実」に至った。

肯定項の「交代」による肯定主義（ベルクソン）
←「空白」が残るので……
← 項なき充実態へ
1 形相なき質料的現実（潜在性の場）
← 概念化の可能性が残るので……
← 最高度の充実態へ
2 「現に」という現実性の力（無内包の現実）……最右翼

1-6 単一体形成的な矛盾

この最右翼（極北）――無内包の現実――は、捻れたあり方をしている。無内包の現実においては、矛盾が単一体を形成する。

現実は、その内包とは無関係に（特定の認識論的な内容に関係なく）、ただ端的にあるだけである。「無内包の現実」においては、存在論的に「ある」ことと、認識論的に「ない」ことが一つになっている。もっとも強い意味で「ある」と言える現実は、認識論的な観点からはむしろ「ない」。あるいは逆に、どんなに豊かな内包が「ある」としても、（その認識論的な内容によっては）けっして「現にある」という現実性の力は導くことができない。「無内包の現実」においては、「ある」と「ない」が矛盾的に一体化していて、認識論的には「ない」ことによって、むしろ存在論的に強く「ある」。

もちろん、これは論理的な意味での「矛盾」ではない。というのも、存在論的な観点からは「ある」が、認識論的な観点からは「ない」ことは、文字どおりの「矛盾」ではないからである。「P∧¬P」は矛盾であるが、「（ある観点においてP）かつ（別の観点において¬P）」は矛盾ではない。観点が区別されているかぎり、論理的な意味での「矛盾」にはならない。

しかし重要なことは、「無内包の現実」における矛盾「（存在論的に）ある」かつ「（認識論的に）ない」が、「単一体形成的」であるということである。「単一体形成的な矛盾」とは、「擬似的な矛盾」ではあっても、それによってこそ、一つの（それ以上に分割しては意味を失ってしまう）ユニット（単一体）を形成するように働く「構成的矛盾」のことである。

たとえば、「メビウスの輪」は、その意味での「単一体形成的な矛盾」を含んでいる。つまり、「表かつ裏」という擬似的な矛盾を含むことによってこそ、「メビウスの輪」というユニット（単一体）は成立する。厳密な意味での（同時に同一観点のもとでの）「表かつ裏」ではないが、表は裏になり裏は表になる……によって単一体である。あるいは、こう言ってもいい。メビウスの輪は、大局的には「表も裏もない」けれども、局所的には「表と裏がある」という矛盾を含んでいる。

同様に、「無内包の現実」は、存在論的・認識論的という観点を跨いでではあるが、「ある」かつ「ない」という単一体形成的な矛盾によって成立している。[17] この単一体を形成する矛盾の圏域におい

（16） 現実性は、外延・内包の違いを貫いて遍在的に働くという仕方で、存在者・存在世界・存在を超え出る。この点が、「最右翼（極北）」に位置することに当たる（第6章最後の「現実」＞「存在」も参照）。

（17） 「現にある」という現実の中には、別の仕方でも「ない」ことが食い込んでいる。現実に外はないのは、境界線そのものがないからである。この「ない」は、「現にある」ことを（否定するのではなく）構成するよ

ては、「ある」か「ない」かのいずれかであるという排中律は退けられている。[18]

この局面、すなわち「無内包の現実」における「ある」かつ「ない」という局面においては、「なぜ「ない」のではなくて「ある」のか？」というかの形而上学的な問いは、うまく機能しない。というのも、「無内包の現実」においては、「ある」と「ない」は、〈ではなくて〉によって繋がれる背反的な（排中律保存的な）関係にはなくて、むしろ「ある」かつ「ない」という単一体形成的な矛盾の関係にあるからである。

あるいは、次のように言うこともできる。「現に無いのではなくて存在する」のだとしても、逆に「現に存在するのではなくて無い」のだとしても、いずれにしても「現に」という現実性は、「ではなくて」という否定関係を跨いで「存在と無」の両者に等しく降り注いでいる。現実性の力は、かの形而上学的な問い（「無ではなくて存在」の問い）をすり抜けて、最右翼（極北）の存在として働くということである。

1-7 「ない」の最左翼へ

しかし、かの形而上学的な問いによって問われているのは、認識論的な「ない」と存在論的な「ある」との関係ではないだろう。むしろ、存在論的な「ない」と存在論的な「ある」との関係こそが問われているのではないか？ そのように問い返されるかもしれない。

あるいは、「無内包の現実」についても、現実が「現にない」ことは可能であって、「なぜ「現にない」のではなくて「現にある」のか？」というように、「ではなくて」によって媒介された問いが成立するのではないか？ そのように問い返されるかもしれない。

これらの「問い返し」には、二つの問題点が含まれている。

一つは、認識論的な「ない」から強く切り離された存在論的な「ない」について、どのように考えるべきかという問題点である。すなわち、最右翼（極北）に位置づけられた「無内包の現実」に対して、最左翼（極南）に位置するような「無」をどのように考えるべきかという問題点である。もう一つは、最右翼（極北）に対する最左翼（極南）を仮に考えることができたとしても、その両者を「ではなくて」という否定関係によって媒介して問うことができるのか、という問題点である。

前者の問題点については次の第2節で考察していくことになるが、後者の問題点に関わることで、すでに分かっていることを先に確認しておこう。

「ではなくて」という否定関係によって「存在」と「無」を媒介したとたんに、すでに概念化・差異化を被った有内包としての「存在」とその欠如や空白としての「無」という言語内的な関係へとスライドしてしまう。そこから予想されることは、最右翼（極北）に対する最左翼（極南）を仮に考えることができたとしても、両者を「ではなくて」によって媒介するならば、最右翼（極北）・最左翼

うに働いている。また、形相なき質料的現実（潜在性の場）からの、「何かが起こった（起こっている）」という実現・生起への「ギャップ（ズレ・切れ目）」もまた、独特の「ない」であり、それは「無でさえない未来」の「なさ」に相当する。

(18) この場面での排中律（存在論的に「ある」か認識論的に「ない」かのいずれかである／認識論的に「ある」か存在論的に「ない」かのいずれかである）は、存在論と認識論の一体化を語っていることに等しい。したがって、単一体形成的な矛盾を受け入れることは、存在論と認識論の強い切り離しを受け入れることである。その強い切り離し（無関係性）によって成立する単一体こそが、「無内包の現実」である。

(極南)どうしではなくなって、中間的な「存在」と中間的な「無」どうしの否定関係になってしまうということである。「ではなくて」が中間どうしの関係へのスライドを招いてしまうのは、「ではなくて」という否定関係が、言語の基本機能である差異化に他ならないからである。もちろん、言語内的な関係においてならば、「ない」ではなくて「ある」は、ふつうに成立する(「目の前にあいつがいない」のではなくて、「目の前にあいつがいる」というように[19])。

しかし、かの形而上学的な問いによって問われるべき水準は、そのような(ふつうに成立するような)言語内的な関係ではないだろう。だとすれば、「存在(ある)」の最右翼を追跡したのと同様に、こんどは「無(ない)」の最左翼へと迫ったうえで、もう一度この問題点についてもふり返らなければならない。

2 「ない」追跡の道

2-1 ヴァン・インワーゲンの議論

ヴァン・インワーゲンは「そもそもなぜ何かがあるのか」という論文の中で、「なぜ、全く何もないのではなくて、何かがあるのか?」という問いに対して、確率的な論証とでもいうべき議論を提示している[20]。それは、存在論的な証明(必然者の存在証明による無の不可能性の証明)とは違って、「全く何もないこと」が、(不可能ではないにしても)ありそうにない(improbable)ということを示す議論である。

その議論のエッセンスは、次のようにまとめることができる。無限個の可能世界があるとすると、そのうちのどれが現実であるかの確率は、どの二つの可能世界についても等しい。そして、存在者が全く何もないような可能世界（空っぽな可能世界）は、その中でたかだか一つだけであることによって、それが現実である確率はゼロになる（一方、何かが存在する世界が現実である確率の方は、その一つを除いた他の無限個の可能世界のうちの任意の世界が現実である確率である）。したがって、「全く何もない」ことは、確率的に「ありそうにない（improbable）」ということになる。

もちろん、この議論は多くの問題点を含んでいる。たとえば、可能世界という装置の利用、等確率の仮定、全く何もない可能世界（空っぽな世界）の個数の問題、空っぽな世界の単純さ（simplicity）の問題……等々。ヴァン・インワーゲン自身も、その論文の中で、自らの前提（論点）を他の論証によって支持できないかどうかを検討している。しかし、ここで私に興味があるのは、その各諸論点の検討ではない。あくまで私の議論を提示するための「踏み台」として利用するだけなので。

私が指摘しておきたいことの一つは、このヴァン・インワーゲンの議論の中にも、二種類の差異化（肯定による差異化と否定による差異化）が、或る変形された仕方で働いていることであり、もう一つは、ヴァン・インワーゲンの議論自体の中に、その議論自体を越えていくエレメントを見て取ることができるということである。ちょうど、ベルクソンの議論の中に、その肯定主義をより強めるための契機（「交代」における「空白」の残存）を見出すことができたのと同様に、ヴァン・インワーゲンの議論の中から、「無」をより深める契機を取り出すことができる。

(19) その場合には、ベルクソン的な「答え」（人間の関心等に依存）が回帰して来ることになる。
(20) 註5に挙げたヴァン・インワーゲンの論文を参照。

2-2 「二種類の差異化」の変形

一つ目の論点から。肯定による差異化と否定による差異化は、「欠如と充実と全体」をめぐって相補的に働いていることは、すでに述べた（三三三頁参照）。しかし、無限の諸可能世界とその中の一つとしての空っぽな世界というヴァン・インワーゲンの設定においては、その相補的な関係が、或る変形を被ったうえで登場している。

まず、無限の諸可能世界の設定では、肯定による差異化は、世界内の諸事物の差異化だけではなく、諸可能世界そのものの間の差異化としても働く。すなわち、個物に命名をすることによって差異化が可能であるのと同じように、諸可能世界も（たとえば、$w_1, w_2, w_3, \ldots$ のように）区別できることになっている。こうして、肯定による差異化は、対象の区別だけでなく諸可能世界自体の区別としても、高階化して引き継がれている。

次に、ヴァン・インワーゲンの設定においては、肯定による差異化は、否定による差異化が立ち上げる「欠如」を埋めるようには働いていない。むしろ、「欠如（空っぽな世界）」は、肯定による差異化が生み出す諸項（諸可能世界）の一つとして位置づけられている。すなわち、欠如は肯定項によって埋められることを待つのではなくて、諸々の肯定項と並ぶ一項となっている。「欠如（空っぽな世界）」という「肯定（世界w_n）」が成り立っている。

これが、ヴァン・インワーゲンの議論における、二種類の差異化（肯定による差異化と否定による差異化）の変形を被った働き方である。ここにも、二種類の差異化の相補的な関係における、もともとの「肯定性の優位」「否定の劣位」が表れている。欠如自体（空っぽな世界）が、一つの肯定項

（個体化された可能世界）として扱われているのだから。

2-3 「無」の区別

二つ目の論点に移ろう。ヴァン・インワーゲンの議論自体の中に見出せる、その議論自体を越えていくエレメントとは、「無」の区別に関わる論点である。「無」を問題にするかぎり、「無」を幾重にも区別することが必要である（と私は考えている）。ちなみに、第1節においては、「欠如」としての無、「空白」としての無、「無内容」としての無（無内包）などを分けて考えた。以下では、「無」に対して更なる区別を加えることになる。

ヴァン・インワーゲンによる「無」の区別とは、可能世界（空っぽな世界）の内部における「偽装された無」と「ほんとうの無」の区別であり、さらに、それらの可能世界の内部における「無」と可能世界の外部の「無」との区別である。ここには、「無」についての二段階・三区分という区別を読み取ることができる。

1　可能世界の内部における「無」
　(1)　偽装された「無」
　(2)　ほんとうの「無」
2　(3)　可能世界の外部の「無」

まず、「偽装された無」と「ほんとうの無」の区別から。ヴァン・インワーゲンは、当該論文の最後の方で、「偽装された無」と「ほんとうの無」の違いについて、次のように考えている。

すべての可能世界を貫く基礎的対象を認めて（たとえばウィトゲンシュタイン『論理哲学論考』のように）、その一つ一つの「オン／オフ」「充足／空」の組み合わせによって諸可能世界を考えて、すべての基礎的対象が「オフ」あるいは「空」の状態にある世界が、「偽装された無」である。それは、潜在的には「オン」「充足」でありうるような、とりあえずの「オフ」状態としての「無」である。

一方、可能世界を貫く基礎的対象の存在を認めず（非‐『論理哲学論考』的な世界）、「オン／オフ」「充足／空」の両可能性を与えるような対象がそもそもない世界が、「ほんとうの無」である。たしかに、「偽装された無」と「ほんとうの無」のあいだには、電灯が消えているために暗い部屋と、そもそも電灯が存在しないために暗い部屋とのあいだのような差があるだろう。

さらにヴァン・インワーゲンは、自らの議論の中で「偽装された無」とも「ほんとうの無」とも異なる水準の「無」を、（暗黙の内に）設定している。それは、「外部の無」とでも呼ぶべき無である（ヴァン・インワーゲン自身がそう呼んでいるわけではなく、私がそう呼ぶことにする）。「外部の無」は、空っぽな世界に単純さを見出すという錯覚を退ける議論の中で登場する。

空っぽな世界がもっとも単純で、他の世界よりも出現しやすい（確率が高い）と思う錯覚は、ヴァン・インワーゲンによれば次の仮定を密輸入している。それは、可能世界の外部に、可能世界に現実性を付与するような何かが存在していて、何もないという状態へと向かわせる傾向をその何かが持っていたり、何もないという状態を初期設定状態に定めたりするというような仮定である。しかし、ヴァン・インワーゲンによれば、諸可能世界の外部には何もないのである。したがって、ヴァン・インワーゲンは、空っぽな世界の高確率を認めない。

ここで注目したいのは、ヴァン・インワーゲンが「(可能世界の外側に位置するような存在を退けて)外部には何もない」と言っている点である。要するに、諸可能世界の集合の外部は「無」なのである。この「無」は、明らかに、可能世界の一つとして位置づけられる「無」(「偽装された無」や「ほんとうの無」)とは異なっている。そして、諸可能世界の外部には何もないこと(外部の無)が、ヴァン・インワーゲン自身の主張(「空っぽな世界」「内部の無」は特に生じやすいわけではないこと)を、裏から支える議論構造になっている。

このような無についての区別(二段階・三区分)——(1)偽装された無、(2)ほんとうの無、(3)外部の無——には、(確率の大きさとは次元を異にする)「無の深まり」を透かし見ることができるだろう。しかし、ここにもう一段階「深まった無」を加えなければならない、と私は考える。というのも、三つの「無」はどれも、諸可能世界が存在することを前提にしたうえでの「無」だからである。第四番目の「無」として、諸可能世界がそもそもまったくないこと(可能世界自体の無)を追加すべきだろう。つまり、第四段階目の「無」とは、それ以前の段階の「無」を思考するための枠組み(この場合は「可能世界」)自体を棄却してしまう「無」ということになる(4)可能世界自体がないこと)。

(1) 偽装された無
(2) ほんとうの無
(3) 外部の無
(4) 可能世界自体の無

2-4 「無」の深まり【1】

ところで、私自身の議論としては、ヴァン・インワーゲンの「可能世界」という装置をそのまま受け継ぐわけにはいかない（「無の深まり」については、受け継ぎたいけれども）。なぜならば、私の考える「現にあること（現実）」「無内包の現実」は、諸可能世界の一つとして位置づけることはできないからである[21]（ヴァン・インワーゲンの場合には、現実世界とは無限個の可能世界のうちの任意のどれかである）。

ということは、ここでの私の課題はこうなる。ヴァン・インワーゲンのように「可能世界」という装置を利用せずに、「無の深まり」について思考すること。すなわち、この現実においてこそ、(4)の段階に相当するような「無」（それ以前の段階の「無」を思考するための枠組み自体を棄却してしまう「無」）について思考すること、これである。ヴァン・インワーゲンの議論の中に透かし見た「無の深まり」は（ここでは特に(3)の段階と(4)の段階に焦点を絞って）、「この現実において」ならば、どのように考えたらよいだろうか。以下は、その点についての考察である。

この現実における(3)の段階の「無」すなわち「外部の無」は、もうすでに、これまでの考察の中で登場済みである。この現実における「外部の無」とは、「この現実には外がない」ということである。それは、この現実が「全体として閉じることなく遍在する」、すなわち全一的であることによる「外部のなさ」であった。

もちろん、この現実の「外のなさ」は、境界線によって「存在」と区分されるような「無」ではない。むしろ、どんなにこの現実の外を想定しようとしたとしても、そこもまたこの現実でしかないのであり、「現に」という現実性の力は、どこまで行っても一番外側で透明に働く。それが「この現実の外部のなさ」、すなわち「外部の無」である。

このような(3)の段階の「外部の無」は、否定が立ち上げる「欠如」としての無や、交代や選択が仮構する「空白」としての無とは、明らかに異なる「無」である。(3)の段階の「外部の無」「この現実の外部のなさ」は、この現実に対してむしろ構成的に働いている（深く内的に関与している）「無」であって、対立関係にはない（註17も参照）。ゆえに、「無内包の現実」と「外部の無」を、排中律保存的な否定関係によって結びつけることはできない。

2-5 「無」の深まり【2】

(4)の段階に相当するような「無」の深まりを、この現実において思考するためには、以下の二点に注意しなければならない。

一つは、(4)の段階は、それ以前の段階の「無」を思考するための枠組み自体を棄却するような「無」の深まりであるという点である。ヴァン・インワーゲンに対してならば、その枠組みが「可能世界」であったので、「可能世界の無」を想定すればよかった。

しかし、この現実においては、それと同じやり方で「この現実の無」を想定することはできない。というのも、「現に」という働きには外がないので、たとえ「この現実の無」を想定したとしても、「現に〈この現実がない〉」ということになるだけであって、「現に」という現実性は無にならないか

(21) 第2章「現実性と潜在性」をはじめ、私は本書の全体を通じて、この点を何度も繰り返し主張してきたことになる。無内包の現実は無様相でもあり、諸様相（必然・偶然・可能・不可能）のあいだを貫通する「力」として働いている。九鬼周造の様相論との比較考察（第6章）も参照。

らである。したがって、(4)の段階の「無」は、「可能世界の無」を想定するのとは別の仕方で、思考されなければならない。これが、もう一つの点である。

ヴァン・インワーゲン的な枠組み、すなわち「可能世界」に対してならば、その枠組み自体を棄却することは、不可能ではないし、特段の不合理があるわけでもない。

ヴァン・インワーゲン的な諸可能世界は、相互に明確に区別されていて（w_1, w_2, w_3, …）、しかもすべての世界が対等（等確率）になるように、ニュートラルな（各可能世界に対して外在的で無関与な）視点が確保されている。だからこそ逆に、その同じ俯瞰的な視線の下で、一つ一つの可能世界を消去していく（オフにしていく）操作を追加して、可能世界が一つもない（どの可能世界も成立していない）状況を想定することは可能である。そもそも、諸可能世界という設定自体をしないことは大いにありうるし、実際に私はしていない。[22]

しかも、「一つ一つの可能世界を消去していく（オフにしていく）操作」とその結果としての「可能世界の無」に対しては、ベルクソン的な「無」の観念批判は当てはまらない。AがBに「交代」するようには、可能世界w_1が可能世界w_2に「交代」するわけではないので、「見かけの欠如と実在的な充実」という問題は生じない。また、「見かけの欠如」を可能にするような人間的な視線（文脈や関心）が、諸可能世界を俯瞰する視線（外在的で無関与な視点）には含まれていない。

しかし、「この現実」「無内包の現実」の場合には、「諸可能世界」に対しては「できる」そのような操作が、そもそも「できない」。「この現実」「無内包の現実」の場合には、（w_1, w_2, w_3, … に相当するような）消去の対象となる「内容（内包）」があるわけではない。また、「この現実」「無内包の現実」は、その外部はなく遍在的に働くので、その外に出て俯瞰的な視点に立つこともできない。こういうわけで、「可能世界の無」を想定するようには、「この現実の無」は想定できない。

それでもなお、「この現実の無」を無理やり想定しようとすると、その「現実」は、別の水準の「現実」へと変わってしまうだろう。その無理やりの想定は、「この現実」を、諸可能世界の一つとしての「現実世界」へと転落させてしまい、「無内包の現実」を、「有内包の現実」へと変質させてしまう。[23]輪郭も内容も持たない「現実」が、輪郭と内容を持つ「現実」へと変わってしまう。そのように転落（変質）した「現実」に対してならば、諸可能世界の場合と同様の操作をすれば、現実世界の「無」を想定することはできるだろう。しかし、そのように変質（転落）した後の「無」ではなく、(4)の段階の「無」へと深めるためには、どのように考えたらよいだろうか。

2-6 時間に巻き込まれた「無」

もう一度、「(4)の段階は、それ以前の段階の「無」を思考するための枠組み自体を棄却するような「無」の深まりである」に戻って考えてみよう。ここからは、「無のペア（対《つい》）と時間性」という二つの重要なポイントが引き出せる。一つは、「無」を深めるために、「より浅い」無と「より深い」無と

(22) 動物的な「現実ベッタリ」という状況もまた、諸可能世界という設定自体をしないことの一形態である。「現実ベッタリ」については、野矢茂樹『語りえぬものを語る』（講談社、二〇一一年）および、それを検討した本書第8章「「拡張された他者」としての現実性」を参照。
(23) 「この現実の無」を「真空状態」のように表象することもまた、この変質（転落）に相当する。むしろ、「この現実」すなわち「無内包の現実」のほうが、「真空状態」のように表象されるべきである（「真空状態」は「無」ではない）。

いう深度の異なるペア（対）を考えるという点であり、もう一つは、そのペア（対）は、「以前（の段階）や以後（の段階）」「過去や未来」「遡る」等の時間性に巻き込まれるという点である。そのような二点を考慮に入れて「無」について考えるならば、この現実においても「ない」の最左翼（極南）へと向かうことができる。

1　深度の異なる「無」のペア（対）を考える

2　ペア（対）は時間性に巻き込まれる

「無の深まり」において重要なのは、（無についての区別だけでなく）無についての重層性や捻れを考察することである。その重層性や捻れを提供するのが、1と2のポイントである。本書では、その点に関わる考察を、すでに「無でさえない未来」や「無関係的な過去（大過去）」あるいは「マイナス内包」に即して、行ってきた。まず、その点を確認しておこう。

未来という時間性における無のペア（対《つい》）とは、「〈まだ……ない〉という未来のなさ」と「そういう無でさえないという未来のなさ」、「存在へと転化しうる無」と「存在へと転化しえない無」、「可能性の相の下にある無」と「不可能性の相の下にある無」などのペア（対）であった。そのペア（対）の後者が「より深まった無」であるが、それは、（現在の側からの）未来の「無関係性」「非連続」を表していた。[24]

過去という時間性における無のペア（対）とは、「〈もう現前しない〉という過去のなさ」と「〈いちども現前したことがない〉という大過去のなさ」、「現在（実現・生起）との相対的な関係の内にある無」と「現在（実現・生起）とは絶対的に無関係である無」などのペア（対）であった。[25]

あるいは、同様のことは次のようにも表現できる。いま現在から想起される過去（想起過去）は、「想起」という関係を現在と結ぶ。その想起には収まらない過去（想起逸脱過去）は、「収まらない（はみ出す・逸脱する）」という関係を現在（想起）と結ぶ。しかし、そのような想起や想起逸脱という現在との関係にいっさい入らない過去（想起阻却過去）こそが、過去自体（現在とは無関係の過去）である。関係的な「無」よりも、また関係を逸脱する「無」よりも、無関係的な「無」のほうが、さらに「無」が深まっている。「無関係的な過去（大過去）」が、「より深まった無」である。[26]

未来性と過去性は、それぞれ別個に「無の深まり」に関与するだけではなく、両者の組み合わせによっても、「無の深まり」の事例を提供する。そのような対（ペア）として、「死後の無」と「未生の無（生まれる前の無）」を対照する場面を考えてみよう。[27] もちろん、「死後の無」は未来性に、「未生の無（生まれる前の無）」は過去性に対応する。

死んで私は「無」になってしまうとしても、私は生まれる前も「無」であった。どちらも、私がま

(24) 詳しくは、特に本書第5章・第6章を参照。
(25) 第1章「円環モデルによる概観」の7-3「時制（未来性と過去性）」を参照。
(26) 「想起過去」「想起逸脱過去」「想起阻却過去」については、拙著『時間と絶対と相対と　運命論から何を読み取るべきか』（勁草書房、二〇〇七年）第三章「過去の過去性」、拙著『あるようにあり、なるようになる　運命論の運命』（講談社、二〇一五年）第17章「過去の深さ」を参照。
(27) この対照については、拙稿「「私の死」と「時間の二原理」」（山口大学時間学研究所『時間学研究』3、二〇〇九年、一七―三〇頁）も参照。

ったく存在しないという点では、同じではないのか。しかも、独我論的な観点を加えれば、「私の無」は、単に世界内の部分の欠如ではなくて、世界全体の無（完全なる無）だと言うこともできる。だとすれば、そのような無（完全なる無）としては、「死後の無」も「未生の無」も、何の違いもないのではないか。にもかかわらず、多くの人は「死後の無」を恐れたり不安に思ったり気にかけたりはするが、「未生の無」に対してはそのような態度を取らない。一体なぜだろうか。「死後の無」と「未生の無」には、何か根本的な違いがあるのだろうか。[28]

ひとまず、「死後の無」と「未生の無」の違いを、次のように考えることはできる。「死後の無」とは、私の存在が無くなることだから、私の「欠如」「喪失」としての無であるが、「未生の無」は、そもそも無くなるような私が存在していないのだから、「欠如」「喪失」でさえない無である。すなわち、「死後の無」が、私の存在の消去（肯定に対する否定）としての無であるのに対して、「未生の無」は、消去すべき存在がそもそもない（肯定に対する否定でさえない）無である。

しかし、「欠如（喪失）」と「欠如（喪失）でさえない」、あるいは「否定」と「否定でさえない」というペア（対）の作り方では、まだ不十分である。すぐに次のように付け加えるべきであろう。「死後の無」は、それを「欠如」「喪失」として体験できる主体（私）そのものの「欠如」「喪失」なのだから、通常の（部分的なものに留まることで認識可能な）「欠如」「喪失」ではない。むしろ、「死後の無」は、「欠如」「喪失」として認識される可能性自体が奪われるのだから、「欠如の欠如」「喪失の喪失」あるいは「欠如・喪失の全面化」である。

そこで、「未生の無」のほうも、単に「欠如」「喪失」でさえない無と言うのでは、まだ足りなくて、「欠如の欠如」「喪失の喪失」でさえない無と言うべきであろう。「死後の無」には、二重の否定（欠如の欠如、喪失の喪失）が含まれているとすれば、「未生の無」には、それに加えてもう一回多くの否定が含まれている（二重の喪失でさえないという三重の否定）。

死後の無：無として認識されることさえない無

未生の無：「無として認識されることさえない無」でさえない無

もちろん、三重の否定といっても、単に同じ否定の操作が三回重ねられているのではない。〈でさえない〉という否定は、前段階までの否定の操作自体を取り消して否定以前へと遡ろうとするキャンセリングであり、遡及不可能な段階（未生）へ遡及するかのように働く否定である。つまり、時間に巻き込まれながら、それに抗うように働く否定なのである。

また、〈でさえない〉という三回目の否定の中には、二回目の否定操作の抹消だけではなく、その抹消自身の抹消や、さらにそれ以降のすべての抹消の可能性の抹消までが、一挙に折り畳まれている。たしかに「未生の無」は、「死後の無」との対照を経由して、〈でさえない〉という否定の操作を重ねることで輪郭づけられるし、そうするしかない。しかし実は、三回目の否定〈でさえない〉は、その対照や輪郭づけを含めて、すべてを未成立へと差し戻そうとしている。「時間に巻き込まれながら、それに抗うように働く否定」とは「遡及的に働く自己抹消の極致」であり、「未生の無」とはその極

(28) その答えは、「違いは〈ある〉かつ〈ない〉」であるべきだとなる。そう考えることが、本節最後の「真の終わりこそ真の始めであり、真の始めこそ真の終わりである」に相当する。

致の名である。
比喩的に言うならば、この三回目の否定〈でさえない〉は、ビートルズの漫画映画「イエローサブマリン」に登場する掃除機に似ている。[29]その掃除機は、周囲の物を吸い込むだけではなくて、周囲の背景までも吸い込んで、最後には全てを吸い込む自分自身をも吸い込んでしまう……。ただし、「未生の無」の場合には、すべてを吸い込んだ後の「無」は、実は（後なるものではなく）先立つものだという点（遡及という点）を付け加えなければならないけれども。
この段階にまで深まった「無」は、時間性（過去性・未来性）と絡み合っていて、その絡み合いは複雑に縺れて、過去と未来は混線する。「死んだ後の無」という未来の「無」よりも、「生まれる前の無」という過去の「より深い無」のほうが、「無でさえない未来」という未来の「より深い無」に似ている。左図のように、未来繫がりの縦関係や過去繫がりの縦関係よりも、未来と過去を跨ぐ「より深い無」の横繫がりのほうが近しい。こうして、大過去性と未来の未来性は近接する。[30]

未来の「無」　≠　未来の「より深い無」

≑

過去の「無」　≠　過去の「より深い無」

このような「未生の無」こそが、「それ以前の段階の「無」を思考するための枠組み自体を棄却するような「無」の深まり」に相当する。現実における(4)の段階の無とは、「未生の無」が示すような「遡及的に働く自己抹消の極致」のことだったのである。

「無でさえない未来」や「想起阻却過去」における「無」の深まりが、（現在との）絶対的な無関係性を強調することであったのと同様に、[31]「未生の無」における「無」の深まりもまた、（現在＝自己と）絶対的に無関係である即自態を強調することである。「時間に巻き込まれた無」「遡及的に働く自己抹消の極致」とは、もはや「否定」ではなくなっていて、むしろ無関係的で即自的な肯定である。現実における(4)の段階の無とは、そのような「端的な無関係性」を表している。

現在と未来（無でさえない未来）が、現在と過去（想起阻却過去）が、端的に無関係であるならば、そしてこの場面（過去・現在・未来）に時間推移（なる）が加わるならば、過去・現在・未来という時制三相は、「端的な無関係性」によって貫かれていることになる。時制間の無関係性自体が、時間推移を介して、時間全体へと遍在化するからである。時間には、実は(4)の段階の無（端的な無関係性）が充ち満ちていることになる。[32]これは、「前後裁断[33]」と呼ぶのが相応しい。第1章「円環モデルによる概観」で、円環の「切れ目（ギャップ・ズレ）」としてイメージしたものは、この時間の内に充ち満ちている「端的な無関係性」だったことになる。

(29) 前掲のノージックの本（邦訳では一八三頁）を参照。
(30) 本書第1章「円環モデルによる概観」の最終部分「大いなる過去と大いなる未来は、紙一重である」も参照。
(31) 本書第5章「時間・様相・視点」と第6章「無関係・力・これ性」を参照。
(32) 時間論としての問題点については、本書の第4章「現実の現実性と時間の動性」、第5章「時間・様相・視点」、第5章「無関係・力・これ性」を参照。
(33) 道元『正法眼蔵』「現成公案」（講談社学術文庫版『正法眼蔵』（1）増谷文雄注、二〇〇四年）参照。

ここで、「マイナス内包」へと至る理路の内に含まれていた時間性の「捻れ」についても思い出しておこう。第7章・第4節「マイナス内包と時間」において、「一つながりの時間」（関係的な時間）が転覆する（破れる）ような時間性の「捻れ」について考察した。「一つながりの時間」（関係的な時間）の中では「後からしか生じ得ない」ことが、時間性の「転覆（破れ）」においては、「そもそもの始めから（それとは分かり得ないまま）起こっていたかもしれない」という可能性を考えた。そのような捻れは、「一つながりの時間」（関係的な時間）の中では意味論的な束縛によって不可能であるが、時間の「無関係相」と「ベタ相」、あるいは「過去・現在・未来の非連続性」と「ベタな時間推移」の両極端のところでは、（意味論的な束縛が壊れるので）破れや捻れはありえた。

(4)の段階の「無」には、この「転覆（破れ）」と同様の、「真の終わりこそ真の始めであり、真の始めこそ真の終わりである」という時間性の「捻れ」が含まれている。「無」を(4)の段階へと深めるためには、前の(3)の段階の思考の枠組みを捨て去る必要があったわけだが、いま捨て去られている(3)の段階の枠組みとは、「一方向的な時間経過」あるいは「関係的な時間」という時間表象である。その時間表象は、無関係性によって「穴」が穿たれるし、以前（始め）と以後（終わり）の順序的な自明性も失われる。そのような時間表象の改変を伴ってこそ、「無」は(4)の段階にまで深まることができる。

「イエローサブマリン」の掃除機は、最後には全てを吸い込む自分自身をも吸い込んで終わるわけだが、さらに次のように付け加えて「未生の無」の場合と揃えておくと、(4)の段階の「無」にいっそう近づく。すなわち、「掃除機が吸い込んで消すのは、背景や諸物や自分自身だけでなく、それらがあったという事実も、それらを吸収して消したという事実も、そしてその事実を消したという事実も含めて、すべてを吸い込んで消した（という事実も吸い込んで消した）」と考えてみよう。このような「遡及的に働く自己抹消の極致」が、(4)の段階の「無」を考えることであった。

この「自己抹消」は、「一つながりの時間」の中では、ただ無限に否定が繰り返されるだけで、「無」には近づかない。しかし、「転覆した（破れた）時間」においては、「以前と以後」「始めと終わり」が捻れて繋がろうとする中で、自己抹消が「無」へと接近する。「すべてを吸い込んで消した（という事実も吸い込んで消した）」という「終わり」は、何もまだ起こっていない「真の始め」に等しい。そして、何もまだ起こっていない「真の始め」は、何ももう起こらない「真の終わり」に等しい。すなわち、真の終わりこそ真の始めであり、真の始めこそ真の終わりである。この捻れた「始め＝終わり」は、円環における「切れ目（ギャップ・ズレ）」すなわち「端的な無関係性」を含んだ一巡を表している。

3　結論

ここまで、第1節においては「無内包の現実（現にある）」という存在を、第2節においては「遡及的に働く自己抹消の極致」（時間的な無関係）という無（(4)の段階の無）を考察した。「無内包の現実（現にある）」が「ある」の最右翼（極北）であり、「遡及的に働く自己抹消の極致」（時間的な無関係）が「ない」の最左翼（極南）である。

さて、この最右翼の「ある（存在）」と最左翼の「ない（無）」とのあいだに、「無ではなくて存在」という否定関係はあるだろうか。答えはこうなる。両者のあいだには、〈ではなくて〉によって媒介される排中律保存的な否定関係など成立しない。両極端へと追い詰められた「存在と無」については、「無いのではなくて存在する」ではなく、「無いかつ存在する」「存在と無は単一体である」か、あるいは「存在と無は端的に無関係である」かのいずれかになる。すなわち、この章の冒頭で述べたように、次の1を退けて、2と3を受け入れる。

1　排中律保存的な否定関係
2　単一体形成的な矛盾関係
3　端的に無関係

すでに、「無内包の現実（現にある）」が、「存在論的に〈ある〉」かつ「認識論的に〈ない〉」という単一体を形成していることは確認済みである（1-6「単一体形成的な矛盾」参照）。また、「無内包の現実（現にある）」には、（認識論的とは違う）別種の〈ない〉――現実の外はない――も、単一体形成的に食い込んで構成的に働いていることも確認済みである（註17参照）。

それに加えて、「ない」の最左翼もまた、「ある」の最右翼の作用域の内で働いている。現在と「無でさえない未来」とが「端的に無関係」であることも、現在と「想起阻却過去」とが「端的に無関係」であることも、どちらも「現に」という現実において、そう（無関係）なのである。もちろん、「過去と現在と未来が、それぞれ別々の無関係な現実としてある」ということではない（そのように「別々の」と言えるならば、「無関係な即自態」からは転落している）。そうではなくて、「現に」という現実（それが全てでそれしかない現実）の内には、「ない」の最左翼である端的な無関係性が組み込まれている、ということである。

いずれにしても（認識論的な「ない」も、外の「なさ」も、最左翼の「無関係」も）、「ある」の最右翼である「無内包の現実（現にある）」と一体化して働いている。これが、2の単一体形成的な矛盾関係の「存在と無」である。「現に〈ある〉かつ種々の仕方で〈ない〉」と言ってもいいし、「種々の〈ない〉が現に〈ある〉」のだと言ってもいい。

最後に、3の端的に無関係である「存在と無」は、次のように考えることから導かれる。最右翼の「ある」、すなわち「無内包の現実（現にある）」は、非時間的な現実性であって、時間とは無関係なあり方をしている。一方、最左翼の「ない」、すなわち「過去・現在・未来における端的な無関係性」は、時間に巻き込まれた「無」であって、時間性と切り離せない。ゆえに、非時間的な「現にある」と時間的な（未来や過去の）「ない」とは、関係を持つことができない。「あるはある、ないはない」というパルメニデス的表現は、その意味での「交わりの無さ（平行性）」――非時間的なものと時間的なものとの無関係――を表す（と考えることができる）。

それでも無理やり、平行線を交わらせてみよう。すなわち、非時間的な「現にある」を、時間的なあり方の内に、無理にでも埋め込んでみよう。そのときに出現するのが、「この今」という特異点である。[34]「現に」という現実性が、現在時制へと落とし込まれることによって、非時間的なあり方と時間的なあり方が接触する。その結果、「この今」こそが、現実性の特権的な現れ（特異点）であるかのように見えてくる。

（34）本書第2章「現実性と潜在性」の第2節の最後部で論じている「今性」についての考察も参照。

では、そのように現実性と時間性（今）を接触させるならば、「端的な無関係性」は消えてしまうだろうか？　いや、そうはならない。むしろ、「この今」と「無でさえない未来」、「この今」と「想起阻却過去」のあいだでこそ、端的な無関係性〈前後裁断〉が際立つ。平行線的に交わらなかった非時間と時間との「無関係」は、こんどは特異点（この今）と他の時点との無関係として、繰り返される。「あるはある、ないはない」というパルメニデス的表現は、この意味での「前後の非連続性」――この今と他の時点との無関係――を表す（と考えることもできる）。

こうして、かの形而上学的な問いは、その媒介部分の〈ではなくて〉という否定関係が却下されることによって、失効する。そもそも「ない〈ではなくて〉ある」にはなれない。その代わりに、「あるかつない[35]」（あるとないの単一体形成）と「あるはある、ないはない」（端的な無関係）に行き着いたことになる。

（35）　無内包の現実（絶対現実）の「無」とは、現実とその内容との徹底的な無関係性である。一方、時間の内に遍在する「無」とは、過去・現在・未来間の無関係性である。この二種類の「無関係性」が同じものなのか異なるものなのかについては、さらに考察が必要である。前者については、前掲拙著『あるようにあり、なるようになる　運命論の運命』も参照。後者については、拙著『時間は実在するか』（講談社現代新書、二〇〇二年）および前掲拙著『時間と絶対と相対と　運命論から何を読み取るべきか』も参照。

おわりに　現実性こそ神である

1　アンセルムス体験

私は、高校時代に文芸部に所属していた。その頃、部員の中にはフランス文学・思想に詳しい先輩や友人がいて、彼らは「西洋の文学・思想は、詰まるところ「神」のことが分からないと理解できない」「一神教的な思想をどのように捉えるべきか」……という話をよくしていた。ニーチェが好きな友人もいて、「神は死んだ」という議論を彼らに吹っかけることもあった。

いま思い返すと、背伸びをした高校生（文学青年）にありがちな発言のように思えるが、当時の私は、その先輩や友人たちのやり取りをカッコいいと思っていた。そう思いながら、自分はそういう発言がうまくできない（勉強が足りない）と思っていた。「神」という言葉は、それなりに理解はできても、本当のところ何が言われているのかがピンと来なかったし、そのピンと来ないものを中心に回っているらしい文学や思想については、私には彼らほどの読書量がなかった。

その「ピンと来ない感じ」が、（「ピンと来た」とまでは言えないにしても）明らかに変わったという実感があったのは、アンセルムスの『プロスロギオン』を読んで、神の存在証明を知った高校三年生のときだった。[1] それまで読んでいた文学・思想・宗教の書物に出てくる「神」の話は、遠くから眺めている感じだったのが、アンセルムスの「神の存在証明」の場合には、「何か」が直に迫ってくるような感触があった。

アンセルムスは、神を「それより大きなものは何も考えることができない何か（aliquid quo nihil maius cogitari possit）」と言っていた。[2] その「何か」についての思考の渦に巻き込まれるような感じがした。「より大きい」というのは、単なる量的な大きさの話ではなく、「全体は部分より大きい」「存在する度合いがより大きい」というような意味らしいことが分かった。つまり、「実際に存在するものは、ただ思考されているだけのものよりも、実際に存在している分だけ、より大きい」ということのようだった。その点が分かると、不思議な感じがした。

神とは、存在する度合いが、それ以上のものが考えられない「何か」だとすると、「神とは最高度の存在を有している何か」ということになる。しかし、「神は最高度の存在を有している」と考えたからといって、それだけで「神が実際に存在している」ことになるわけではないだろう。そもそも、「ただの思考」と「実際の存在」のあいだの落差（ギャップ）を、「より大きい」と呼んでいたわけであるし。

しかし、その落差（ギャップ）があるために、「存在していると思考する」だけでは、「神が実際に存在している」ことにはならないのだとすると、その「実際の存在」は、「ただの思考」よりも「より大きい」存在であることに（定義上）なる。そうすると、「それより大きなものは何も考えることができない」に反して、「それよりも大きなものが考えられている」ことになる。最高レベルの存在として考えられてしまうと、その思考によっては考えることができない「現実の存在」へと、神はその思考を超え出てしまう。しかし、そのように考えると、神は思考を超え出た「現実の存在」という最高レベルの存在として、思考されていることになってしまう。

では、神の「現実の存在」は、思考可能なのか？　思考不可能なのか？　あるいは、思考を超え出る現実の存在、という思考をさらに超え出る現実の存在、という思考を……のようにどこまでも続くのか？　「思考可能と思考不可能」のあいだのそのような行ったり来たりや、どこまでも続く「思考と存在」のあいだの含み込み合い（超出し合い）は、波動のように私の思考を揺さぶって、その「動き」が私を巻き込んでいくように感じられた。そうやって、「ピンと来ない感じ」は、「神の予感のようなもの」へと変わった。それが、私の「アンセルムス体験」であった。(3)

（1）聖アンセルムス『プロスロギオン』（岩波文庫、一九四二年）第二章を参照。

（2）英訳が“God is something a greater than which cannot be conceived.”であることを知ったときに、関係詞よりかなり前から関係詞節が始まっている珍しい英文だな、と思った記憶がある。

（3）『プロスロギオン』第三章では、アンセルムスは次のように述べている。「実際、汝ひとりを除いて、およそ他のどんなものも、人がそれの非存在を考へ得るものである。それ故に汝ひとりが一切のもののうちで、最も真に、従って一切のもののうちで最も大なる、存在をもちたまふ」（岩波文庫、二七頁、「汝」の傍点は引用者）／「たしかに、他は何も存在しないと考えることができますが、あなただけは例外です。ですから、あなただけが、あらゆるものの中で最高に真なる仕方で、したがって、あらゆるものの中で最高に大きな仕方で、存在を有しています」（試訳）。アンセルムスは、「それより大きなものは何も考えることができない何か」としての「神」に向かって、「汝（あなた）」と二人称で語りかけている。この二人称の用法は、森岡正博の「あなたなのです!!」という特別な（絵の中からこちらへと迫ってくる）二人称的な指し示し（一八六頁参照）と、双方向的なペアを成している。「絶対的な存在への対峙」が、「こちらからあちら」の方向性と「あちらからこちら」の方向性という双方向で現れている。私ならば、ここにも「現実性の力」の波及・還流を見る。

ふり返ってみれば、その「行ったり来たり」や「どこまでも続く」という「動き」は、「はじめに」や「第1章冒頭」でふれた「自分で自分の尾っぽに噛みつこうとして、ぐるぐる廻り続ける蛇の輪」のイメージ（現実と可能の問題）とも、その「限《き》りの無さ」において遠く繋がっている。私の場合の「神」問題は、高校時代の先輩や友人たちのように、西洋の文学・思想の「大問題」として現れたのではなく、また信仰上の問題として現れたのでもなく、思考上の「眩暈《めまい》」のようなものとして体験された。

2 思考と存在と現実性

大学生になったばかりの頃に、高校時代の「アンセルムス体験」が更新されたことがあった。私が、アンセルムスの神の存在証明を読んで感銘を受けたと言ったところ、その話を聴いていた科学哲学専攻の学生が、せせら笑いながら「そんな証明は、カントによって、とっくの昔に論駁されているじゃないか」と言った。「要するに、存在するという概念だけでは、実際に存在することは導けないのだから、存在まで含むほど完全なのが神だと概念的に定義しても、そこから実際にその神が存在することは導けない。そういう簡単な理屈で、神の存在証明は失敗するわけだろ」と彼は言った。

彼の話を聴きながら、私は「そのような批判ならば、カントを待つまでもなく、すでに『プロスロギオン』の中で、修道士ガウニロがアンセルムス批判として言ってたよなぁ」と思っていた。

ガウニロは、次のような批判をしていた。「最高度に完璧な島があるとして、しかも、そのような島が実際に存在するほうが（存在しないよりも）完璧であるとしたならば、そういう想定を理解できることから、その島が実在することが導けるだろうか？」という批判であった。つまり、「最高度に完璧な実在する島」という概念が理解できることと、その概念内容が実際に成立していること（そういう島が実在すること）は全く違うことなのに、アンセルムスはその落差（ギャップ）を見失っている、という批判である。

さらに私は思った。しかしそれでも、アンセルムスは、そのようなガウニロによる批判にまだ屈していなかったはずだ。そうだとすれば、カントによる同様の批判を受けたとしても、アンセルムスの神の存在証明は、すぐには論駁されないのではないか。少なくとも、「簡単な理屈で失敗する」と言って議論を打ち切ることはできないのではないか。そう思ったけれども、科学哲学専攻の学生にうまく反論することはできなかった。「完璧な島」と「神」を同列に並べて論じることはできない、とアンセルムスが言っていたような記憶はあったが、「神」の何がそんなに特別なのか、うまく説明できるとは思えなかった。

それからしばらくの間、この神の存在証明について、考えてみることが増えた（『プロスロギオン』を読み返すことまではしなかったが）。その頃考えていたことを思い出してみると、本書で展開した考察とも繋がっていて、個人的には感慨深い。

「存在するという概念だけからは、実際に存在することまでは導けない」という「簡単な理屈」によって、アンセルムスの神の存在証明を葬り去れるとは思えなかった。なぜならば、その「簡単な理屈」は、アンセルムスの証明を単純に論駁するものではなくて、むしろその証明を構成する一要素として働いているように思われたからである。すなわち、「ただの思考」と「実際の存在」のあいだに落差（ギャップ）があることは、アンセルムスの証明を論駁するどころか、むしろその証明を支える

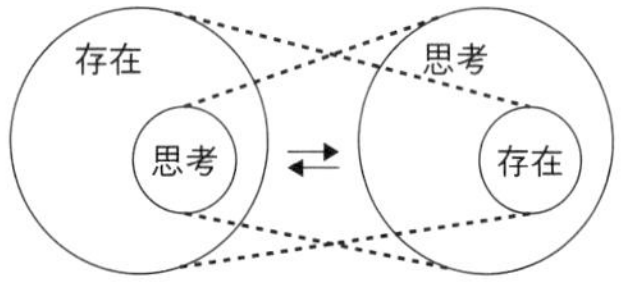

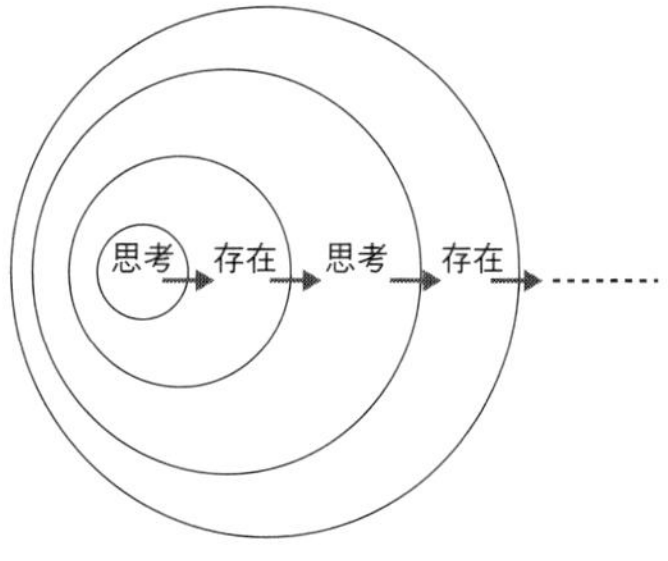

一要因である。その落差（ギャップ）があることこそが、「より大きい」の意味なのだから。「存在するという概念」だけからは「実際に存在する」が導けないことは、「現実の存在」が単なる「概念（思考）」よりも「大きい」ということである。その「落差（ギャップ）」を利用して、アンセルムスは「それより大きなものは何も考えることができない何か」（すなわち神）と語っている。その落差（ギャップ）を「より大きくする」ことと「より大きくできない」ことが接するような地点こそが、目指されている。私には、そのように思われた。

アンセルムスは、その「落差（ギャップ）」を単純に「見失っている」のではない。そうではなくて、むしろ「落差（ギャップ）」を最大限に利用することによって、「落差（ギャップ）」を消し去ろうとしている。あるいは、その「落差（ギャップ）」が無限大になることと、その「落差（ギャップ）」が無に等しくなること、その両極端が一致するところに、アンセルムスは「神」を見ようとしている。私には、そのように感じられた。

アンセルムスの証明を、「存在」と「思考（概念）」のあいだの「落差（ギャップ）」を利用した証明と考えた場合には、私が高校時代に感じたような「行ったり来たり」や「どこまでも続く」という動きは、右の図のようになるだろう。すなわち、「存在は思考より大きい（存在は思考をはみ出す）」と「存在は思考より小さい（思考をはみ出す存在もまた思考される）」とのあいだの「行ったり来た

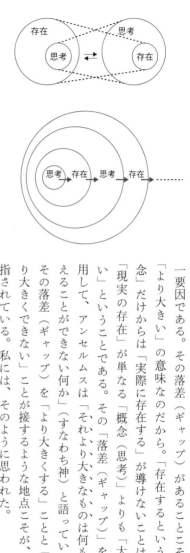

り」である。あるいは、「思考を超え出るのが存在である→と思考される→という思考をも超え出るのが存在である→……」という「どこまでも続く」である。

しかし、この「存在と思考（概念）」のあいだの「落差（ギャップ）」と、「現実の存在とその思考（概念）」のあいだの「落差（ギャップ）」とは、決定的に異なった「落差（ギャップ）」なのではないだろうか。この異なる「落差（ギャップ）」どうしの「落差（ギャップ）」こそが、神の存在証明を駆動する力なのではないか。

落差（ギャップ）1：存在／思考（概念）
落差（ギャップ）2：現実の存在／思考（概念）
落差（ギャップ）3：1の落差（ギャップ）／2の落差（ギャップ）
＝現実性の力

言い換えれば、「現実の存在」と「ただの思考（概念）」という二項対立で考えるだけではだめで、「現実（性）」と「存在」と「思考（概念）」の三者のあいだの力関係で考えないと、神の存在証明のポイントは摑めないのではないか。「思考（概念）」でも「存在」でもなくて、「現実の」に表れている現実性自体が、決定的なポイントなのではないか。私は、存在と現実（性）を分けて考えたいと思った。

「現実（性）」は、「存在と思考（概念）」の「大きさ争い」の水準自体を超え出る「大きさ」を持っているように思われる。つまり、「現実（性）」は、「存在と思考（概念）」という対（ペア）で争われ

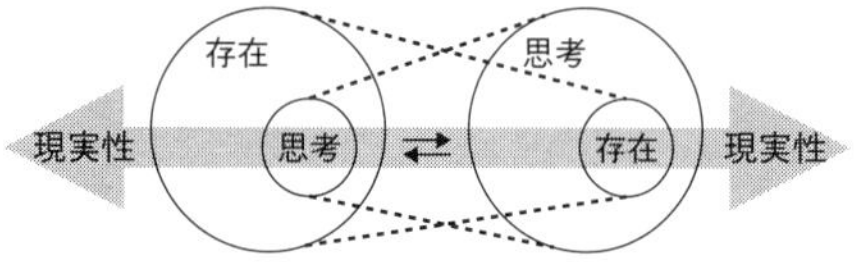

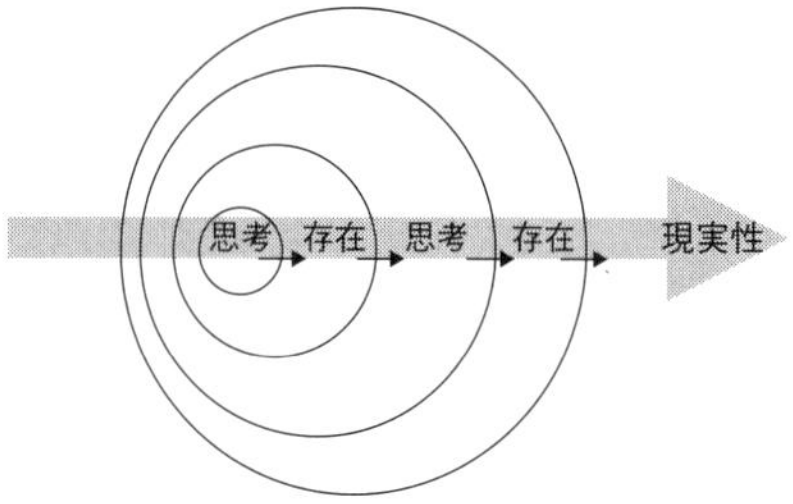

る「大きさ」よりも大きく、その対（ペア）の水準を突破してしまう仕方で働いている。「現実（性）」は「現実の存在」のように「存在」に対してのみ働くのではない。「思考」もまた「現実の思考」であるし、「思考⇅存在」の行ったり来たり自体が、「現実の行ったり来たり」であるし、「思考→存在→思考→存在→……」のどこまでも続く反復連鎖もまた、「現実の反復連鎖」である。思考であれ、存在であれ、思考と存在の「争い」であれ、「現に思考し」「現に存在し」「現に争う」のだから、「現実性」は常に一番外側で（一番「大きい」仕方で）、落差（ギャップ）を産み出し続ける源泉のように働いている。「それより大きなものは何も考えることができない」とは、そのように働く「現実（性）」の「外のなさ」のことなのではないか。いまの私ならば、あの頃考えていたことを、そう表現する。

さらに正確を期すれば、二項対立――現実存在と思考（概念）――から、三者関係――現実性と存在と思考（概念）――へと書き換えてもまだ十分ではない。実は、存在と思考と概念と現実性という力の次元の組み合わせによって、四者関係で考えるべきである。まず、存在と思考と概念の関係は、存在論・認識論・意味論のあいだの三竦み関係に相当する。そして、その三者のうちのどの一項でもなく、しかしどの項に対しても貫通的に働いている別の水準が、現実性という力の次元

である。(4)

二項対立：　現実存在と思考（概念）

↓

三者関係：　現実性と存在と思考（概念）

↓

三竦み関係：存在と思考と概念（＝存在論・認識論・意味論）

力の次元：　現実性

＝四者関係

「存在と思考と概念」の三者は、場面（文脈）に応じて「強弱関係」を変える（可変的なジャンケンのような）三竦みの関係にある。神の存在証明の場面においては、「思考を超え出るのが存在である↓と思考される↓という思考をも超え出るのが存在である↓……」という反復連鎖は、「存在と思考」のあいだの可変的な「強弱関係」の一例である。「神」という概念のうちに含まれる「存在」は、概

（4）　力の次元である「現実性」は、三者（存在と思考と概念）のどの項に対しても働くけれども、「平等に」働くわけではない。「現実性という力」が入り込む「優先的な窓口」は、三者の中では「存在」である。だからこそ、二項対立の水準では、「現実存在と思考（概念）」という対立になる。この点は、第1章の円環モデルで言えば、「現実性という力」が入り込んでくる「始発点」は、「何かが起こった（起こっている）」という「生起・実現」であることに対応している。思考や概念よりも「存在」のほうが、可能や潜在よりも「生起・実現」のほうが、「現に」という力の働きを、（何らかの意味で）顕わにしやすいということであろう。

念「内の」存在か概念「外の」存在かという振幅もまた、「存在と概念」のあいだの可変的な「強弱関係」の一例である。もちろん、「思考と概念」のあいだにも同様の「強弱関係」の可変——概念に囚われた思考か概念を突破する思考か——が生じうる。存在論・認識論・意味論という三つの水準は、このような可変的なジャンケン関係を通じて、常に連鎖し回り続ける。しかし、現実性という力だけは、次元を異にする。(5)

3 三者関係と現実性

存在と思考と概念(存在論と認識論と意味論)の「大小(強弱)関係」の可変とは、全域化と局所化、超出と包み込まれに関する三者間の「勢力争い」であり、その無限反復である(三七二頁の図に「概念」を加えた三者間の図を想い描いて頂きたい)。逆に言えば、ある特定の一局面を切り取れば、「大小(強弱)関係」は、とりあえず固定していると見ることもできる。たとえば、意味論優位の一局面では、「概念>認識>存在」という大小(強弱)関係になっていたり、存在論優位の別の一局面では、「存在>概念>認識」という大小(強弱)関係になっていたりする。「より大きい(より強い)」という関係は、相対的な関係であり、固定は「とりあえず」のものである。

しかし、現実性という力の働き方は、その可変的で相対的な三者関係(三竦みの関係)とは大いに異なる。現実性という力は、「(他の)何か」との間で、全域と局所、超出と包み込まれの「勢力争い」を繰り返すのではない。現実性という力が、それ自身の内において、全域としても局所としても、超出的にも包み込まれ的にも、働く。しかも、全域と局所、超出と包み込まれのそれぞれを、継起的に往復するのではなく、一挙にどちらでもあるように働く。すなわち、現実それ自身が、全域的にも局所的にも、超出的にも包み込まれ的にも働き、しかも両水準で一挙に働く。「存在と思考と概念」の関係は、相補的で継起反復的で時間的であるが、「現実性」の働きは、自体的で一挙的で非時間的である。

「現実は、自体的で一挙的な二重性を帯びている」という点を捉えるために、「現実と夢」という例に即して、X＝{X vs Y} という図式を提示したことがあった。[6]

(5) 「力」の水準の特別視を、次のような場面でも考えることができる。粘土に型枠を押しつけて「星(★)」を作るとする。この状況に対して、「型枠＝形相」と「粘土＝質料」と「星(★)＝個体・内容」を構成要因として区別するときに、忘れられがちなのが「力」である。「押しつける」という「力」が働くことは、この制作において決定的であるし、粘土と型枠のあいだでは、作用・反作用的な「力」の微小な鬩ぎ合い・調整が生じているはずである。それだけに留まらない。そもそも、粘土そのもの(質料自体)や型枠そのもの(形相自体)が、同様の微小な諸力の働き合いの中で成立している「一時的な姿」であるとも考えられる。いわば、本体は諸々の「力」の働きの方であって、その「力」の渦の中で局所的に現れたり消えたりするのが、形相・質料・個体等々の方であると考えることができる。形相・質料・個体・力について考えるにあたり、ジルベール・シモンドン『個体化の哲学　形相と情報の概念を手がかりに』(法政大学出版局、二〇一八年)の特に第一部を参考にした。ただし、次の点に注意しておこう。この場面での諸々の「力」とは、自然的な(物理的な)力である。しかし、「現実性という力」は、自然的な(物理的な)力ではない。それは、メタフィジカルな力であると言わざるをえない。

(6) 拙著『あるようにあり、なるようになる　運命論の運命』(講談社、二〇一五年)第5章「現実性は横溢する」参照。

現実＝｛現実と夢｝
X　＝｛X vs Y｝
全域　局所

この図式が表しているのは、「全域（X）は、自らの内に対比項（Y）を産み落とすことによって局所化して、自らの内で反照的に（内側のXとして）出現する」ということである。逆に言えば、「局所（X）は、対比項（Y）との対照を自らの内に吸収することによって、自らを（外側のXとして）全域化して透明に働く」ということである。「現実X」は、｛ ｝内に現れる対比項の一つ（すなわち局所）でもあり、同時にその両者を包摂する｛ ｝の全域でもある。現実は、夢と対比される（夢ではない）何かでもあるが、その夢もまた現実に含まれる。

さらに、そのような二重性を持つ「現実X」は、対比項（Y）自体の内にも浸透して働いていて、その点は、X＝｛X vs Y（X）｝と図式化した。「現実X」は、一番外側で働くだけでなく、内側のYの外側でも働き、さらに内側のYの内側でも働く。すなわち、「X↓｛X↓（X）｝」のように汎通的に働いている。現実は、夢ではない何かとしても働くが、その夢もまた含み込むようにも現実は働き、さらに夢の中でも現実は働いている。

現実＝｛現実と夢（現実）｝
X　＝｛X vs Y（X）｝
X　↓｛X　↓　（X）｝

この現実（X）の「自体的で一挙的な汎通性」「絶対的な外のなさ」こそが、「それより大きなものは何も考えることができない」というアンセルムスの神の「大きさ」なのではないだろうか。あの「何か」とは、そのような「現実性」のことだったのではないか。

しかし、自体的で一挙的な「現実性」も、「存在と思考と概念」の相補的で継起反復的な大小（強弱）関係の中へと容易に転落してしまう。「現実性と三者関係」のあいだの「落差（ギャップ）3」が、三者関係の内部に持ち込まれて、「（現実の）存在と（単なる）思考」のあいだの「落差（ギャップ）2」へと転落してしまう。さらに、「落差（ギャップ）2」は、「落差（ギャップ）1」――「存在と思考（概念）」――へも転落する。あのガウニロ・カント的な批判――概念や思考から実際の存在は導けない――は、転落によって生じる「自家中毒」のようなものである（と考えることができる）。また、「神」と「完璧な島」を同列に並べることは、「現実性という力」と「存在と思考と概念の三者関係」を同列に並べるようなものだ、ということになる。

「存在と思考と概念の三者関係」の側から「現実性という力」の次元に迫ろうとしても、けっして届かない。この届かなさこそが、「落差（ギャップ）3」である。しかし逆に、「現実性という力」の次元の側からは、その汎通性によって、その力は「存在と思考と概念の三者関係」の全体に一挙に浸透している。ここには、すなわち「力の側からか三者関係の側からか」には、決定的な非対称性がある。(7)

そして、三者関係内への「現実性という力」の浸透は、「現実の存在と単なる思考」という一局面で

（7）存在・思考（認識）・概念（意味）という三者のジャンケン的な循環関係は、高次のものになりうる。そ

は、その「現実の」において一瞬だけ顕わになる。しかしすぐに、「現実の存在」という思考（概念）へと回収されて、その力の働きは見えなくなる（ほんとうは、その思考（概念）にも、その力は浸透しているにもかかわらず――現にそう思考されている――）。

私がアンセルムスの神の存在証明から読み取っていたのは、この「現実性という力」と「存在と思考と概念の三者関係」の決定的な非対称性だったことになる。アンセルムスは、「落差（ギャップ）」を見失っているのではなく、最大限に利用している（無限大に大きくしようとしている）と私が考えたのは、「落差（ギャップ）3」の届かなさを、アンセルムスの証明に読み込んだからである。また、「最大限に利用している（無限大に大きくしようとしている）」ことが、むしろ「落差（ギャップ）」が消える（無に等しくなる）ことに繋がると私が考えたのは、三者関係の内部では「現実性という力」の働きは、浸透しきっていて、見えなくなるからである。

「こちら」（三者関係を巡ること）から迫ろうとしても、けっして届くことのない「あちら」（現実性という力）が、「こちら」の内側で（三者関係全体にすでに浸潤して）働いていて、しかもその力の作動に外はなく、全てがその力の作用域にある。ここには、「無限遠と原点がループする」ような感覚があって、高校時代に感じたあの「眩暈」が、バージョンアップして戻ってきたかのようである。このように考えてくると、「それより大きなものは何も考えることができない何か」とは、結局「現実性という力」の働きのことであって、「現実性こそ神である」と表現できる。(8)

4 現実性という神

現実性という神は、人間的な形姿や知性や意志を持つような「人格的な存在者」ではないし、「個体的な存在者」でもない。その神は、「現に」という力が働いていることとそれ自体、これに尽きる。(9)

しかし、ただそれだけのことが、これ以上ないほどに謎めいている。

現実性という神は、遍在的に浸透して透明に働いているので、特定の形姿は持たないし、気配すら

こで、存在論と認識論の循環やアンチノミーもまたメタの水準で生じうる。それに対して、そのような「可能性」の水準自体と断絶的・無関係的に働くのが、現実性の水準である。この点にも、「決定的な非対称性」を見出すことができる。可能性の有無とは関係なく、ただ単に「現に生じている」「現に生じていない」だけなのが、「現に」という力の水準であり、このメタ性なき水準こそが「端的な手前性」に相応しい。この点は、空集合以後の循環（0と1の循環）の中で生み出される「事後的な手前性」と、その循環に先立つ「端的な手前性」のあいだにも、さらに高次の循環を見出すという、山名論文の主張に応答する形で考えたことである。以下の山名論文を参照。山名諒「西田幾多郎とマルクス・ガブリエル——場所と意味の場、絶対無と世界をめぐって」、『夜航』No. 3、批評サークル「夜航」、四八—七七頁、二〇一八年。

（8）「現実性こそ神である」という表現は、上野修「真理と直観——永遠の相のもとに」（西日本哲学会編『哲学の挑戦』（春風社）三九—六九頁）の第Ⅱ節のタイトル「現実は神だった」に触発されて、思いついたタイトルである。上野修氏には記して感謝したい。上野の言う「神」は、もちろんスピノザの神である。それは、「ある」ことの全てであり、唯一実体であるような汎神論的な神である。そして上野は、「これって要するに、われわれのいるこの現実のことではないか」と述べる（五二頁）。スピノザの神の定義は、われわれの現実にこそ当てはまる、というわけである。一方、私のほうは、「現実性」を探究した結果、そのあり方が、「神」と呼ぶのに相応しいことが分かったという（逆の）順序を辿っている。つまり、（上野のタイトルを捩るならば）「神は現実だった」「神と呼ばれてきた或る種のことは、現実性という力のことに他ならない」と言いたいのである。「現実性こそ神である」の「こそ」には、そこまで籠めたつもりである。

（9）神と私の思いが交差する「祈り」については、本書第3章の3-3「祈りと神」を参照。

感じさせない。しかし、その神と出会ったと感じることのできる特異的な局面はある。それが、「私とあなた」が循環する局面であり、「必然と偶然」が潰れる局面であり、「時間性と非時間性」が接触する局面であり、「何かが起こった（起こっている）」というあの「始発点」である。ただし、あくまでも、その局面が特異的に働いているだけであって、現実性という神自体は、人称的な存在者でも、様相的な存在者でも、時制的な存在者でもないし、「特定の何か」の実現・生起でもない。

「現実性という神は「現に」という力が働いていること」と言った時点で、遍在的に浸透して透明に働いている段階（純化＝無化された神の段階）からは転落していて、「現に」という副詞によって可視化・特異化された段階へと落ちてしまっている。(10) もちろん、「現に」によって可視化・特異化された段階は、まだ特定の内包を持つ局所的な現実にまでは落ちてはいない。むしろ、「現に」によって可視化・特異化された段階は、純化＝無化される段階と局所化される段階のあいだで、その緊張において働いている。

「現に」それ自体から「（現に）かくかくしかじかである」へ至ってしまうと、内包化・局所化が完了することになるが、「（現に）これ」「（現に）このX」の段階は、まだ脱内包的であり、全域／局所の両方を貫く仕方で働いている。そのような、「現に」に準じる「これ」「この」の働きこそが、私が別様に解釈した「このもの主義」の要点であった（本書第6章第4節参照）。

直接指示で使われる「このX」の内に含まれている「これ性」という力が、その直接指示する場面を超え出て循環する点に、私は無様相の現実性の力を見出した（第6章の註16参照）。現実性という神も、「このX」という細部に宿るのである。「これ性」は、局所（目の前のもの）と全域（世界全体）のあいだを波及・還流する「力の流れ」である。つまり、現実性という神の力は、「この私―このもの―この世界」のあいだを融通無碍に波及し還流している。
　その力の波及・還流の一局面として、しかもその力を特異的に濃く感得できる局面として「私とあなた」の局面があった。永井の独在的な〈私〉と森岡のプギャー的な「あなた」と神へと向けたアンセルムスの「汝」は、どれも現実性という力が（擬似）人称的に現れている局面のように、私には感じられる。「擬似」と書き加えたのは、人称的な機構を利用しながらも、通常の人称性は歪んで、ほぼ失われているからである。歪んで失うことによってこそ「現実性という神」の特異的な表現になりうる。その「人称性の歪み・喪失」を感じ取るためには、一人称性と二人称性の局面だけではなく、三人称性あるいは非人称性（「それ」）の局面も加えておくのがよいだろう。第5章の第3節「無視点性」で言及した、ヴェーダーンタ学派の根本命題を再掲しておこう。

「我はそれなり、汝はそれなり、全てはそれなり[11]」

（10）　本書第2章の第1節では、第1段階の「現にソクラテスは哲学者である」から第0段階へと遡った。また、本書第3章の1-3では、この点を「「現にソクラテスは哲学者である」→「φソクラテスは哲学者である」→「ソクラテスは哲学者である」という純化の過程が想定されている」と表現した。もっとも原初的な段階は、現実性なしの単なる命題と一致してしまうので、現実性の完全透明化と現実性の無化は区別が付けられない。この点は、註7で述べたことも参照。現実性が透明に働くこと＝「端的な手前性」ということと、「（事後的ではない）端的な手前性」＝「空集合以前（無いよりもっと無いこと）」ということ、この二つのことが一致する事態とも、この純化の過程は符合している。すなわち、「純化された神」と「無化された神」は一致する。
（11）　第5章の註16を参照。

人称性の「歪み・喪失」が、現実性という神に特異的に出会う局面であるのと同様に、様相の区別（必然と偶然）が潰れたり、時間性と非時間性が接触する局面もまた、現実性という神が色濃く現れる特権的な局面である。また、「何かが起こった（起こっている）」という「始発点」では、現実性という神は、あたかもその何かを引き起こした創造者であるかのように表象（擬人化）されて、意識に昇ってくることもあるだろう。

「何かが起こった（起こっている）」という現在完了・進行形的な「始発点」ほど、現実性という神を招き入れるのに相応しい「入り口」はない。円環モデルの「始発点」は、肯定性の優位と否定性の萌芽とが重なり合う特異点であり、そこから様相が開けていくような原点であった。様相の開けの原点だからこそ、その後に分化していく様相（可能・不可能・必然・偶然）の全てが、一点縮約的に潰れている。「何かが起こった（起こっている）」ことを始発点にせざるを得ない点では必然的であり、「何かが起こった（起こっている）」は、ただ端的にそうだという以上の根拠や由来を持ちえない（無根拠で無係累である）点では、偶然的である。神の力が招き入れられる「入り口」としては、その必然性が神の力の「圧倒性」を、その偶然性が神の力の「奇跡性」を表現するだろう。現実性という神の力の働きかけが、圧倒的であると同時に奇跡的であることを、「実現・生起」の様相の潰れ（必然かつ偶然）が伝えている。

それでも、「実現・生起」と「現実性という力」の水準を混同すべきではない。「実現・生起」は「何かが起こった（起こっている）」ことであるから、（その「何か」によって）可視的になっているが、「現実性という力」は無内包ゆえに透明に働いていて、不可視である。また、肯定性が優位である「何かが起こった（起こっている）」であっても、そこには否定性が纏わり付くのに対して、「現実性という力」には、いっさい否定性が働きようがない。この水準の違いを保持したまま、しかし擬人化が施されてしまうと、「現実性という力」が創造する神で、「実現・生起」がその神の行為で、「(実現される)何か」が被造物であるかのような表象も生じてしまう。しかし、現実性という神は、「創造する神」ではないし、「超人的行為者」でもない。現実性という神は、創造とも破壊とも無関係の純粋な力の作動であって、実現・生起はその力の局所的な発現という出来事であって、行為ではない。「何かが起こった(起こっている)」という円環モデルの始発点は、様相の湧出点(様相の潰れ)であるだけでなく、時間性と非時間性の接触点でもある。「何かが起こった(起こっている)」が始発点であるとは、「まさに今、何かが起こった(起こっている)」ということなのだから。この「まさに今」「端的な今」こそが、時間性と非時間性の、あるいは反復と一回性(関係と無関係)の接触点である。

「まさに今、何かが起こった(起こっている)」は無根拠で無係累である。それは、「(その始発点が)どこからともなく出現する」ということに等しい。「どこからともなく」とは、「無から」という由来・起源さえ持たないことであって、その出現が「原初」で「全て」であることを表している(本書第6章註7参照)。その点で、「まさに今」の出現の仕方(原初かつ全て)は、〈私〉が世界の開けの原点でも、その原点が開く世界そのものでもあることに似ている。

「原初かつ全て」としての「端的な今」は、無関係的な即自態であるから、反復や(他との)関係がありえない。したがって、そこには時間の継起性や時点間の関係性は成立しえない。まさに今であること(その端的さ)は、時間内の一時点に付随させることができないメタフィジカルな事実である。これが、「まさに今」「端的な今」の非時間的な側面である。

にもかかわらず、別の異なる「まさに今」「端的な今」がありうるかのように考えてしまう（「無関係的な即自態」から別の異なる「無関係的な即自態」への非連続的なジャンプになるしかないとしても）。そのような可能的な複数化の思考（別の異なる）が、「端的な無関係性」を「無関係という関係」「無関係同士という関係」へと転落させる。その転落が、「まさに今」を「そのつどの今」へと、「そのつどの今」を「瞬間」の反復・継起へと変質させる。こうして、「まさに今」「端的な今」は、「瞬間的な現在」の反復・継起へと変換されて、時間性も帯びることになる。その結果、「まさに今」「端的な今」は、時間性と非時間性が接触する局面となる。[12]

この局面でもまた、時間を超越した永遠なる神が、時間内の有限者へと働きかけたり、世界そのものを瞬間的に創造したりする「超人的行為者」であるかのように表象されることがある。しかし、現実性という神は、永遠の存在者でもないし、世界の創造主でもない。現実性という神は、（変質することも含めて）時間内へも浸透する「力」である。たしかに、現実性という神自体は非時間的な力であるが、それでも「今」「現在」「瞬間」のところでは、特異的に時間と接触する（この今・この現在・この瞬間）。また、時制区分を貫通するようにも働く（過去・現在・未来は、現実の中での過去・現在・未来の繋がりでしかありえない）。

現実性という神は、どの局面で特異的に出会われるとしても、必ず二重性（矛盾的な緊張関係）を帯びて現れる。そもそも、「現に……」によって可視化される現実自体が、純化＝無化された神の段階（絶対現実）と特定の内包を持つ局所的な現実（相対現実）とのあいだの矛盾的な緊張関係として現れる。

人称的な局面においても、同様である。一人称的な局面では、独在性の問題における〈私〉と

《私》の関係がそうであるし（永井）、二人称的な局面では、「プギャー!!」と「あなたなのです!!」の関係（森岡）、「（呼びかけられる）汝」と「（証明される）何か」の関係（アンセルムス）もまた、二重性（矛盾的な緊張関係）を帯びている。ヴェーダーンタ学派の根本命題では、「それ」という非人称が一人称・二人称・全てを貫いて二重に（三重に）働いている。

様相的な局面においても、現実性という神は二重性（矛盾的な緊張関係）を帯びて出現する。そもそもは無様相の現実性という神が、始発点においては、偶然性と必然性の、あるいは可能性と不可能性の二重性（矛盾的な緊張関係）を纏う。その無様相の力が、すべての様相（の種）を一点湧出させるかのように、始発点では働いている。それに対して、潜在性の場においては、すべての様相が潰れて重なることによって、無様相へと近づく。

時制的な局面においても、現実性という神は二重性（矛盾的な緊張関係）を帯びて出現する。未来は、「けっして届かないものが、必ず到来するという矛盾が、棚上げされ続ける」という仕方で、矛盾的な緊張関係を含む。未来（けっして届かないが必ず到来する）は、まるで神のアナロジーのようである。過去（大過去）は、現在（実現・生起）とは無関係的でも関係的でもあるという仕方で、矛盾的な緊張関係を含んでいる。過去（大過去）の持つ運命論的な確定性もまた、まるで神のアナロジーのようである。そして、その未来と過去どうしの間にも、大いなる過去と大いなる未来は紙一重という二重性が含まれている。もちろん、現在には、時間性と非時間性が接触するという仕方で、二重性（矛盾的な緊張関係）が含まれている。

（12）　本書第6章第2節の図も参照（二一四頁）。

どの局面においても、現実性という神の透明な力は、二重性（矛盾的な緊張関係）を機縁として、いくぶん不透明になって可視化する。逆に言えば、いくらか可視的である二重性（矛盾的な緊張関係）から、その場に働く純化された透明な力（現実性という神）を感得することができる。

このような二重性（矛盾的な緊張関係）には、三つのエレメントが働いている。矛盾的な緊張関係にある「二項」と、その緊張関係を通して働いていて現れてくる「力」である。その「二項」が「三項」になっても、「四項」になっても、この状況は本質的に変わらない。たとえば、「存在と思考と概念の三者関係」と「現実性という力」の場合には、三重性（循環的な緊張関係）の内にある「三項」と、三項のどれでもなくどれにも働く「力」というように、四つのエレメントになるが、「一」対「n（n＝3）」という構図は変わらない。また、時制的な局面で言えば、矛盾的な緊張関係（ないかつある）を含む「未来」と矛盾的な緊張関係（無関係かつ関係）を含む「過去」どうしが、矛盾的な緊張関係（一致と不一致の紙一重）を含む。この場合もまた、「一」対「n（n＝2×2＝4）」という構図は変わらない。[13] n項の側は、原理的にはいくらでも複雑な関係になりうるが、それでも「一」対「n」という構図だけは変わらない。「三位一体」に倣って言うとすれば、「n位一体」という構図である。[14]

この場合の「n位」は、「n項」「n重」「n次元」など諸々の「n」であってよい。それに対して、「一体」のほうは、その多重・多次元を貫いて遍在的に働く「力」の「一」性であり続ける。その「力」の水準は、古代ギリシアの言い表し方を借用するならば、「*ἓν καὶ πᾶν*/hen kai pan/一にして全」と表現できるだろう。さらにここに、「n位一体」の構図（多重性・多次元性）も加えておくならば、「*ἓν καὶ πᾶν καὶ πολύ* / hen kai pan kai polu/ 一にして全にして多」となるだろう。

現実性こそ神であり、それは「一全多」である。

(13) 本書第8章で考察した「相対主義と絶対主義」の対立場面でも、「相対」の側が「相対の相対化」と「相対の絶対化」に分かれうるし、それに相即的に、「絶対」の側も「相対的な絶対」と「絶対的な絶対」に分かれうる。ここにも、「n＝2×2＝4」が出現する。この場面では、(四項のうちの)両極的な「相対の相対化」と「絶対的な絶対」のところに、もっとも運動性が宿る。その運動性は、「現実性という力」の一つの反映である。この点については、拙著『相対主義の極北』(ちくま学芸文庫、二〇〇九年／春秋社、二〇〇一年)も参照。

(14) 私の言う「現実性という神」は、もちろん「キリスト教の神」ではない(その他特定の宗教の神でもない)けれども、「二重性」を基にして「三位一体」を解釈する神学的な議論として、小田垣雅也『現代思想の中の神　現代における聖霊論』(新地書房、一九八八年)は参考になった。

追記とあとがき——Actu-Re-alityについて

『現実性の問題』という書名は、九鬼周造の『偶然性の問題』を半ば意識している。両者の内容上の繋がりと相違については（特に現実性と偶然性については）、本書第6章「無関係・力・これ性」の第3節「「力」としての現実性」を参照していただきたい。

本書の英訳タイトル *The Problem of Actu-Re-ality* には、「造語」が含まれている。Actu-Re-alityは、お気づきのように、ActualityとRealityを組み合わせた私の造語である。この造語の含意について、説明しておきたい。そのためにも、ActualityとRealityの意味の成り立ち方を、まず確認しておく必要がある。

特に哲学する場面でなければ、ActualityとRealityは同義語のように扱われて、どちらも同じく「現実」「現実性」と訳されることがある。しかし、哲学用語としてのActualityとRealityは、同義語であるどころか、その起源や系統を異にする別種の語であるし、どちらも、哲学的な語義解釈問題を喚起する別の「鍵語《キーワード》」である。

たとえば、Actualityは、アリストテレスの*ἐνέργεια*（energeia 現実態）やトマスのactus, actualitas（現実）に由来する「作動」「行為」系統のことばである。それに対して、Realityは、中世ラテン語で「もの」「こと」を表すresを形容詞化したrealisさらにそれを名詞化したrealitasに由来することばである。「働く」ことを表す動詞系のことばがActualityであり、「事物・事象」を表す名詞系のことばがRealityであると、ひとまず考えておくことができる。ただし、両軸（動詞系と名詞系）は単に別系統のままに留まり続けるのではなく、互いに交差する。

ドイツ語のRealitätも、realitas由来の語であり、「もの・こと」を表す名詞系に連なっていて、「事象内容性」を表す。有名な例だが、「存在はリアルな述語ではない（Sein ist kein *reales* Prädikat.）」とカントが述べるときの「リアル」は、「もの・ことの中身を規定する」「事象内容的な」という意味である。カントの発言は、「……がある」という存在を表す述語が、「……である」という事象内容を表す述語とは異なることを強調していることになる。だから、「存在は実在的な述語ではない」と（“*reales*”を「実在的な」と）訳してしまうと、何のことか分からなくなる。

にもかかわらず、Reality, Realitätは、「事象内容性」という意味から、「実在性」（実際に存在すること）という意味へとシフトしていく。その語義変化は、なぜ・どのようにして起こったのだろうか？　これは、哲学的な語義解釈問題のよく知られた一例である。その詳細（subjectとobjectの意味反転等）に立ち入る余裕はないが、Reality, Realitätが「実在性」（実際に存在すること）という意味を獲得する過程では、別系統であるもう一方のActuality（現実性）の意味の影響もあることが予想される。「両軸（動詞系の現実性と名詞系の事象内容性）」の交差点としての「実在」（現実存在）という捉え方もできるだろう。

事情はさらに複雑である。ActualityとRealityは、別系統で別の鍵語であるだけでなく、また別系統のまま一点で交差するだけでもない。ActualityとRealityは、それぞれが独自の「厚み」というか「振れ幅」というか、ある種の「両義性」を含んでいる（次頁の図のA1＋A2, R1＋R2を参照）。Actualityということば自体が一枚岩ではなく、Realityということば自体がヤヌス的である。しかも、

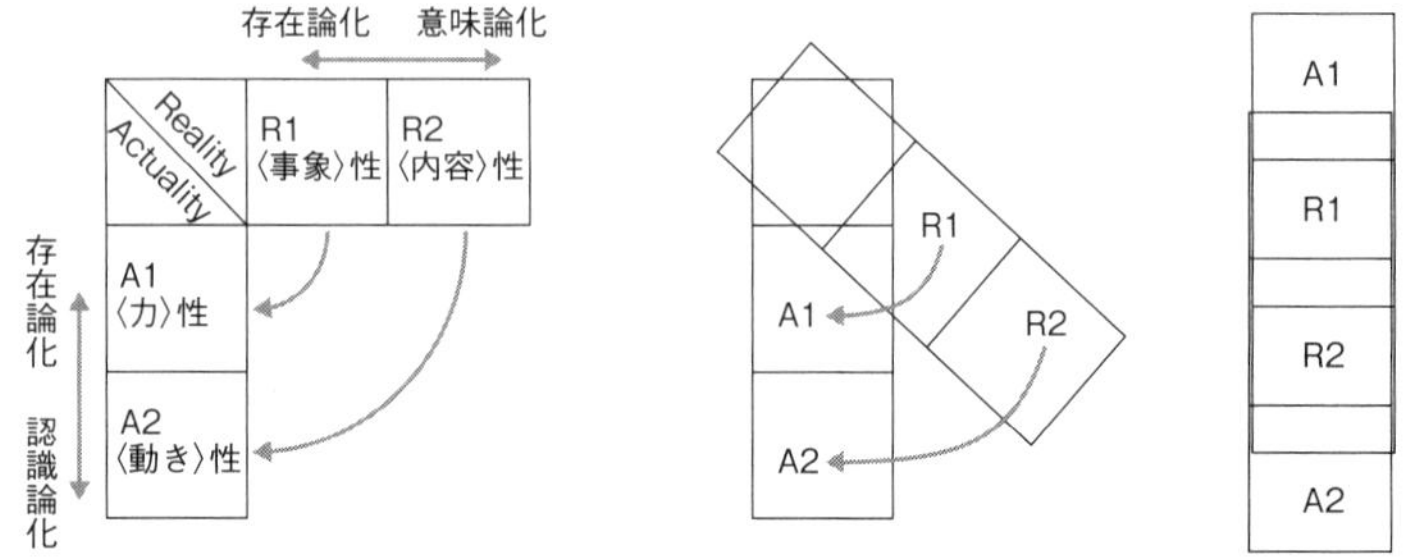

それぞれの「厚み」「振れ幅」が互いに重なり合うかのように関係しつつ、しかしズレて新たなオーダーが生成される。その点を、上図のように（左から右へと）イメージしておこう。水平方向のReality（R1＋R2）の厚みが、（回転移動して）垂直方向のActuality（A1＋A2）の厚みへと接近しながらも、しかし完全に重なることはなく、「A1-R1-R2-A2」というズレを含んだ新たなオーダーが生まれてくる。

　Actualityが「一枚岩ではない」のは、図のA1とA2が示すように、「作動」自体が、〈力〉の方向性（存在論化）と、〈動き〉の方向性（認識論化）という二つの方向性を持っているからである。Actualityは、actus（行為・活動）に由来する「力の発動」である。その「力」がたとえ見えなくとも・感じられなくとも働いているならば、それは「存在論化」の方向に当たる。他方「力」の働きが、ものが動くという「効果」や身体感覚などの「現れ」を通して捉えられるならば、それは「認識論化」の方向に当たる。前者の「力」は透明なまま不可視に働き、後者の「力」は身体・ものに即して受肉して可視化する。認識論化するA2の方向とは、「身体感覚」や「行為」等の「現れ」の近さから「現実性」に迫ろうとする方向である。他方、存在論化するA1の方向とは、「現れ」の近さからむしろ遠く退いて、遠隔作用する「透明な力」として「現実性」を考える方向である。もちろん、「遠近」の違いは、現実性という同一の力の二局面であって、A1・A2（存在論化・認識論化）の区別自体が、現実性という同一の力が波及・還流することの内で生じる。

Realityが「ヤヌス的である」のは、図のR1とR2のように、「事象内容性」自体が、「事象」そのものへと向かうベクトル（存在論化）と、（ものやことを規定する）概念内容へと向かうベクトル（意味論化）という二つの方向性を含んでいるからである。その違いは、概念の内なる内容性（R2）と、概念内に回収し尽くせない「もの・こと」の過剰・抵抗としての事象性（R1）との落差である。それは意味論に対する存在論の「突出」であるけれども、容易に認識論に対する存在論の「突出」へと読み換えられる（スライドする）。この読み換え（スライド）が、真ん中の図の「回転移動」を駆動すると言うこともできる。すなわち、概念の内なる内容性（R2）は「心の内」や「現れの内」へとスライドしやすいし、概念内に回収し尽くせない「もの・こと」の事象性（R1）は「心の外」や「現れの外」へとスライドしやすい（意味論の認識論化）。

（ガウニロに因んで？）「完璧な黄金の島には、黄金ではない部分が見つかった」という例で、Reality（事象内容性）のヤヌス性（R1⇅R2）を考えておこう。

一方で、「完璧な黄金の島にも、黄金ではない部分が見つかった」は可能である。その場合には、「完璧な黄金の島」という表現は、或る実際の島の存在にまで届いていて、その島には、実は黄金ではない部分が見つかった（「完璧な黄金の島」と呼ばれていただけで、完璧ではなかった）と、読み取ることになる。この場合には、実際のその島は、「完璧な黄金の島」という表現をはみ出す存在（概念の外なる実際のもの）である。この読み方が、R1（事象性）へのベクトル――存在論化――に相当する。

他方で、「完璧な黄金の島には、黄金ではない部分が見つかった」は不可能であるとも言える。そう受け取る場合には、「完璧な黄金の島」という表現が届く先は、その表現が表す概念（意味）内容の内に留まっていて、島＝対象は「完璧な黄金の島」という概念内容とぴったり一致している（いっさい過不足がない）。「完璧な黄金の島と言われるのだから、それは完璧な黄金の島でなければならない」のである。そこで、その概念内対象としての「完璧な黄金の島」に「黄金ではない部分がある」ことは、矛盾する。だから、それは不可能だということになる。「完璧な黄金の島」という概念内対象には、「もの・こと」が有する過剰・抵抗としての事象性（R1）はなく、概念だけで充足している。この読み方が、R2（内容性）へのベクトル――意味論化――に相当する。

Realityにおける「概念の外なるもの／概念の内なる対象」というこの区別は、「存在論化／意味論化」の区別であって、Actualityにおける「存在論化／認識論化」の区別とは元々は別である。しかし、「存在論化」を蝶番のようにして、「存在論化／意味論化」は、「存在論化／認識論化」へと重なり合おうとする傾向性を持つ。「概念の外なるもの」は「認識を超えた存在」へ、「概念の内なる対象」は「認識内に現れる対象」へと重ね合わされようとする。これが、真ん中の図の「回転移動」に当たる。しかし、完全に重なることはなく、ズレた四項オーダー（A1-R1-R2-A2）が立ち上がる。

まず、「概念の内なる対象」（R2の水準）と「概念の外なるもの」（R1の水準）の落差だけに注目すれば、そこに「現実」は実は関与していないという点が重要である。言い換えれば、概念内容を超える「実際のもの」（＝過剰・抵抗としての事象性）の「実際」とは、「現実」とは別のことなのである。「実際に」と「現実に（現に）」は異なるということである。

「完璧な黄金の島には、黄金ではない部分が見つかった」が可能であると受け取る場合には、「完璧な黄金の島」は、当の概念内容をはみ出す（概念の外の）「実際のもの」としての島には届いている。しかし、その島（実際のもの）が「現実の島」であることにはならない。事象性（もの・こと性）が、概念内容をはみ出すことができることと、その「はみ出し」が現実性に届いているかどうかは、別のことである。{A1＞(R1＞R2)} であって、「R1＞R2」という落差（ギャップ）だけでは、現実性にまでは及ばない。概念内容性と事象性の落差――「実際性」――は、まだ可能性の文脈（可能である／不可能である）の範囲内に留まっている。そこから更に「外」へ出て「現実性」にまで届くためには、その可能性の文脈の外から、「現に」という力――現実性――が働かなくてはならない。

概念内容性（R2）のほうから見るならば、事象性（R1）は「外」であるが、現実性（A1）は「その外のさらに外」ということになる。それが、{A1＞(R1＞R2)} というオーダー（「外・内」あるいは「遠・近」の序列）である。この点は、「現実性」は「実際性」よりも「さらに遠くから働く」と表現することもできる。

しかも、その最も遠くから働くActualityという力（A1）が、最も近くでも働く（A2）という点が、重要である。Actualityは、最遠隔と最近接の両方で働く力なのである。認識論化の方向――最近接の方向――のActuality（A2）は、「現に感じる」「現に動く」という仕方で、自らの身体や周囲のもの（R1的なもの）に受肉して、「内の内」で力を発動する。「内の内」と述べたのは、その「感じる」「動く」（A2）は、概念内容性（R2）という意味論的な「内」よりも、さらにもっと手前の、非意味的で感受的な「内」だからである。「内の内」なるActualityは、もの（R1）に即しながらも、意味・概念（R2）よりもさらに手前で作動する。それが、{(R1＞R2)＞A2} というオーダーである。こうして、「外の外（A1）―外（R1）―内（R2）―内の内（A2）」というオーダーが生成する。「内の内

現実性という力

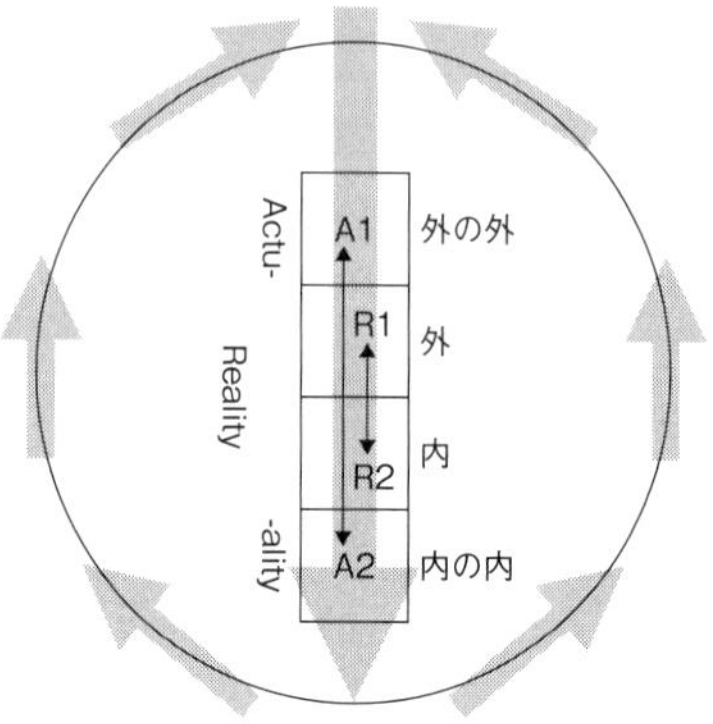

（A2）」という水準は、本書が論じてきた「クオリア」「マイナス内包」「潜在性」の問題へと繋がっていることは、本文を読み終わっている読者の方々には、明らかであろう（たとえば、第〇次内包としてのクオリアは、R2からA2へ向かう中途として位置づけられるし、いっそうA2化が進むのがマイナス内包である）。

現実性という力は、「外の外」と「内の内」――最遠隔と最近接――を結ぶように作動し、さらに「外（もの）」に受肉しつつ「内（意味）」からさらに奥へと退隠するように働いている。そのような仕方で、Actuality は、Reality を外から包摂するようにも、奥深く中に入り込むようにも働いていて、Actuality と Reality が協働して創り出す「外の外―外―内―内の内」の落差を反復しつつ、全体を経巡り貫通している。「外の外（A1）」と「内の内（A2）」がぐるっと循環するように繋がる点は、「現実性はどこまでも潜在的であり、潜在性はどこまでも現実的である」という本書の主張（第2章参照）に対応することもまた、本文を読み終わっている読者の方々には、明らかであろう。

ここまで来ると、“Actu-Re-ality”という造語まで、あと一歩である。第一に、“Actu-Re-”の順序であって、“Re-Actu-”の順序ではないことが、「現実性という力（Actu-）」が、Reality を外から包摂するようにも、また奥深く中に入り込むようにも働くことを表している。第二に、中間に挟まれた“-Re-”は、力の受肉先の（もの・こと res）を表すと同時に、「反復」も表している。何の「反復」

か？　それは、ActualityとRealityが噛み合わさることによって出現する「落差（ギャップ）」の反復であり、力の透明（不可視）化と不透明（可視）化のあいだの反復である。第三に、“Actuality”や“Reality”という語の単独使用によって生じるかもしれない「主観化バイアス」を避けるために、“Actu-Re-ality”という造語の齟齬感（奇妙さ）を利用したいという意図があった。『現実性の問題』というタイトルの「現実性」を、主観的な「現実味」や「今日性」などへと矮小化して理解してしまったり、「リアルな感じがすること」や「写実的なあり方」のように誤解されることを防ぎたかった。むしろ「現実性」は、それらを凌駕する力なのだから。

そのような複数の理由から、『現実性の問題』の英訳タイトルを、“The Problem of Actuality”でも、“The Problem of Reality”でもなく、造語を利用して“The Problem of Actu-Re-ality”とした。

＊

『現実性の問題』は、私がこれまで書いてきた著書の中で、最大かつ最深の作品であり、『相対主義の極北』（ちくま学芸文庫）、『時間と絶対と相対と』（勁草書房）、『あるようにあり、なるようになる運命論の運命』（講談社）に連なり、更にその先まで考察を進めることを意図して書かれた。

今回は、依頼を受けて執筆を始めたのではなく、私の方から担当編集者の増田健史さんにお願いして、六〇歳になるので「区切り」となるような一冊を書きたいと申し出た。ちょうど二〇二〇年に筑摩書房が創業八〇周年を迎えることもあって、増田さんが温めていた計画と私の願いがうまく合致して、本書はスタートした。

本書執筆の最終盤では、感染症（COVID-19）拡大による異例の事態に遭遇することになった。その非日常的な日常を、私は索引作成に没頭することで過ごした。本書の索引に対して、私のゼミ生は「本文に登場したモチーフたちが並べ収められた倉庫みたい」とコメントしてくれた。この時期、大学は封鎖されて通常の形態の授業はできなくなり、人生初のオンライン授業を自宅書斎からライブ配信することになった。その中では、まだ公刊前の本書をテキストにした講義も行った。

書きたいことを、書きたいだけ書きたいように、書けることは、何ものにも代えがたい幸せであるが、それに勝るとも劣らないのが、増田さんと本書を作り上げていくプロセスを共有し、一緒に楽しめたことである。増田さん、今回もたいへんお世話になりました。

入不二基義

二〇二〇年五月

初出情報

初出情報を記しておく。各章かなりの修正加筆を施しているので、初出とは大幅に違うものになっている章もある。

はじめに　「現実性の問題」の始まり　書き下ろし

第1章　円環モデルによる概観　書き下ろし

第2章　現実性と潜在性　初出：『現代思想』二〇一七年十二月臨時増刊号、vol. 45-21, 総特集・分析哲学、青土社、二〇一七年、三〇―四七頁。

第3章　事実性と様相の潰れと賭け　初出：日本記号学会編・叢書セミオトポス13『賭博の記号論』新曜社、二〇一八年、一八―四四頁。

第4章　現実の現実性と時間の動性　初出：『哲学論叢44』京都大学哲学論叢刊行会、二〇一七年、一―一五頁。

第5章　時間・様相・視点　初出：入不二基義・森岡正博『運命論を哲学する』明石書店、二〇一九年、

一七七―二〇一頁（「時間と現実についての補遺」）。

第6章　無関係・力・これ性　初出：入不二基義・森岡正博『運命論を哲学する』明石書店、二〇一九年、二五九―二八八頁（「再応答――あとがきに代えて」）。

第7章　無内包・脱内包・マイナス内包　初出：永井均・入不二基義・上野修・青山拓央『〈私〉の哲学を哲学する』講談社、二〇一〇年、語句解説「内包」四六―九三頁、「無内包の現実」二八五―三一〇頁。

第8章　「拡張された他者」としての現実性　初出：『語りえぬものを語る』ことで語られないこと――相対主義・他者・相貌・自由」、哲学会編・哲学雑誌第一二七巻七九九号『語りえぬもの』有斐閣、二〇一二年、五五―七三頁。

第9章　「無いのではなくて存在する」ではなく　初出：「無についての問い方・語り方――「無ではなくて存在」ではなく」」、ハイデガー・フォーラム編・電子ジャーナル *Heidegger-Forum* vol. 6, 2012, pp. 22-37.

おわりに　現実性こそ神である　書き下ろし

事項索引

※項目は二階層で示した。参照先は、頁〔x, x-xx〕／章と節〔ChX secx〕／註〔chX(x)〕の順序・体裁で表している。

あ　行

か　行

さ 行

た行

な　行

は　行

ま　行

や 行

ら　行

わ　行

欧　字

人名索引

※参照先は、頁〔x, x-xx〕／章と節〔ChX secx〕／註〔chX(x)〕の順序・体裁で表している。

あ 行

か 行

さ 行

た 行

な 行

は　行

ま　行

や　行

ら　行

欧　字

入不二基義（いりふじ・もとよし）
1958年生まれ。東京大学文学部哲学科卒業、同大学院博士課程単位取得。専攻は哲学。山口大学助教授をへて、現在、青山学院大学教育人間科学部教授。主な著書に『哲学の誤読』（ちくま新書）、『相対主義の極北』（ちくま学芸文庫）、『時間は実在するか』（講談社現代新書）、『時間と絶対と相対と——運命論から何を読み取るべきか』（勁草書房）、『足の裏に影はあるか？ ないか？——哲学随想』（朝日出版社）、『あるようにあり、なるようになる——運命論の運命』（講談社）など。共著に『〈私〉の哲学 を哲学する』（講談社）、『運命論を哲学する』（明石書店）などがある。

現実性《げんじつせい》の問題《もんだい》

2020年8月10日　初版第1刷発行

入不二基義 ――― 著者
喜入冬子 ――― 発行者
株式会社 筑摩書房 ――― 発行所
東京都台東区蔵前2-5-3　郵便番号111-8755
電話番号03-5687-2601（代表）
水戸部功 ――― 装幀者
株式会社 精興社 ――― 印刷
牧製本印刷 株式会社 ――― 製本

ISBN978-4-480-84751-5　C0010

◉筑摩書房の本◉

〈ちくま新書〉
哲学の誤読
入試現代文で哲学する！

入不二基義

哲学の文章を、答えを安易に求めるのではなく、思考の対話を重ねるように読み解いてみよう。入試問題の哲学文を「誤読」に着目しながら精読するユニークな入門書。

時間と自由意志
自由は存在するか

青山拓央

私たちは多くの可能性からただ一つの現実を選択しているように見える。だがそれは本当か。この問いを糸口に、自由とは何かという哲学の難問に新たな地平を拓く。

新哲学対話
ソクラテスならどう考える？

飯田隆

「よい／悪い」に客観的な基準はあるのか？人工知能と人間は本当に違うのか——ソクラテスと古代の賢人たちが現代の哲学的難問を大激論！　甦る知の饗宴。

増補版
大人のための国語ゼミ

野矢茂樹

大好評『国語ゼミ』が、内容はそのままに新たな原稿を加えパワーアップした。基礎の基礎から質問や反論の技術まで、言葉の力をあなたの味方に変える実践の書。

教養の書

戸田山和久

全国のごく少数の幸福な読者のみなさん、ついに書いてしまいました！　教養とは何か。どう身につけるか。おまけにお勉強の実践スキルまで。すべて詰まった一冊です。